LIVING
TOGETHER
APART

Jos Willems – Brigit Appeldoorn – Maaike Goyens

LIVING

SCHEIDEN ALS PARTNERS,

TOGETHER

SAMENLEVEN ALS OUDERS

APART

LANNOO

'Misschien is onze ellende dat we zo'n beetje in de avondschemer leven van de oude moraal en dat er nog genoeg over is om ons het leven zuur te maken, maar niet genoeg om richting te geven aan ons leven.'

– John Updike in *Trouw met mij*

INHOUD

WOORD VOORAF

Het begon allemaal toen An Candaele mij vanuit de Gezinsbond vroeg om voor hun tijdschrift *De Bond* een artikel te schrijven over nieuw samengestelde gezinnen. Ik koos voor de titel 'Blijven, scheiden of de derde weg'.

Er volgden heel wat reacties uit Vlaanderen en Nederland en de teneur van de lezersbrieven was er een van erkenning: 'Eindelijk wordt er ook eens gesproken over de weg waarvoor wij bij onze scheiding hebben gekozen.' In totaal boden bijna dertig gezinnen spontaan hun medewerking aan als er een boek zou worden geschreven. Hiervan hielden wij er twintig over. Met deze gezinnen hebben we zeer boeiende en oprechte gesprekken kunnen voeren. Deze gesprekken vormen het fundament waarop het boek is gebouwd. Ze waren essentieel omdat er over deze wijze van 'samen'-leven na een scheiding nagenoeg geen literatuur te vinden is.

Onze bijzondere dank en diepe waardering gaan dan ook in de eerste plaats naar iedereen die aan deze gesprekken deelnam. Jammer genoeg kunnen we deze mensen niet bij naam noemen omdat we zelf hadden voorgesteld hun getuigenissen in het boek anoniem te houden. Alle namen die je in het boek vindt, zijn dus fictief, maar de getuigenissen zijn authentiek. Elk interview is aan de deelnemers voorgelegd en door hen bevestigd. Het is niet overdreven te zeggen dat zonder de inbreng van al deze mensen het boek niet mogelijk zou zijn geweest.

Waar nodig zijn de getuigenissen van deze gezinnen aangevuld door de persoonlijke ervaringen van de auteurs. Alle drie waren of zijn we betrokken bij bepaalde vormen van *living together apart*. Om praktische redenen werden alleen mijn getuigenissen in de ik-vorm geplaatst, de getuigenissen van Brigit en Maaike bleven anoniem. Zij deden overigens niet alleen hun eigen verhaal, maar deden ook een beroep op getuigenissen uit hun praktijk om bepaalde stellingen of argumenten te onderschrijven. Ook deze anonieme getuigen willen wij heel oprecht bedanken.

Ik ben uiteraard de grootste dank verschuldigd aan Maaike en Brigit. Zonder hen was het voor mij onmogelijk geweest al die gesprekken te voeren en het boek de nodige inhoud en consistentie te geven. Het enthousiasme waarmee zij onmiddellijk op mijn verzoek om medewerking reageerden, was onbegrensd. Dit is tijdens het hele verloop van de werkzaamheden zo gebleven.

Dat zij met mij in zee gingen, was voor mij precies de steun die ik nodig had. Dat ze met mij het avontuur deelden door een perfecte verdeling van de taken was bijzonder. Maar mijn grootste waardering betreft het feit dat ze samen met mij doorwerkten tot het boek een volledige eenheid werd. Uiteindelijk is dat de grootste uitdaging wanneer je een boek met meerdere schrijvers maakt. Als wij in onze opzet geslaagd zijn, dan is dat aan hen te danken.

Samen hopen we vurig dat de olievlek van positieve ervaringen die wij ontdekten zich via dit boek mag verspreiden. Wellicht kunnen hierdoor in de toekomst veel negatieve gevolgen voor de kinderen van gescheiden ouders vermeden worden.

Een speciaal woord van dank aan degenen die op basis van hun expertise hun opinie over het thema gaven, zoals Ed en Diana. En in het bijzonder bedank ik Corrie, die in de epiloog zo mooi aantoont dat de derde weg eerder een manier van denken is dan een manier van doen.

Tot slot ook een hartelijk woord van dank aan de uitgeverij die in ons project geloofde.

En verder hartelijk dank aan allen die op de een of andere manier hun steentje bijdroegen.

Jos Willems

INLEIDING
SCHEIDEN, BLIJVEN OF EEN DERDE WEG?

'Het kind van de rekening', zo wordt een kind van gescheiden ouders weleens genoemd. En in een aantal gevallen ís hij dat ook. Dat is heel jammer,
vooral omdat het ook anders kan – heel anders zelfs. Maar vaak zitten de
ouders bij een scheiding, en soms lang daarvoor, midden in een strijd met
zichzelf en de ander. Daardoor winnen de emoties het van het verstand.
Het belang van het kind komt dan ongewild weleens op de tweede plaats.

Als het echt slecht begint te gaan in je huwelijk of relatie, of als het samenzijn helemaal is doodgebloed, dan zie je in de regel maar twee oplossingen: doorgaan of scheiden. Enkele decennia geleden koos de meerderheid ervoor om door te gaan, nu is scheiden de eerste keuze. Te vlug soms,
menen sommigen. Wellicht hebben die mensen in een aantal gevallen gelijk, maar in andere gevallen ongelijk. Wie is er in staat in het hart van de
relatie van iemand anders te kijken?

Feit is dat veel mensen op dat ogenblik onvoldoende beseffen dat het in
twijfel trekken van hun relatie losstaat van hun ouderschap. Scheiden op
zich is niet zo moeilijk, voor wie er klaar voor is tenminste. Tegelijk volwaardig ouder blijven is een kunst. Want volwaardig ouder blijven veronderstelt dat je niet alle schepen achter je verbrandt, maar dat je de zorg
voor de kinderen blijft delen. Levenslang.

Juist in deze moeilijkste fase van hun leven als partners moeten de ouders sámen de beste keuzes voor hun kinderen maken. Daarbij zal de manier waarop die beslissingen nu worden genomen doorgaans bepalend zijn
voor de manier waarop ze in de toekomst met elkaar en met de kinderen
zullen omgaan. Een schijnbaar onmogelijke opdracht.

Maar niet onmogelijk voor wie zijn persoonlijke emoties tegenover zijn
partner opzij weet te zetten, voor wie oprecht wil zoeken naar oplossingen
die de kinderen zo weinig mogelijk pijn zullen doen. Want zíj hebben niet
om de scheiding gevraagd, integendeel.

Het besef dat 'goede scheidingen' bestaan, kan helpen. Dat een meerderheid van de scheidingen de kinderen na verloop van tijd gelukkiger maakt, kan dat zelfs nog beter. Alleen moet je ervan uit willen gaan dat de tijden veranderd zijn, dat het stigma dat vroeger bij een scheiding hoorde, verbleekt is. Je kunt gekwetst zijn, als partner pijn hebben gehad, maar daarom hoef je als ouder nog niet elkaars vijand te zijn of te blijven. Door samen het beste voor de kinderen te willen kun je de opgelopen wonden juist het best helen.

Daarvoor is moed nodig. Niet alleen om jezelf daartoe in die stormachtige tijd te verplichten, maar ook om het hoofd te bieden aan de familie en de omgeving. Vaak begrijpen zij niet dat exen vriendschappelijk met elkaar omgaan en zitten ze nog vast in het oude idee dat bij scheiden vijandschap hoort, of op zijn minst een verkoelde afstandelijkheid. Zij denken dan te weinig aan de voordelen van deze positieve aanpak voor de kinderen.

Want niet de scheiding op zich brengt de kinderen de meeste schade toe, maar de blijvende ruzies tussen hun ouders en de opeenstapeling van veranderingen en onzekerheden in hun leven. Wie verdere ruzies in het bijzijn van de kinderen weet te vermijden, hun onzekerheden kan wegnemen en ervoor kan zorgen dat de veranderingen beperkt blijven en in hún tempo verlopen, hoeft niet bang te zijn voor negatieve gevolgen van de scheiding voor de kinderen.

En laat het nu net dit laatste zijn waar bij een scheiding vaak het minst aan wordt gedacht. Wie uit elkaar gaat, gaat er nogal gemakkelijk van uit dat die veranderingen wel zullen meevallen. Daarbij vergeet men dat kinderen al hun energie nodig hebben om de grootst denkbare verandering in hun leven te verwerken: de scheiding van hun ouders. Daarbij hun vertrouwde omgeving moeten missen is voor de meeste kinderen te veel.

Gelukkig hebben heel wat ouders dat begrepen. Zo is *birdnesting** een stap in de goede richting. Bij birdnesting blijven de kinderen in hun vertrouwde huis wonen, terwijl de ouders wekelijks wisselen. Dit geeft de kinderen niet alleen een stevig houvast, maar ze houden ook hun gewoonten en hun vriendjes. Bovendien is het ook voor de ouders een uitstekende oefening om zich in te leven in de situatie van kinderen die wekelijks naar een ander thuis moeten.

Birdnesting is voor ouders de ideale oefenschool. Op deze manier kunnen ze onderzoeken in hoeverre ze kunnen stoppen met partner zijn en in

---

* Begrippen met een asterisk worden achteraan uitgelegd in de verklarende woordenlijst (p. 213)

staat zijn om op een loyale manier met elkaar om te gaan, zonder ruzie. Hoewel er ouders zijn die zich deze manier van leven eigen maken en ermee doorgaan tot de kinderen volwassen zijn, is het meestal een tijdelijke oplossing, een overgang. Sommigen zullen hierna volkomen gescheiden gaan leven volgens het oude recept, anderen zullen als ouders verdergaan volgens een nieuw model: *living together apart*.

Living together apart of 'gescheiden samenleven' houdt het midden tussen doorgaan en samenblijven enerzijds, en niets meer met elkaar te maken willen hebben anderzijds. Het is een 'derde weg' die creatieve oplossingen biedt om de kwalijke gevolgen voor de kinderen te beperken of zelfs helemaal uit te schakelen.

Het is geen wondermiddel. Ook bestaat er niet één derde weg die voor alle ouders de beste is. Er zijn zoveel wegen als er ex-partners zijn die deze richting willen inslaan. Je kunt je eigen weg invullen volgens de omstandigheden waarin je leeft, rekening houdend met wat jullie beiden aankunnen – en met wat de kinderen aankunnen.

Living together apart is in essentie een houding, een filosofie. Het vereist een open geest en vraagt van iedereen inspanning – niet alleen van de ouders, maar ook van latere nieuwe partners. Al geldt dit natuurlijk ook voor degenen die kiezen voor een traditionele scheiding.

Living together apart is voor ouders die weliswaar scheiden, maar het beste willen voor de kinderen. Het is voor ouders die de traditionele omgangsvormen na de scheiding durven te verlaten. En het is vooral voor ouders die creatief met de nieuwe situatie willen omgaan.

In dit boek willen we lijnen uitzetten die mensen die de derde weg willen inslaan, kunnen inspireren. We zullen ook handvatten aanreiken om die weg gemakkelijker te bewandelen. Veel getuigenissen van ouders die je daarin voorgingen zullen daarbij helpen. Ze zullen je ook laten zien dat er veel meer mogelijkheden zijn dan je misschien zou denken. Die alternatieven kunnen een oplossing zijn voor verantwoordelijke ouders voor wie 'scheiden of blijven' een dilemma is waar ze niet uit komen. Deze derde weg geeft hun de kans om te scheiden en tegelijk te blijven wat ze altijd al waren: de volwaardige ouders van hun kinderen.

1

HET NIEUWE GEZIN ZOEKT ZIJN WEG

Het gezin is de hoeksteen van de maatschappij, zo werd ons geleerd. Dat gezin kon niet anders dan het kerngezin* zijn: papa, mama en de kinderen. Sinds de negentiende eeuw gold dat als de standaard. In het kielzog van dat gezin was het huwelijk de enige fatsoenlijke leefvorm – buiten het klooster. En aangezien het huwelijk bedoeld was om kinderen te verwekken, was het gezin dat er het gevolg van was de norm.

Dat is natuurlijk de wereld op zijn kop. Niemand zal betwisten dat dit kerngezin een belangrijke gezinsvorm is die alle respect verdient, maar het is lang niet de enige die zaligmakend is. Het is een gezinsvorm zoals alle andere gezinsvormen, die in een bepaalde tijd perfect paste in de geest en de leefomstandigheden van dat ogenblik. Nu dit niet meer het geval is, heeft het weinig zin dit te betreuren. Gezin, huwelijk en scheiding zijn doodgewoon kinderen van hun tijd.

Het gezin volgde in de loop van de geschiedenis het huwelijk niet altijd op de voet. Het had zijn eigen dynamiek, die vooral geschoeid was op de economische en sociale omstandigheden waarin mensen leefden. Dit gold met name voor het armere deel van de bevolking. In de rijkere, vooral adellijke kringen kreeg het gezin de vorm en inhoud die bij hun status paste.

Algemeen kun je stellen dat er in de loop der tijden veel meer over familie dan over gezin werd gesproken. Het gezin kwam pas voorgoed los uit de familie tijdens de industrialisatie (rond 1900), toen de mensen massaal in de stad gingen wonen, waar veel minder leefruimte was.

Bij de Romeinen was de familie de overheersende leefvorm. Aan het hoofd ervan stond een *pater familias*. Hij had een onbeperkte macht over vrouw, kinderen, bedienden en slaven. Hij had zelfs het recht om te doden. Gelukkig deed hij dit zelden, of in elk geval spaarde hij meestal zijn kinderen. Wel werden ze, als ze het familiebezit in het gedrang brachten, gemakkelijk ergens te vondeling gelegd. Dit laatste deden de arme mensen ook, maar dan uit armoede, uit nood. Van liefde of affectie tussen ouders en kinderen was nauwelijks sprake. Van privacy nog minder.

Over de ontwikkeling van het gezin is bij ons tot in de zeventiende eeuw nauwelijks iets met zekerheid bekend. Er waren wellicht gezinnen die met het latere kerngezin te vergelijken zijn, maar het ging vooral om overleven en veiligheid. Daarom leefde men met name op het platteland meestal met velen samen in allerlei samenlevingsvormen. Het belangrijkst was om over zo veel mogelijk arbeidskrachten te beschikken. Kinderen werkten mee vanaf hun zevende. Meisjes trouwden vaak vanaf hun twaalfde en maakten daarna deel uit van hun nieuwe familie.

In de achttiende eeuw veranderde het maatschappijbeeld grondig. Vooral de opkomende burgerij zou in de negentiende en twintigste eeuw het burgerlijk gezin naar zijn toppunt voeren. De romantische opvatting van het kerngezin met het daaraan gekoppelde idee van moederschap werd geboren. Of liever: het werd door de opkomende burgerij de hemel in geprezen. Zelfs letterlijk, want de burgerman volgde maar al te graag de weg van de Kerk, die alles veroordeelde wat niet in dit model paste. Hij ging er prat op dat zijn vrouw niet hoefde te werken. Daarom vond hij voor haar het moederinstinct uit, dat haar aan de haard bond. Hierdoor kreeg hij voldoende ruimte om zijn eigen weg te gaan.

Twee wereldoorlogen in veertig jaar versterkten dit gezinsbeeld alleen maar. Het schrijnende gemis of verlies van man, vrouw of kind tijdens de oorlog voedde het romantische gevoel van het gelukkige gezin. Na de Tweede Wereldoorlog hield dit romantische gevoel nog één generatie stand.

Sinds het begin van de jaren zeventig van de vorige eeuw is de scheiding aan de onaantastbaarheid van het kerngezin gaan knagen, en inmiddels wordt het zeer in twijfel getrokken. In België gebeurde dit nog heviger dan in Nederland. In beide landen zijn er per jaar zowat dertigduizend scheidingen. Dat betekent voor Nederland twee echtscheidingen per duizend inwoners en voor België nagenoeg drie per duizend. Bij samenwonenden ligt het scheidingspercentage aanzienlijk hoger. De officiële cijfers geven dus een geflatteerd beeld van de werkelijkheid.

Door de sterke afname van het aantal huwelijken komt het aantal scheidingen in België de laatste jaren dicht bij het aantal huwelijken. Volgens recente gegevens (2011) is één op de drie stellen gescheiden (33 procent) van degenen die tussen 1980 en 1990 trouwden. Sterker is dat het aantal scheidingen van degenen die tussen 1990 en 2000 trouwden, ook rond de 33 procent ligt. Dit doet vermoeden dat over tien jaar één op de twee van hen gescheiden zal zijn.

Door de sterke stijging van het aantal scheidingen wordt het traditionele gezin elk jaar meer ingehaald door nieuwe gezinsvormen. De twee voornaamste zijn de eenoudergezinnen en de nieuw samengestelde gezinnen.

Volgens recente onderzoeken is het aantal eenoudergezinnen op dit ogenblik ruim tien procent en zijn er minstens zoveel nieuw samengestelde gezinnen. Eén op de vijf kinderen woont dus in een niet-traditioneel gezin. De leefwereld in deze gezinnen verschilt grondig van het intacte gezin.* Ze hebben allebei een eigen dynamiek met voor- en nadelen.

Het eenoudergezin

Vaak al tijdens de scheiding, maar in elk geval onmiddellijk erna leven de meeste ex-partners alleen. Als er kinderen zijn, is het eenoudergezin dan het logische gevolg. Toch kan dit heel verschillende vormen aannemen.

Vaak kiezen beide ouders een eenoudergezin, althans voorlopig. Sommige kinderen kunnen dan evenveel tijd bij hun vader als bij hun moeder doorbrengen (verblijfsco-ouderschap*), maar de meesten verblijven overwegend in één gezin.

Na verloop van tijd zal een van de twee ouders vrijwel zeker een nieuwe relatie beginnen, waardoor het kind kennismaakt met twee soorten gezinnen. Ongewild zal dit nieuw samengestelde gezin* invloed hebben op het leven in het eenoudergezin.

We richten ons hier op het meest voorkomende eenoudergezin, waarbij de kinderen bijna fulltime bij een van hun ouders wonen. In negen op de tien gevallen is dit de moeder. De vader heeft dan alleen een omgangsrecht.

Hoewel dit het meest aansluit bij wat decennia geleden de regel was en dus een ouderwetse oplossing lijkt, heeft deze manier van gescheiden leven voor de kinderen een onmiskenbaar voordeel. Zeker als ze in het ouderlijk huis kunnen blijven wonen, verandert de scheiding weinig aan hun bestaan. Vaak was de vader door de week toch al minder aanwezig. De moeder zet haar zorgende taak gewoon voort en is daardoor het stabiele element in het leven van de kinderen. Het 'bezoek' aan hun vader is helemaal niet zo ingrijpend als wanneer ze elke week van het ene naar het andere huis zouden moeten verhuizen. Ze hoeven niet elke keer hun spullen voor een hele week mee te sjouwen en ze hoeven ook hun vriendjes en gewoonten niet te missen. Daarbij vallen meestal de ruzies tussen de ouders grotendeels weg, omdat er nog weinig contact is. Voor de kinderen is dat een hele verademing.

Sommigen, zoals M.F. Delfos,[1] beweren zelfs dat een stabiele thuissituatie met een soepel contact met de andere ouder het beste zou zijn voor de ontwikkeling van scheidingskinderen.

Toch heeft dit voordeel ook verschillende nadelen.

Het beperkte bezoekrecht (vaak een weekend in de veertien dagen) is voor de andere ouder, meestal de vader, te vaak een aanleiding om het contact met zijn kinderen te laten verwateren of op te geven. Dat zien we vooral bij degenen die hertrouwen, en minder bij degenen die een latrelatie* aangaan. In totaal toont zo'n vijftien procent geen enkele interesse meer in zijn kinderen. Dit wordt in de hand gewerkt door het feit dat kinderen zich in de steek gelaten voelen door de ouder die niet meer bij hen woont. Daardoor voelen ze vaak boosheid of teleurstelling tegenover die ouder, waarin ze door de ouder bij wie ze wonen dikwijls worden ondersteund.

Andere vaders hebben de neiging de kinderen in de paar dagen dat ze bij hem zijn te veel te verwennen. Ook sommige moeders maken zich hier schuldig aan. Zowel niet meer naar de kinderen omkijken als hen te veel verwennen is schadelijk.

Verder worden de financiële gevolgen van eenoudergezinnen onderschat. De meesten zien hun gezinsbudget flink dalen. Een deel krijgt het zo moeilijk dat ze zich rond de armoedegrens bevinden. Daarbij is het voor velen lastig om alles alleen te moeten regelen. Depressies komen dan ook vrij veel voor.

> Sylvie: 'Als Freya eens met vriendjes weg wil, probeer ik iets te vinden wat niets kost, zoals naar het park gaan of naar het speelplein in de buurt. Dat vinden ze net zo leuk. Af en toe beloon ik haar met een kleinigheidje. Samen een hamburger gaan eten vindt ze geweldig, maar ik leer haar dat het soms maar net kan en soms niet.
> Ik ben al heel blij dat we in hetzelfde huis konden blijven. De school is in de buurt, en ook haar vriendjes. Zelfs onze familie is heel dichtbij. Het zou zo veel moeilijker zijn geweest als we hadden moeten verhuizen.'

Die financiële problemen kunnen weleens verstrekkende gevolgen hebben die niets te maken hebben met de scheiding of het alleenouderschap op zich. Zo toonde onderzoek[2,3] aan dat het voor eenoudergezinnen met een hoogopgeleide ouder met een goed inkomen veel gemakkelijker was om voldoende zorg aan hun gezin te besteden. Daardoor kunnen veel problemen voorkomen worden.

Daarentegen moet laagbetaald werk (zorg, horeca, schoonmaak) veel gebeuren op tijdstippen dat formele opvang niet wordt aangeboden. En andere opvang voor de kinderen is vaak onbetaalbaar, zodat de kinderen dikwijls op zichzelf aangewezen zijn.

Het best meetbare en dus objectieve nadeel voor de kinderen zijn de minder goede resultaten op school. In Vlaanderen werd vastgesteld dat 27,5 procent van de jongeren uit eenoudergezinnen de middelbare school met een jaar vertraging beëindigt. Bij kinderen uit intacte gezinnen is dat slechts 20 procent. Nog opvallender: 41 procent van de leerlingen uit eenoudergezinnen stapt in de loop van zijn studie over naar een 'gemakkelijkere' opleiding (de zogenaamde waterval). Bij kinderen uit intacte gezinnen is dat 'slechts' 25 procent.

Daarnaast worden karakterologische en psychosociale gevolgen vastgesteld. Hier moeten we ons echter terughoudend opstellen, omdat de getuigenissen subjectief kunnen zijn en omdat ze ook andere oorzaken kunnen hebben dan de scheiding of het leven in een eenoudergezin. Bovendien zijn niet alle onderzoekers het over deze gevolgen eens.

Het risico bestaat ook dat (meestal) het oudste kind of een enig kind in een moedergezin de rol van de afwezige vader op zich gaat nemen (parentificatie*). Soms is de moeder daar zelf de aanleiding van als ze het kind te veel als volwassen gesprekspartner gaat behandelen. Soms doet het kind het ook uit bezorgdheid of wordt het daartoe door de omgeving aangespoord: 'Zorg nu maar goed voor je moeder, nu ze er alleen voor staat.'

Het ontwikkelen van een zorggevoel bij het kind is op zich positief, maar kinderen zijn heel loyaal. Daardoor zullen ze zichzelf gemakkelijk opofferen om hun ouders pijn te besparen. Ze zullen dan hun eigen angsten, verdriet en behoeften verbergen omdat ze vinden dat hun moeder het al moeilijk genoeg heeft. Als die moeder die zorg dan niet afremt, maar er gewillig op ingaat, kan het kind zich schuldig of eenzaam gaan voelen.

Ten slotte zien we ook dat de ouder in het eenoudergezin – meestal dus de moeder – haar aandacht en liefde exclusief aan haar kinderen schenkt. Ook al heeft ze ergens steun gezocht en gevonden, of heeft ze een nieuwe liefde, haar kinderen zullen daar weinig van merken. Natuurlijk is het edelmoedig zich helemaal aan de kinderen te wijden, maar het gevaar bestaat dat bij die kinderen een ideaal vrouwbeeld ontstaat waar geen enkele andere vrouw later tegen opgewassen zal zijn.

Uit dit alles blijkt dat de moeilijkheden die eenoudergezinnen treffen niet zozeer ontstaan omdat er maar één ouder aanwezig is. Het zijn eerder andere factoren die daarvoor zorgen. Jammer genoeg zijn deze vaak met dit gezinstype verbonden.

Hoe dan ook, de kans dat het kind zich echt thuis voelt in het ene gezin en zich alleen maar bezoeker voelt in het andere, is groot. En dat geldt ook voor de kans dat de afstand met de andere ouder groeit.

Het gemiddelde welbevinden van kinderen in eenoudergezinnen ligt lager dan bij andere gezinsvormen, al zou dit vooral toe te schrijven zijn aan voortdurende conflictsituaties en negatieve uitlatingen over de andere ouder. Dit brengt het kind in conflict met zijn loyaliteitsgevoel tegenover zijn ouders. Ook kan de benarde financiële toestand het welbevinden van het kind aantasten.

Het nieuw samengestelde gezin

Na verloop van tijd ontstaat er aan één kant of aan beide kanten een nieuw samengesteld gezin. Scheidingen waarbij beide partners lange tijd single blijven, zijn uitzonderlijk. Voor veel kinderen betekent dit dus in korte tijd een derde ingrijpende verandering in hun leven. Als dit allemaal snel op elkaar volgt, is het vaak te veel van het goede.

Sommige ouders beseffen dat heel goed, maar de meesten (nog) niet. Ze houden er te weinig rekening mee dat die haast alles veel moeilijker maakt dan nodig is. Niet alleen voor de kinderen, maar ook voor henzelf. Als ze het tempo van de kinderen volgen in plaats van hun eigen tempo, zullen ze eerder tot een harmonisch nieuw gezin komen dan wanneer ze zomaar hun impulsen volgen.

Te veel nieuwe relaties, waarvan vaak enorm veel wordt verwacht, lopen stuk omdat er onvoldoende tijd was om de kinderen stap voor stap aan elke nieuwe situatie te laten wennen. En ouders vergeten gemakkelijk dat ze zelf ook tijd nodig hebben voor de verwerking. Het is natuurlijk heel pijnlijk als ze een stap terug moeten zetten, bijvoorbeeld naar een latrelatie, omdat ze alles te snel wilden. Wellicht was het beter geweest om daarmee te beginnen.

Wat voor nieuw samengestelde gezinnen zo moeilijk is, is dat iedereen zijn eigen gezin moet 'heruitvinden'. Er bestaat geen algemene regel, omdat elk gezin grondig verschilt van andere gezinnen. Wat mensen zeker niet moeten doen, is zich spiegelen aan het 'kerngezin'. Bij een nieuw samengesteld gezin heeft iedereen een verleden en vanuit dat verleden ontstaan verwachtingen. Als ze hier onvoldoende rekening mee houden, gaat het meestal verkeerd.

Hoe meer gezinsleden uit verschillende gezinnen eraan te pas komen, hoe groter de uitdagingen zijn. Een gezin samengesteld uit één ouder met één kind enerzijds en een kinderloze partner anderzijds, is niet te vergelijken met een ouder met twee kinderen en een partner met drie kinderen. Als beiden dan ook nog hebben gekozen voor co-ouderschap, moeten ze heel wat organisatorisch en ander talent in huis hebben om alles in goede banen te leiden.

Henk (50) heeft drie kinderen uit een eerste huwelijk. An is 19, John en Annick, een tweeling, zijn 17. Henk is hertrouwd met Carla (37), die een zoontje (13) heeft uit een vorige relatie. Zij zijn zes jaar samen en hebben intussen samen ook twee kinderen. Henk is wegens zijn beroep gemiddeld twintig dagen per maand in het buitenland, maar de meeste weekends is hij thuis.

Het zoontje van Carla volgt een vrij vast ritme en is doorgaans een week bij zijn vader en een week bij zijn moeder. Bij de kinderen van Henk ligt het moeilijker. Ook hij startte met wekelijks co-ouderschap, maar na enige tijd wou An liever bij haar vader wonen, maar ze wilde dat later toch weer veranderen. Nu woont ze als studente op zichzelf en kiest ze zelf wanneer ze bij de een of bij de ander wil zijn.

Annick kon de geboorte van de twee stiefzusjes niet verteren. Ze had vanaf het begin een erg afstandelijke band met Carla. De geboorte van het eerste stiefzusje deed voor haar de deur dicht. Ze weigerde haar te zien. Om erger te voorkomen voelde haar vader zich verplicht gelegenheden te zoeken om het contact met zijn dochter te behouden.

Kort na Ann koos John er ook voor om fulltime bij zijn vader te wonen. Tot nog toe woont hij daar en hij is heel zorgzaam voor zijn twee stiefzusjes.

Dit alles brengt mee dat het voor Henk een helse opdracht is om tot een evenwichtig contact met zijn vijf kinderen te komen. Carla moet naast de zorg voor de jongste kinderen kunnen leven met de wisselende aanwezigheid van de kinderen van Henk en met het feit dat haar zoon om de week bij hen woont. Daarbij vindt ze het moeilijk om de vader van haar 'pluskinderen' te vervangen als hij afwezig is.

Net zoals het eenoudergezin ontkomt het nieuw samengestelde gezin niet aan bepaalde nadelen. Het welbevinden van de kinderen zal sterk afhangen van de verstandhouding met de plusouder* in het nieuwe gezin. Van hem of haar wordt verwacht dat hij of zij deze rol goed speelt, en die rol mag zeker geen kopie van de afwezige ouder zijn. De stiefouder* moet ook voldoende kans bieden aan zijn partner om geregeld alleen met de eigen kinderen te zijn. Verder zouden de kinderen idealiter niet vooringenomen moeten zijn en worden ze hopelijk niet (negatief) beïnvloed door de niet-aanwezige ouder. Dat zijn heel wat voorwaarden, die niet altijd vervuld zijn en dus aanleiding kunnen geven tot veel ellende.

Verder vertonen de problemen die opduiken bij kinderen in nieuw samengestelde gezinnen en bij kinderen in eenoudergezinnen veel gelijkenissen. Dat sterkt het vermoeden dat deze gevolgen niet zozeer met de scheiding of de nieuwe gezinsvorm te maken hebben. Men is steeds meer van oordeel dat vooral de houding van de beide ouders voor, tijdens en na de scheiding bepalend zijn voor het welzijn van de kinderen.

Merkwaardig genoeg zijn de studieresultaten van gescheiden kinderen in nieuwe gezinnen beter dan die in eenoudergezinnen, in elk geval voor zover het zittenblijven betreft (24,8 procent tegenover 27,5 procent, wat nog altijd bijna 5 procent boven de score van de intacte gezinnen ligt). Wat het 'afzakken naar een minder zware studierichting' betreft, staan beide groepen ongeveer gelijk (41 procent).

Op het gebied van psychische problemen en antisociaal gedrag zijn er ons geen onderzoeken bekend die onderscheid maken tussen eenoudergezinnen en nieuw samengestelde gezinnen. We kunnen ervan uitgaan dat die cijfers niet zo veel zullen verschillen.

Het interuniversitaire consortium Scheiding in Vlaanderen[4] kwam in 2011 tot de volgende voorzichtige conclusies: 'Jongens en meisjes van wie de ouders gescheiden zijn, zijn niet beduidend meer of minder tevreden, niet gevoelig minder of meer angstig, of niet significant vaker depressief dan kinderen uit intacte gezinnen. Bij jongeren ouder dan achttien vindt men wel heel wat minder tevredenheid en iets meer een gevoelen van depressiviteit.'

Wat psychische problemen betreft, zoals ADHD, eetstoornis, angst en autisme, zijn er soms wel noemenswaardige verschillen, maar bij sommige scoren intacte gezinnen beter, bij andere slechter. Conclusies hieruit trekken lijkt dus niet mogelijk.

Ernstiger is het verschil inzake antisociaal gedrag. Vooral jongens, maar ook meisjes bezondigen zich meer aan vandalisme, agressief gedrag en persoonlijk geweld. Jongens van niet-intacte gezinnen zijn twee keer zo vaak betrokken bij de handel in drugs met winstoogmerk.

Toch is er ook veel goed nieuws voor nieuw samengestelde gezinnen. Kinderen zien hun ouders weer gelukkig en veruit de meesten voelen zich ook echt weer goed. Een aantal voelt zich zelfs beter dan vóór de scheiding.

Het nieuw samengestelde gezin heeft duidelijk ook voordelen. Zo krijgt het kind te maken met een groter aantal volwassenen – niet alleen met de plusouder, maar ook met diens ouders. Het zal zich dus meer moeten aanpassen aan hun gewoontes, en ook aan het gedrag van andere kinderen die tot dan toe anders zijn opgevoed. Daardoor wordt het kind *flexibeler*.

Een uitgebreider gezinssysteem* maakt ook dat kinderen meer geconfronteerd worden met verschillen. De verschillen tussen hen en kinderen van de plusouder zijn groter dan die met hun broer of zus. Langzaam leren ze met die verschillen om te gaan en worden ze *zelfstandiger*.

Ze leren ook te leven met twee verschillende leefculturen. Dat kan best lastig zijn als deze sterk van elkaar verschillen. Misschien komen ze ineens in een sportieve familie terecht, of in een muzikale, en dat kan heel anders zijn, maar uiteindelijk maakt het hen *veelzijdiger*.

In feite verwerft het kind ongewild een aantal eigenschappen die in onze maatschappij hoog gewaardeerd worden.

Globaal genomen getuigen de kinderen in nieuw samengestelde gezinnen van een groter welbevinden dan kinderen in eenoudergezinnen. Het verschil met kinderen uit intacte gezinnen is vaak gering. Sommigen voelen zich zelfs beter dan in het vroegere ouderlijke gezin. De goede verstandhouding tussen ouder en plusouder kan daar veel aan bijdragen.

> *Een leraar had gemerkt dat het huiswerk van Frank er flink op vooruit was gegaan. Toen diens ouders bij hem op gesprek waren, vertelde hij dat. Zijn vader zei toen dat hij met Frank had afgesproken dat hij hem tijdens de weekenden zou overhoren terwijl zijn stiefvader hem doordeweeks zou helpen bij de planning van zijn huiswerk. Vader en stiefvader hadden het daar samen over gehad en kwamen tot dit resultaat.*

Co-ouderschap*

Voor alle duidelijkheid: we hebben het hier niet over gezagsco-ouderschap* waarbij beide ouders, ondanks de scheiding, samen de opvoeding van hun kinderen voortzetten. Dit is gewoon de natuurlijke gang van zaken en kan alleen maar toegejuicht worden. Behalve bij zware problemen zoals huiselijk geweld, zedenmisdrijven of ander strafbaar gedrag, is het een goede zaak dat na een breuk ouders evenveel over hun kinderen te zeggen hebben.

Verblijfsco-ouderschap is geen gezinsvorm. Het is de regeling waarbij de kinderen (ongeveer) evenveel tijd bij hun moeder als bij hun vader doorbrengen. Toch is de impact van deze afspraak op het gezin bijzonder groot, vooral bij nieuw samengestelde gezinnen. Daardoor zijn gezinnen die voor verblijfsco-ouderschap kiezen het best te beschouwen als een gezinsvorm met aparte kenmerken, met eigen voor- en nadelen.

Het grote voordeel van deze regeling ligt voor de hand: vader en moeder hebben evenveel invloed op de opvoeding van hun kinderen. Ze delen de lusten en de lasten van het ouderschap en de kinderen kunnen evenwichtiger opgroeien met beide ouders stevig in hun leven aanwezig. Tenminste, zo dachten velen. En zo dacht ook de wetgever.

Co-ouderschap zou ook de hoeveelheid taken voor de ouders verminderen en daardoor een betere ouder-kindrelatie creëren. De samenwerking tussen de ouders zou bevorderd worden en het risico van mogelijke strijd over het gezag zou verminderen.

Maar nu, jaren nadat deze regeling voor het eerst het levenslicht zag, is men daar niet meer zo zeker van. In theorie blijft het idee overeind, maar in de dagelijkse praktijk klopt niet alles met die theorie. Jammer genoeg zijn er dus ook nadelen.

Veel ouders, vooral vaders, weten hun week niet altijd in te vullen. Als hij er alleen voor staat, delegeert hij algauw een deel van de opvang aan opa of oma. Hopelijk ziet hij dan vlug in dat het beter is om die week terug te brengen tot bijvoorbeeld een verlengd weekend om de veertien dagen en een halve dag door de week.

Heeft hij een nieuwe vriendin, dan komt een groot deel van de zorg voor zijn kinderen vaak op haar terecht. Dit brengt haar in de ondankbare situatie dat ze een deel van de vaderrol op zich moet nemen, terwijl ze er vooral voor moet zorgen dat ze niet in de val van de moederrol trapt. Hoe kan ze dat subtiele verschil duidelijk maken?

Ook door de verschillende gezinssamenstellingen ontstaan er gemakkelijk conflicten en frustraties. Bij omgangsrecht van één ouder blijft deze wisseling in de tijd beperkt, maar bij co-ouderschap kan dit ingrijpende veranderingen veroorzaken. Als het gezin om de week te groot wordt, is de privacy vaak ver te zoeken en is de oudste misschien plotseling al zijn privileges kwijt. Nog verwarrender wordt het als dit co-ouderschap in beide gezinnen waar het kind verblijft wordt toegepast.

Axel en Jo hebben drie kinderen, van 14 (Karl), 9 en 7 jaar. Bij hun scheiding drie jaar geleden kozen ze ervoor dat de kinderen om de week naar de andere ouder trokken. Ze leefden allebei alleen en dit was prima. Nu hebben ze allebei een nieuwe partner. De vriendin van Axel heeft zelf twee kinderen (van 13 en 11 jaar) die ook om de week bij haar en bij hun vader verblijven. Zij kiezen ervoor om de aanwezigheid van alle kinderen samen te laten vallen, zodat ze een week mét en een week zónder kinderen zijn. Dat het niet botert tussen Karl, de oudste, en Marie (13), die haar leeftijd ver vooruit is, nemen ze op de koop toe.

Als Karl bij zijn moeder is, heeft hij te maken met de twee zonen van de vriend van zijn moeder. Die zijn 18 en 16 jaar en zijn vrijwel permanent bij hun vader. Het huis waarin zij wonen is niet zo groot en hij moet nu een kamer delen met zijn broer van 7. Hij voelt zich bij dit alles helemaal in de hoek gepropt en wil zijn verdwenen voorrechten verhalen op Marie en haar broer tijdens het verblijf bij zijn vader. Met flinke ruzies en gekibbel tot gevolg. Karl is in een jaar tijd erg agressief geworden zonder dat zijn ouders zich realiseren wat daar de oorzaak van is.

Wat de kinderen zelf als grootste nadeel noemen, is dat ze twee huizen hebben, maar eigenlijk nergens thuis zijn. Wekelijks je spullen inpakken en verhuizen is niet niks. En dat ze voor de wisseling alles mee naar school moeten sleuren, vinden ze nog erger. Zo is er het verhaal van Kristof (18):

'Wat vind je van het co-ouderschap?' heeft mijn vader me eens gevraagd toen ik klein was. Ik durfde toen niet te antwoorden. Anders had ik gezegd: 'Ik vind het niet leuk.' Ik voelde me alleen thuis bij mijn moeder, waar mijn knuffel was.

Nu vindt hij me ondankbaar omdat ik onlangs vertelde dat ik nooit gelukkig ben geweest met co-ouderschap. Ik heb hun keuze altijd egoïstisch gevonden. Ze zeggen dat ze het beste voor hun kinderen hebben gekozen, maar ze hebben er toch vooral voor gezorgd dat zij de regeling hadden die zij wilden. Het kind zal wel verhuizen en zich aanpassen. Oude bomen verplant men niet.

Ik had bij de scheiding voor een van beiden willen kiezen. Misschien had ik dan één ouder wat minder gezien, maar dan had ik niet in twee werelden moeten opgroeien. Ik telde af, hoopte dat ik op mijn twaalfde mocht kiezen. Dat mocht niet. Nu ben ik achttien en is het te laat. Nu kijk ik uit naar mijn eigen huis. Dat is mijn bevrijding, dat wordt mijn thuis.

Als ouder zou ik het verschrikkelijk vinden om mijn kinderen dat te horen zeggen. Misschien houden wij allemaal wel te weinig rekening met wat er bij onze kinderen leeft. Wat zij echt willen, is niet altijd wat wij denken dat voor hen het beste is. Misschien moeten we wel leren onze scheiding te bekijken door de ogen van ons kind.

Ondanks deze negatieve argumenten is de totale belevenis van kinderen wel positief. Op de vraag naar hun welbevinden scoort het gemiddelde kind bij co-ouderschap bijna even goed als kinderen in intacte gezinnen. Dit toont aan hoe belangrijk het voor een kind is om volledig op beide ouders te kunnen blijven rekenen.

Ongehuwd samenwonen

Het huwelijk is in crisis, wellicht de diepste crisis sinds zijn ontstaan. Toch houdt het vast aan zijn uitgangspunt 'tot de dood ons scheidt', terwijl de trouwers zelf steeds meer denken 'tot de liefde dood is'. Voor sommigen is dat heel vlug, volgens velen te vlug. De scheiding wordt dan de therapie voor het niet vinden van de liefde, wat de Franse filosoof Pascal Bruckner[5] deed zeggen: 'Het is niet langer het huwelijk dat de liefde doodt, maar de [zoektocht naar de] liefde die het huwelijk doodt.'

In België is het aantal huwelijken sinds het midden van de vorige eeuw gehalveerd. In Nederland was de neerwaartse spiraal het sterkst in de jaren zeventig, iets minder drastisch maar vergelijkbaar met de Belgische evolutie. Tegelijk zit het ongehuwd samenwonen spectaculair in de lift. In een periode van tien jaar steeg dat aantal met 250 procent. Kort geleden kwam men in België tot de vaststelling dat het 'wettelijk' samenwonen* het traditionele huwelijk heel dicht op de hielen zit. Tel daarbij degenen die 'gewoon' samenleven, dan kun je ervan uitgaan dat minstens evenveel mensen samenwonen als trouwen.

Een vaste partnerrelatie wordt ook steeds meer uitgesteld, en veel mensen leven alleen of kiezen voor een latrelatie.

Trouwen of samenwonen maakt voor de partners dan wel veel verschil, maar voor hun gezamenlijke kinderen niet, tenzij de vader hen niet erkent. Het grootste verschil voor ongehuwde partners is dat ze niet 'juridisch' hoeven te 'scheiden' als ze uit elkaar willen gaan, aangezien ze niet 'getrouwd' zijn. Slechts bij uitzondering zal er een rechter aan te pas komen, terwijl dit bij gehuwden de regel is.

Een tweede verschil betreft de toestand van de kinderen. Een kind dat tijdens het huwelijk wordt geboren, heeft automatisch een moeder en een vader. Deze band ligt aan de basis van het gezag van de ouders en het erfrecht voor het kind. Buiten het huwelijk heeft het kind bij zijn geboorte slechts een moeder. De vader zal het kind eerst moeten erkennen voordat er sprake is van vaderschap en vaderlijk gezag. Zodra dat vaststaat, heeft het kind ook van hem recht op onderhoud.

Ten slotte is de partner ook beter beschermd door het huwelijk. Een niet-gehuwde partner heeft geen of hooguit een heel beperkte onderhoudsplicht tegenover zijn of haar ex-partner.

Trouwen of samenwonen is dus een kwestie van kiezen. Uiteindelijk kan men via beide wegen ongeveer hetzelfde doel bereiken. Het huwelijk biedt het voordeel dat alles geregeld is, al is de consequentie wel dat je die regelgeving maar te accepteren hebt. Bij ontbinding van het huwelijk wordt dat voordeel een nadeel. Als je op een fatsoenlijke manier wilt scheiden, moet je met zijn tweeën zijn, want anders loop je het risico in een eindeloos gevecht te belanden dat tot lang na de scheiding kan voortduren.

Wettelijk samenwonen kent nauwelijks vormeisen en biedt veel meer vrijheid, al moet je dan wel alles zelf goed regelen. Dit nadeel heeft dan weer een voordeel: je bent verplicht om goed te bedenken hoe je echt met iemand wilt samenleven. De band is echter losser dan bij het huwelijk. Exacte cijfers over de ontbinding van samenwoonrelaties zijn moeilijk te achterhalen. Algemeen wordt aangenomen dat ze aanzienlijk hoger liggen dan bij gehuwden.

Aan de andere kant geeft deze vorm van samenleven minder aanleiding tot vechtscheidingen zoals we die vaak bij gehuwden zien. En bovendien, zo zullen we later zien, vinden samenwonenden wellicht gemakkelijker een creatieve oplossing om samen ouder te blijven voor hun kinderen als ze toch uit elkaar gaan. Wie vanaf het begin leerde onderhandelen over zijn relatie, zal dit later, in moeilijkere omstandigheden, wellicht ook beter kunnen.

Sommigen pleiten voor een grotere diversiteit aan relatiemodellen en tegelijk voor tolerantie tussen de modellen. Er zijn immers mensen die meer belang hechten aan zaken als zekerheid, vertrouwen en stabiliteit, terwijl anderen meer behoefte hebben aan passie of de teugels losser willen. Beide modellen hebben bestaansrecht. De enige voorwaarde is dat de partners ermee kunnen en willen leven.

Vaststaat dat de banden die ons binden heel los zijn geworden. De maatschappij die we zelf mede opbouwden, is daar verantwoordelijk voor. We moeten er dus niet om treuren of het afkeuren, maar naar middelen zoeken om op de best mogelijke manier met de nieuwe omstandigheden om te gaan.

Zo lijkt ons in een tijd waarin individualisme zegeviert een ouderschapsbelofte* bij de geboorte van een kind een noodzaak. Dat is van groter belang dan het huwelijk of het samenlevingscontract,* omdat het de kinderen beter beschermt. Hoe zwakker de schakel wordt die de partners verbindt, hoe sterker de betrokkenheid van iedere ouder tegenover het kind moet zijn. Een betrokkenheid waarbij je er heel bewust voor kiest volwaardig ouder te blijven, ook als je er niet in slaagt om partners te zijn.

Meestal denken we bij een scheiding dat het voor de kinderen allemaal wel vlot zal verlopen omdat wij er zelf met de beste bedoelingen aan beginnen, maar zo werkt het niet. Misschien moeten we ons eens durven af te vragen wat de ongevraagde wisselingen die er het gevolg van zijn voor onszelf zouden betekenen. Daarom is het zinvol om op zoek te gaan naar alternatieve manieren van leven die de scheiding minder ingrijpend maken voor de kinderen.

We zochten en vonden twintig gezinnen die (heel) creatieve oplossingen bedachten om de invloed van hun scheiding op hun kinderen tot een minimum te beperken. Het zal toch geen toeval zijn dat we alleen maar gelukkige kinderen zagen en dat we bij hen heel weinig negatieve gevolgen van de ouderlijke scheiding terugvonden!

Net zoals deze gezinnen kunnen ook wij wellicht ons gezin een andere inhoud geven en toch als ouders een goede band met onze kinderen houden. Het is voor iedereen die gaat scheiden de moeite waard hierover na te denken. Wellicht loont het de moeite het te proberen.

Je gezin een andere inhoud geven noemen we *living together apart*. Het is een derde weg die het midden zoekt tussen scheiden volgens het oude recept en samenblijven omdat het moet. Die weg hebben wij niet zelf uitgevonden, hij bestond al. Het idee kwam naar ons overgewaaid uit Canada, waar Cate Cochran[6] er een boek over schreef. Ze ging uit van het idee dat een huwelijk weliswaar kan vergaan, maar dat de familie blijft. Zelf gaf ze haar scheiding en haar gezin een ongewone inhoud. Zij ging op zoek naar anderen die dat ook deden en vond tien ex-partners die hun verhaal aan haar vertelden.

Wat aan de andere kant van de oceaan kan, moet hier toch ook mogelijk zijn, dachten we. Zonder al te veel moeite vonden we hier soortgelijke initiatieven en ervaringen – mooie verhalen die aantonen dat ook deze weg niet altijd gemakkelijk is en inzet vraagt van iedereen die erbij betrokken is. En die vooral een open geest vraagt. Maar wie de weg kan bewandelen, kan zichzelf en zijn kinderen veel moeite en ellende besparen en krijgt er gegarandeerd veel voor in de plaats, héél veel.

2

UIT ELKAAR ALS PARTNERS,
MET ELKAAR ALS OUDERS

'Het oude gezin is dood, lang leve het nieuwe gezin.' Dat is zo ongeveer het klassieke patroon na een scheiding. Mensen scheiden en willen het liefst nog zo weinig mogelijk met het verleden en het oude gezin te maken hebben. Ze creëren een nieuw gezin naar het beeld van en de gelijkenis met het vorige. Dit geldt zowel voor eenoudergezinnen als voor nieuw samengestelde gezinnen die op de brokstukken van het verleden herrijzen.

Als er geen kinderen zijn, is dit niet zo gek. Men begint met een schone lei, kijkt naar de toekomst en laat het verleden voor wat het is, voorbij. Maar dat geldt niet als er wél kinderen zijn, dan is het vorige leven niet voorbij, of in elk geval niet helemaal. Vader en moeder ben je immers samen voor het leven. Het is zowel voor ouders als voor nieuwe partners een illusie te denken dat ze hun verleden uit hun leven kunnen wissen. Het is dus beter om ermee te leren leven en het een nieuwe plaats te geven. En waarom dan niet er 'op een goede manier' mee leren leven?

Dat uit het vroegere gezin nu twee gezinnen ontstaan, is logisch. Deze twee gezinnen zullen in de toekomst hun eigen weg gaan. Als er ook nog nieuwe partners aan te pas komen, dan kan die weg weleens een heel andere richting uit gaan. En juist met al die veranderingen kunnen kinderen veel moeite hebben. Kinderen houden niet van veranderingen in hun leven, en nog minder van onzekerheden. Ze zoeken naar houvast en koesteren dat.

Waarom zou je dan plotseling alles wat je hebt opgebouwd moeten afbreken en met de grond gelijkmaken? Waarom zoek je niet uit welke houvasten uit het vroegere leven je voor de kinderen kunt bewaren, zonder je eigen leven al te veel geweld aan te doen? Die houvasten voor kinderen kunnen divers zijn: hun huis, hun school, hun vrienden, maar ook de relatie met hun vader en moeder die hen samen opvoeden, die liefst geen ruzie maken, die samen met hen 'dingen' blijven doen, misschien niet meer dagelijks, maar dan toch af en toe.

Durf bij een scheiding je eigenbelang wat opzij te zetten. Stel je vooral de vraag: 'Hoe zorgen wij ervoor dat onze scheiding voor iedereen meevalt, vooral voor onze kinderen?' Dan is de kans groot dat je op de derde weg belandt, living together apart, waarbij je niet hoeft te kiezen tussen scheiden of doorgaan, waarbij *together* staat voor je houding ten opzichte van jullie kinderen, en *apart* voor je verdere relatie met je partner.

Living together apart kunnen we omschrijven als:

'Elk initiatief van ouders om bij een scheiding de negatieve gevolgen voor hun kinderen zo veel mogelijk te beperken door te zoeken naar creatieve oplossingen om het ouderschap blijvend te delen, ook na het beëindigen van hun relatie als partners.'

Daarbij hoef je niet op zoek te gaan naar dé derde weg, want die bestaat niet. Er zijn zoveel wegen als er gezinnen zijn die ernaar op zoek gaan. Zoek naar een oplossing die voldoening geeft voor iedereen en die iedereen uiteindelijk opnieuw gelukkig kan maken.

Je mag er niet van uitgaan dat de weg die je vindt een eindpunt is. Soms kan de gekozen leefwijze lange tijd worden aangehouden, maar vaker zijn er in het verdere verloop aanpassingen nodig. Maar zodra je afstand hebt genomen van elkaar als partners, en je vastbesloten bent om samen te werken als ouders, is er een basis gelegd waarop je stevig verder kunt bouwen.

Ik scheidde lang geleden, in een tijd dat scheiden nog onfatsoenlijk was en gescheiden zijn stigmatiserend. Kinderen werden onherroepelijk aan de moeder toevertrouwd. Vaders kregen alleen bezoekrecht. Met het eerste had ik geen probleem, omdat ik wist dat de aanwezigheid van de kinderen voor mijn gewezen partner van levensbelang was, en ik zelf in die periode keihard werkte. Maar de kinderen alleen maar om de week of veertien dagen 'op bezoek krijgen' zag ik helemaal niet zitten.

Onze scheiding was begonnen met een traditionele 'vechtpartij'. Het was dus de rechter die ons lot in handen had.

Wij woonden buiten de stad. Mijn werk en kantoor waren in de stad waar de kinderen naar school gingen. Dat de school op loopafstand van mijn werk was en dat ik mij met onderwijs bezighield, leken mij zinvolle argumenten om de rechter te overtuigen van mijn voorstel. 'Laat de kinderen dagelijks bij mij hun huiswerk komen maken', stelde ik voor, 'in ruil daarvoor zal ik hen elke dag thuis ophalen en terugbrengen naar hun moeder.' Verbazend gemakkelijk volgde de rechter mijn redenering. De tijd dat ik dagelijks mijn kinderen zag, verschilde nauwelijks van vroeger, alleen was het anders.

Tijdens het eigenlijke 'bezoekrecht' wist ik niet waar met hen naartoe. Een thuis had ik in het begin niet en toen dat er wel was, had ik ook een nieuwe vriendin met een dochter. En daar wou ik mijn kinderen niet mee confronteren. Toen nog niet.

De oplossing vond ik in een klein boerderijtje. Ik richtte het in, helemaal afgestemd op de kinderen, inclusief voetbalveld, schommels en een primitief zwembadje. Toen ik zag hoe graag ze daarheen gingen, stelde ik voor dat ze daar in de vakanties best met mijn ex konden verblijven. Vooral in de zomermaanden beleefden ze daar misschien wel de beste dagen van hun jeugd.

In die vakanties ging ik er met de fiets naartoe om samen te fietsen of te voetballen. Meestal deden we dat alleen, af en toe fietste hun moeder mee. Soms drongen ze aan om iets met hen te eten. Ik deed dat, maar te weinig omdat ik wist dat ik dat op de grenzen van de tolerantie van mijn partner botste. Ze had er wel begrip voor dat ik af en toe met hen op reis ging, maar meer niet. En dat was al heel progressief voor die tijd.

Living together apart is voor iedereen mogelijk, zelfs wanneer de scheiding begint met getrokken messen. De enige voorwaarde is het besef van beide ouders dat de beste oplossing voor de kinderen ook de beste oplossing voor henzelf is zodra de echtelijke strijd beslecht is. En hoe eerder dat besef komt, hoe beter en gemakkelijker de oplossing is.

Het kan onmenselijk moeilijk zijn om in de wirwar van emoties waarin je bij een scheiding verstrikt raakt, voorrang te geven aan je verstand, maar het loont de moeite. Zeker als je jezelf en de anderen een nieuwe kans gunt. Die kans moet steunen op een vernieuwd vertrouwen: je moet in staat zijn de ander te gaan zien als ouder zonder dit beeld te laten verkleuren door het beeld van de ex-partner.

Om dit te bereiken moet je er vast in geloven dat een goede scheiding echt bestaat. Een goede scheiding is een scheiding waar na verloop van tijd iedereen beter van wordt. Zoals we verderop zullen zien kan dat zeker, maar het gebeurt niet vanzelf. Lees het verhaal van Vera.

Ooit kreeg ik van een vriendin een wenskaartje met 'happy divorce' erop. Het klonk me eerst enigszins cynisch in de oren, maar we zijn er samen in geslaagd ervoor te zorgen dat als we dan uit elkaar gingen, we dat deden om het beter te maken, niet slechter.

Ondertussen zijn we ongeveer elf jaar verder, we vieren nog samen belangrijke gebeurtenissen met onze nieuwe partners erbij. Onze drie kinderen doen het uitstekend en voelen zich goed in hun vel. Dit neemt niet weg dat we moeilijke jaren hebben gekend met veel verdriet, maar met liefde en respect voor elkaar, respect dat we onder één dak niet meer voor elkaar konden opbrengen.

Om dit te bereiken moet je de strijdbijl zo vlug mogelijk begraven. Daarbij helpt het besef dat er in een oorlog geen winnaars zijn, alleen maar verliezers. En de grootste verliezers zijn meestal de kinderen, wat in het heetst van de strijd nogal eens vergeten wordt.

Een oorlogsverklaring omzetten in een vredesonderhandeling gebeurt niet van vandaag op morgen. Je moet geduld hebben tot de hevigste stormen zijn gaan liggen en je weer met een rustige, serene blik naar de toekomst kunt kijken. En als jij als eerste klaar bent om naar de toekomst te kijken, moet je de ander ook nog de tijd gunnen om tot deze bereidheid te komen. Pas dan kunnen jullie samen tot het besef komen dat jullie niet alles uit de voorbije relatie overboord moeten werpen. Dominerende emoties leiden zelden tot goede afspraken.

Samen zullen jullie moeten aftasten hoe dicht jullie bij elkaar kunnen leven zonder de ander tot last te zijn of jezelf te veel pijn te doen. Het in stand houden van het familiegevoel met de kinderen kan alleen maar als je afstand kunt nemen van het voorbije partnerschap. En echt goed is het pas als je het je ex-partner gunt dat hij of zij gelukkig zal zijn. Een mooier afscheidscadeau is niet denkbaar. Zegt een bekend cliché niet dat loslaten de opperste vorm van liefde is?

Hoe je dat het best kunt doen en hoe je beter kunt omgaan met de gevoelens die je bij de scheiding misschien overspoelen, zoeken we later verder uit (hoofdstukken 7 en 8). In elk geval is het verkeerd om te denken dat de derde weg een breed en egaal pad is dat moeiteloos naar ieders geluk leidt. Het komt erop aan de moeilijkheden die zich voordoen te gebruiken als een hefboom naar een betere toekomst. Het kan veel moeite kosten om de beste oplossing voor iedereen te vinden. Vaak stuit je op frustraties uit het verleden die elke vooruitgang afremmen. Daarbij zul je constant moeten opletten dat je de kinderen zo veel mogelijk buiten jullie geruzie houdt.

Van je omgeving hoef je ook niet al te veel steun te verwachten. Soms begrijpen je eigen ouders niet waar je eigenlijk mee bezig bent, omdat het vanuit hun leefwereld ongewoon is wat je doet. Waar het op aankomt, is dat je de druk van de omgeving weerstaat om te doen wat je zelf het best vindt voor de kinderen. Als vader en moeder zijn jullie degenen die moeten bepalen wat voor hen het belangrijkst is. Als de ouders het echte belang van hun kind goed afwegen tegen hun eigen belang, kunnen ze moeilijk een verkeerde beslissing nemen.

Dat laatste geldt ook voor iedereen die de derde weg niet kan of wil bewandelen. Velen zullen zinnige argumenten hebben om dit niet te doen en hun keuze kan evengoed tot de beste resultaten leiden. Misschien kan hun keuze voor hen zelfs beter zijn, omdat zij van zichzelf weten dat ze anders in elkaar zitten, dat dit voor hen niet werkt. Het kan ook zijn dat je er niets voor voelt om een familiesfeer te behouden, of dat het je niet lukt om je partner zover te krijgen, of dat het met jouw partner gewoon ondenkbaar is.

Tussen scheiden of doorgaan op de klassieke manier en de derde weg bestaat geen rivaliteit. Niemand buiten de twee betrokkenen kan voor hen bepalen welke van de drie keuzes de beste is. Elke keuze kent zijn eigen problemen. Elke keuze kan leiden tot ontgoocheling of kan mislukken. Maar wie erin slaagt om voor de kinderen 'gescheiden samen te blijven' voelt er zich wel echt gelukkig bij.

Wie zich te veel richt op de rechten die de scheidingsakte biedt, zal bepaalde voordelen van de derde weg niet zien. Zoals de dankbaarheid van een kind dat plotseling erg ziek wordt en dat zijn vader én moeder dicht bij zich voelt. Of de vreugde die je kunt beleven als je merkt hoe de kinderen ervan genieten wanneer jullie als vrienden met elkaar omgaan. Of als ze zien dat jullie spontaan elkaars taken overnemen als dit voor hen nodig of nuttig is.

Niet toevallig hoorden we in veel getuigenissen hoe ex-partners zelf verrast waren door de hernieuwde vriendschap die na verloop van tijd tussen hen ontstond. Die vriendschap was totaal anders dan in de tijd dat ze elkaar ontdekten, maar was ook zeker niet te vergelijken met de tijd waarin ze uit elkaar groeiden. En dit heeft helemaal niets te maken met liefde of verliefdheid. Je zou het 'gelouterde vriendschap' of 'vriendschappelijke verbondenheid' kunnen noemen. Maar dat ze er gelukkig mee zijn, is zeker.

Een huis met vele kamers

Hoewel iedereen het best zijn eigen weg kan uitzoeken, kunnen we wel een aantal 'typemodellen' van elkaar onderscheiden. Zelden zal iemands verhaal volledig aan zo'n typemodel beantwoorden, want iedereen legt zijn eigen accenten. Sterker nog, het model dat je vandaag kiest, kan later in een ander overgaan, soms vrijwel onopgemerkt. Meestal liggen nieuwe omstandigheden aan de basis van die evolutie.

Toch denken we dat een bepaalde indeling het gemakkelijker maakt om een denkrichting aan te geven wanneer je op zoek bent naar jouw derde weg. We onderscheiden vier types:

1. Birdnesting, een overgangsmodel dat soms een blijvend karakter krijgt.
2. Mentaal samenblijven als ouder.
3. Mentaal en fysiek samenblijven (in twee woningen).
4. Mentaal en fysiek samenblijven in één huis.

Birdnesting is in feite een oneigenlijk model, omdat het meestal wordt toegepast als overgang naar een verdere scheiding. Het beantwoordt volledig aan de geest van living together apart, beperkt de veranderingen in het leven van de kinderen tot een minimum en biedt de ouders de kans om tot rust te komen. Maar als definitieve oplossing komt het minder voor, waardoor het verder in het boek minder aan bod komt. We gaan er hier wat dieper op in.

1. BIRDNESTING (HET VOGELNESTMODEL)

Birdnesting is een regeling betreffende de zorg voor de kinderen waarbij niet de kinderen van het ene naar het andere huis moeten verhuizen, maar de ouders. De kinderen blijven in de ouderlijke woning en de vader en moeder wisselen regelmatig om voor hun kinderen te zorgen, zoals vogels neerstrijken in het nest waar hun jongen opgroeien. De zorgtijd is min of meer gelijk verdeeld.

Het vogelnestmodel is wellicht de beste oefenschool voor de scheidende ouders en een weldaad voor de kinderen. Het zorgt ervoor dat kinderen bij het bericht van de scheiding onmiddellijk de zekerheid krijgen dat hun belangrijkste leefwereld – hun huis, hun vriendjes en hun omgeving – niet zal veranderen. Bij het slechte nieuws dat ze te horen krijgen is dit een welkome geruststelling.

Voor de ouder biedt het de kans aan den lijve te ondervinden wat het voor de kinderen zal betekenen als ze later van het ene huis naar het andere moeten verhuizen. Daarbij is het een uitstekende test om na te gaan in hoeverre ze in staat zijn als ouders met elkaar om te gaan en hun vetes als partners te vergeten.

Het feit dat ouders deze beslissing nemen, toont aan hoe bezorgd ze zijn en hoe graag ze hun kinderen de nare gevolgen van hun scheiding willen besparen. Daar hebben ze tenslotte heel wat inspanningen voor over.

Sommigen gaan in deze fase al verder en blijven ook dingen samen doen, zoals wekelijks samen eten. Soms behouden de beide ouders een eigen kamer in dat huis, zodat ze er bij gelegenheid ook allebei kunnen overnachten. Maar wat ze vooral doen, is 'samen denken' wat hun kinderen betreft.

De ouders van Manon hadden hun drie kinderen (toen 14, 12 en 10) samen verteld dat ze hadden besloten te scheiden. De volgende dag vertrokken ze samen op skivakantie en zouden hun ouders apart logeren. Manon vertelt. 'Eigenlijk ben ik heel blij met de manier waarop mijn ouders ons dit slechte nieuws vertelden. Op reis hoorden we al dat er misschien niet zo heel veel zou veranderen. We hadden geluk. De eerste tijd konden wij, de kinderen, in ons eigen huis blijven wonen. Onze ouders kwamen ieder om beurt bij ons "logeren". Het huis zelf bleef helemaal wat het was. Het enige verschil was dat het voorbij was tussen mijn ouders. Ik moest ermee leren leven en dat lukte redelijk. Natuurlijk had ik liever gehad dat ze samen bleven, maar ze hadden ons heel duidelijk gezegd dat ze er lang genoeg over hadden nagedacht, dat dit dus niet zou gebeuren.
In je huis blijven wonen lijkt misschien niet zoveel verschil te maken, maar voor mij persoonlijk was dat heel belangrijk. Zo veranderde er heel weinig in ons dagelijkse leven en dat gaf mij en mijn broers een vertrouwd gevoel.'

Hoezeer kinderen aan hun huis verknocht zijn, mag blijken uit wat Manon er twee jaar later over zei toen het birdnesting eindigde.

'Het verhuizen had natuurlijk twee kanten: leuk om in dat nieuwe bed te slapen, maar ook het gevoel dat het allemaal zo definitief was. Dat ons huis bij papa veranderde toen hij een nieuwe vriendin kreeg, vond ik heel jammer. Een schilderij dat verdween, een stoel die werd verplaatst. Allemaal normaal natuurlijk, maar toch vreemd. Het werd steeds minder van mama.' 'En minder van ons', vulde haar broer aan.
Ook voor Valerie, Manons moeder, waren die twee jaar zinvol: 'Ik vond het verschrikkelijk moeilijk om mijn kinderen te missen, in het begin een hele week, later vier dagen. Ik moest mijn leven heroriënteren, daar had ik tijd voor nodig. Een te vlugge afstand van alles zou mij nog meer pijn hebben gedaan. Ons vroegere thuis met de kinderen was mijn houvast. Tot ik het niet meer nodig had.'

Misschien vind je dat Valerie en haar man het gemakkelijk hadden omdat ze over een zekere luxe beschikten en zich heel wat konden veroorloven. Geld kan een scheiding zeker eenvoudiger maken, maar ook moeilijker.

Voor hetzelfde 'geld' wordt er maandenlang ruzie over gemaakt en ligt het aan de basis van het aanslepend gevecht.

Beperktere middelen mogen geen spelbreker zijn en kunnen niet als alibi worden gebruikt om birdnesting af te wijzen. De skivakantie was inderdaad een uitstekende gelegenheid om aan te tonen dat er niet zoveel zou veranderen en om rustig bij te praten over de toekomst. Maar dat kan op een camping in eigen land even goed.

Je hoeft ook geen nieuw huis te bouwen. Het inlassen van een bezinningsperiode voordat jullie op zoek gaan naar een definitieve oplossing kan de nodige rust brengen. Zo kom je tot de beste oplossingen.

Uiteraard moeten de beide ouders een plek vinden waar ze kunnen verblijven als zij niet bij de kinderen zijn. Als het budget heel beperkt is, dan mag het geen probleem zijn ook deze tweede woning te delen zolang het birdnesting duurt. Als het delen van het huis mét de kinderen lukt, dan moet het delen van de andere woning toch ook lukken? Dat is meteen een uitstekende oefening om afstand te leren nemen van je vroegere partner door je bewust niet meer met diens zaken te bemoeien of zorgtaken op je te nemen.

Misschien lijkt twee jaar erg lang. De tijd kan voor elk gezin verschillen. Vooral de leeftijd van de kinderen en de verwerkingstijd voor de ouders zullen de maatstaven zijn. Toch moet deze periode niet te kort zijn. Algemeen wordt aangeraden om de tijd van tevoren te bepalen. Denk dan richting een vast tijdstip, bij oudere kinderen bijvoorbeeld tot de jongste volwassen is, of richting een variabel tijdstip, bijvoorbeeld als iedereen de scheiding zelf voldoende verwerkt zal hebben. Zo is het een uitstekende kans om deze etappe van het scheidingsproces in het ritme van de kinderen te laten verlopen.

Sommigen voelen zich goed bij die voorlopige keuze en maken er een definitieve oplossing van, zoals Jan en Nicole.

Jan verhuisde twee maanden nadat hij Nicole over zijn gevoelens voor een andere vrouw had verteld naar een appartement in de buurt. Tijdens die maanden bleven Jan en Nicole overleggen om tot een uiteindelijke regeling te komen. Voorlopig verbleven ze afwisselend een week in het ouderlijk huis en in het 'gedeelde' appartement.

Het was uiteindelijk Jan die voorstelde om die voorlopige regeling te behouden totdat de kinderen oud genoeg waren. 'Als we dit zo'n elf jaar volhouden, dan is onze jongste zoon volwassen en het huis afbetaald', was zijn redenering. Nicole kon zich daarin vinden.

Sindsdien wonen de drie kinderen permanent in het huis van hun ouders. Voor Nicole, die erg gesteld was op het huis, was dit voorstel een zegen.

Toch blijft ze het tot op de dag van vandaag moeilijk vinden om de woning en de kinderen op vrijdagavond achter te laten.

Tijdens de week dat ze niet in het huis wonen, verblijven ze sinds lange tijd ieder bij hun nieuwe partner. Jan vindt beide situaties aangenaam. Maar hij heeft wel oog voor wat Nicole voelt als ze haar huis en vooral haar kinderen mist. Daarom vindt hij het heel normaal dat ze de woensdagmiddag met de kinderen doorbrengt als zij vrij is en hij niet.

Bij de wisseling op vrijdag lassen ze vaak een overlegmoment in, en door de week zijn ze per e-mail altijd beschikbaar voor communicatie. Ze zorgen trouwens op vrijdagavond altijd voor eten voor de kinderen en hun ex-partner, zodat deze niet onmiddellijk hoeft te winkelen.

Ze kozen voor een beperkte omgang van hun nieuwe partners met de kinderen. Dit vinden ze een voordeel, omdat de kinderen zo niet het gevoel hebben dat ze plusouders hebben. Ze beschouwen de partners van hun ouders veel meer als vrienden.

Zijn er dan geen nadelen aan birdnesting verbonden, zeker als die zo lang duurt?

Voor de kinderen zijn die er niet, tenzij hun ouders hun onvoldoende duidelijk maken dat ze wel degelijk gescheiden zijn en ook zullen blijven. Want uiteraard kan zo'n regeling bij het kind de hoop levend houden dat het misschien allemaal maar tijdelijk is. Hoe dichter je bij elkaar blijft voor de kinderen, hoe beter je hun de onomkeerbaarheid van je nieuwe relatie tot elkaar duidelijk moet maken.

Voor de ouders is het een ander verhaal, zeker als je dit voorlopige model een blijvend karakter gaat geven. Het voornaamste probleem wordt dan misschien gevormd door familie en vrienden. Zij kunnen vaak minder goed met de situatie omgaan. Sommige birdnesters geven aan dat ze de indruk hebben dat hun sociale leven stopt zodra ze het huis met de kinderen binnengaan. Ook zal het moeilijker zijn om een geschikte partner te vinden die bereid is deze leefwijze te aanvaarden, zeker als er geen termijn op staat of als de oorspronkelijke termijn herhaaldelijk verlengd wordt.

Je mag ook niet vergeten dat je heel wat afspraken met je ex-partner moet maken, en ze ook moet nakomen. Om te beginnen moeten jullie een goede timing afspreken. Jullie zullen ook samen grenzen moeten stellen. Een goede financiële regeling kan helpen, maar kan niet alles oplossen. Ook als de grote echtelijke problemen die de scheiding veroorzaakten zijn opgelost, kan een verstopte wastafel voor heel wat herrie zorgen – of een keuken waar de vaat van de laatste dagen vuil is achtergelaten.

Is birdnesting te verenigen met een vechtscheiding? Ja en nee. Het kan best dat ouders besluiten de kinderen in hun huis te laten en toch op voet van oorlog met elkaar staan. Het zal wel lukken, denken ze, want ze hoeven elkaar niet (veel) meer te zien. Dat valt meestal tegen. Eenzelfde huis besturen, ook al is het afwisselend, brengt nu eenmaal gemeenschappelijke zorgen mee. En conflicten.

Als de oorlogstaal makkelijk kan worden omgebogen in een vredesgesprek, dan kan dit vogelnest een uitstekende overgang zijn. Voor wie verder blijft vechten, is dit wellicht een loze inspanning. Een goed gewetensonderzoek voordat men eraan begint is geen overbodige luxe. Daarbij zullen heel wat vragen beantwoord dienen te worden, maar boven aan het lijstje zal zeker staan: ben ik in staat om vanaf nu op een hoffelijke manier met mijn ex-partner samen te werken in het belang van de kinderen?

2. MENTAAL SAMENBLIJVEN

Birdnesting wil vooral de overgang voor de kinderen gemakkelijker maken. Mentaal samenblijven is de 'zachtste' weg en het belangrijkste middel om op lange termijn samen ouder te blijven. Mentaal samenblijven betekent dat bepaalde activiteiten die vóór de scheiding een hoog samenhorigheidsgevoel opwekten, in zekere mate in stand worden gehouden.

Dit kindvriendelijke samenlevingsmodel is niet het logische gevolg van birdnesting, maar heeft wel dezelfde voedingsbodem. Beiden willen de negatieve gevolgen van de scheiding voor de kinderen beperken en het ouderschap blijven delen. Birdnesting kan er wel voor zorgen dat de stap naar mentaal samenblijven gemakkelijker wordt.

Ouders kunnen beide stappen tegelijk zetten. Voor de kinderen is de verandering in hun leven dan nog geringer, maar voor de ouders is het wellicht lastiger, zeker als zij nog niet helemaal van hun frustraties tegenover elkaar verlost zijn en de spoken uit het verleden nog te vaak de kop opsteken. De tijd van ruzies moet grotendeels achter je liggen, want de terugkeer van de rust bij de ouders zal de kinderen geruststellen. Als er een zekere warmte is, zullen zij inzien dat de scheiding nut heeft, ook voor hen.

In elk geval mag het niet te lang duren voordat de stap naar mentaal samenblijven wordt gezet. De komst van een nieuwe partner kan immers roet in het eten gooien. Een verliefde partner zal een bestaande toestand wellicht aanvaarden. Moeten vaststellen dat zijn of haar partner een terugkeeroperatie onderneemt naar het vroegere gezin, zal doorgaans veel moeilijker zijn.

Dit mentaal samenblijven kan veel vormen aannemen. Je kunt het zuinig doen met één of twee gezinsgewoonten, of genereus. Begin liever genereus als dit mogelijk is, en bouw langzaam af als dit nodig is. Zo volg je beter het ritme van de kinderen. Het omgekeerde is trouwens meestal veel moeilijker. Kijk in elk geval naar wat bij jouw gezin past.

Sommige families hechten bijzonder veel belang aan het samen vieren van feesten of verjaardagen of aan het in stand houden van rituelen. Andere houden veel meer van verrassingen – er in een mooi weekend met zijn allen op uit trekken bijvoorbeeld. Voor weer anderen zal een fietstocht met het hele vroegere gezin een topper zijn.

In veel gezinnen speelt de eettafel een belangrijke rol. Als iedereen aan tafel zit, heeft iedereen tijd voor iedereen, ontstaan er veel gesprekken en kan er worden gelachen. Dan kan dat een ideaal moment zijn om vast te houden, misschien zelfs één keer in de week op een vaste dag die voor iedereen past. Zo ontstaat een nieuwe traditie en krijgt het gezin een andere inhoud.

Sommigen willen zelfs af en toe samen met vakantie. Enkelen raken daar zo aan gewend dat ze dit nog steeds doen als hun kinderen al volwassen zijn. Het is verbazend te zien hoe kinderen er decennia later nog van kunnen genieten om met hun beide ouders samen te zijn.

Deze vorm van samenblijven veronderstelt (een grote) soepelheid in de verblijfsregeling. 'Dat kan niet, want het is mijn week' hoort hier niet thuis. Waarom zou een vader trouwens niet met zijn zoon naar een belangrijke voetbalwedstrijd mogen omdat het moederweek is? Of waarom zou een moeder geen kerstboodschappen kunnen doen met haar dochter tijdens de week van vader? Kinderen begrijpen niet waarom dat niet kan. En ze hebben nog gelijk ook.

Na vele stormen en discussies zijn Clara en Karel erin geslaagd met onderlinge toestemming uit elkaar te gaan. Hun drie kinderen tussen de 10 en 6 jaar zullen vijf dagen bij hem en negen dagen bij haar verblijven. 'We wilden jaren later nog allebei de mama en papa van onze kinderen zijn', zegt Clara, 'en daarvoor moet je bereid zijn heel wat water bij de wijn te doen, en vooral de tijd voldoende kansen geven om zijn werk te doen.'
'Voordat we tot die scheiding kwamen, leefden we gedurende ruim twee jaar samen, alleen nog voor de schone schijn. In die twee jaar ben ik altijd blijven zeggen dat ik wou scheiden. Officieel wisten de kinderen daar niets van, maar in werkelijkheid voelden ze de spanningen wel goed aan.' Karel is ervan overtuigd dat als Clara zou zijn vertrokken zonder dat er een overeenkomst was, dit tot een vechtscheiding zou geleid hebben.
'Zodra de scheidingsakte was ondertekend, kwam er meer rust. In de vijf maanden die daarop volgden, zorgden we beurtelings voor de kinderen. De

ander wist dan altijd wel iets te verzinnen waarom hij of zij die avond het huis uit moest. Nu, een jaar en heel wat ervaringen rijker, hebben we onze weg wel gevonden,' vindt Clara. 'We zijn het over de meeste dingen eens en maken nog zelden ruzie. We doen weer dingen samen, maar meestal met anderen erbij. Een familiefeestje voor de verjaardagen, een communiefeest. Ik heb verder ook een goed contact met de familie van Karel en hij met de mijne. Als ik ooit alleen naar de ouderavond ga op een dag dat de kids bij hun vader zijn, loop ik daarna bij Karel langs om samen met hem en de kinderen hun rapport te bespreken. Ze doen ook alle drie aan sport, elk weekend drie wedstrijden. Wij helpen elkaar om de een naar het voetbal en de ander naar het hockey te brengen. Soms gaan de twee jongens gedurende de tijd dat ze bij mij zijn met hun vader naar voetbal. Een uitgelezen kans om eens met mijn dochter gezellig alleen te zijn.

Het feit dat we niet meer samenwonen maakt ook dat ik uitsluitend positief over Karel praat tegen de kinderen. De band doorknippen met hun vader was voor mij nooit een optie. Natuurlijk mis ik mijn kinderen als ze niet bij mij zijn, maar dat missen valt best mee omdat ik weet dat hun vader erg goed voor hen zorgt. Kinderen gaan toch ook op kamp, wat is het verschil? Juist omdat wij zo'n soepele regeling hebben waarbij we de kinderen ook horen en zien als ze bij de ander verblijven, voel ik hun afwezigheid veel minder.'

Deze getuigenis leert ons drie dingen. Een moeilijk begin, op de rand van een vechtscheiding, sluit niet uit dat je uiteindelijk tot een goed resultaat kunt komen. Daarbij zien we dat het verstandig is om niet overhaast te werk te gaan en met de echte beslissingen te wachten tot je alle twee heel goed beseft dat 'het partner zijn' voorbij is. Ten slotte zien we ook dat zelfs een beperkte manier van mentaal samenblijven tot heel goede resultaten kan leiden.

Die bezinningstijd is ook voor jezelf heilzaam. Vaak wordt gezegd dat er heel wat tijd nodig is om een scheiding te verwerken. Dat is niet altijd zo, zeker niet als de verwerking vooraf is gebeurd. Wie zich er ten volle van bewust is dat het zo niet verder kan, maar tot op het laatste moment alles in het werk stelt om zijn relatie te redden, hoeft niet veel meer te verwerken. Hoe pijnlijk de scheiding ook mag zijn, ze voelt dan eerder aan als een last die van je schouders valt, als een bevrijding. En dát maakt een nieuwe start zoveel gemakkelijker.

3. MENTAAL EN FYSIEK SAMENBLIJVEN

Mentaal samenblijven is ongetwijfeld de basis. Kan men ook fysiek in el-kaars buurt blijven, dan biedt dat een meerwaarde, zeker voor de kinderen. 'Fysiek samenblijven' wil zeggen dat beide ouders dicht in elkaars buurt blijven wonen. Heel dichtbij in een twee-onder-een-kapwoning of in twee appartementen in eenzelfde gebouw, of iets verder weg in een huis in de-zelfde straat, om de hoek, of een paar straten verder.

Een groot verschil met het voorgaande model is dat de ouders er door deze keuze van uitgaan dat de verblijfsafspraken alleen maar het kader zijn, geen gebod of verbod. Beiden willen uitdrukkelijk dat de kinderen hun beide ouders kunnen zien als ze daar behoefte aan hebben, en ook zij-zelf willen hun kinderen kunnen zien of met hen iets kunnen doen als dat zo uitkomt. Je hoeft in dit geval de kinderen niet per se sleutels van de twee huizen te geven, hoewel sommigen dit wel doen. Maar de deur van beide huizen staat altijd symbolisch open.

> *Els: 'Toen we moesten vaststellen dat het als "stel" voor geen meter meer lukte, bleven we toch nog twee jaar "gescheiden" onder hetzelfde dak wo-nen. Toen er ook vaste nieuwe partners in ons leven kwamen, besloten we apart te gaan wonen, maar wel in elkaars nabijheid. Vincent woont nu al drie jaar nauwelijks een kilometer van ons vandaan.*
>
> *Onze twee zonen (11 en 9) zijn afwisselend drie dagen bij hun papa en vier dagen bij mij. Op woensdagavond eten we met z'n allen, afwisselend bij Vincent en bij ons. Het is het moment voor de informatieoverdracht (school, schoenen kopen, wisselen van weekend en andere dingen), maar ook voor gezelligheid en verbondenheid. Wij willen bewust de kinderen la-ten zien en voelen dat we met respect en liefdevol met elkaar omgaan.*
>
> *Door deze regelmaat hebben we ook steeds dezelfde dagen zonder kinderen – onze beide partners hebben geen kinderen – wat het gemakkelijker maakt om een sociaal leven te organiseren.*
>
> *De kinderen zeggen ons dat ze het heel fijn vinden zo, en zeker veel beter dan dat ze hun vader of mij een hele week zouden moeten missen. De afspraak is ook dat als ze iets nodig hebben wat bij de andere ouder ligt, we dit gewoon gaan halen. We hebben dus allebei een sleutel van elkaars huis en kunnen die in overleg met elkaar gebruiken. Soms lopen ze ook bij hun vader binnen tij-dens de dagen dat ze bij mij zijn, en omgekeerd. De afspraak is wel dat er dan altijd eerst even wordt getelefoneerd.*
>
> *Nieuwjaarsbrieven, verjaardagsfeestjes, lentefeest en andere feesten wor-den samen georganiseerd en gevierd. Vakanties doen we niet samen, maar*

worden vakkundig aan elkaar "geplakt" zodat de kinderen soms het grootste deel van de vakantie in het buitenland doorbrengen.

We zijn ons ervan bewust dat we veel begrip en flexibiliteit vragen van onze partners, wat ook binnen onze partnerrelatie heel wat energie en tijd vraagt. Maar als ik zie hoe gelukkig de kinderen zich daarbij voelen, dan is dat geen last. Het geeft mij vooral veel voldoening.'

Hier geldt het apart samenleven in zijn zuiverste vorm. De overbrugbare afstand tussen de twee woonplaatsen nodigt uit tot een stevige verbondenheid. Het is een leefwijze die in bijna ieders bereik ligt, zeker voor drie kwart van de huwelijken die na onderling overleg stranden.

Tenminste, voor zover achter dit overleg geen machtsstrijd schuilt en beide ouders echt zoeken naar de beste oplossing voor iedereen.

Het grote voordeel voor de kinderen ligt voor de hand: ze zullen er zeker aan moeten wennen dat hun ouders niet meer in hetzelfde huis leven, maar ze zullen op geen enkel moment het gevoel hebben een van hun ouders te verliezen, of zelfs het gevoel hen te moeten missen. Bijna onmerkbaar zijn ze van een gesloten in een open gezinstoestand beland.

Als later een nieuwe partner opduikt, vraagt dat beslist om een nieuwe aanpassing, maar die zal heel wat gemakkelijker verlopen als de kinderen het sterke gevoel hebben dat hun beide ouders elkaar dat nieuwe geluk gunnen. Want meestal ontstaan conflicten tussen kinderen en hun plusouders op basis van hun loyaliteit aan beide ouders. Binnen deze context is zulke loyaliteit overbodig.

Alleen is te hopen dat de nieuwe partner dit voordeel heel goed inziet, want natuurlijk zal deze manier van samen ouder blijven van hem of haar veel begrip vragen, veel inspanningen en een open geest. Maar toch is het ook voor hem of haar een goede oplossing. De kans dat hij of zij vroeg of laat het gelag moet betalen van een strijd tussen de ouders, wordt hier zo goed als uitgeschakeld.

4. MENTAAL EN FYSIEK SAMENBLIJVEN IN HETZELFDE HUIS

De meest extreme manier om mentaal en fysiek samen te blijven is natuurlijk 'apart' in hetzelfde huis blijven wonen. In feite biedt dit niet zoveel voordelen ten opzichte van het vorige. Het kan voor de kinderen ideaal zijn op voorwaarde dat de ouders er voldoende klaar voor zijn of er voldoende de noodzaak van inzien wegens financiële of praktische omstandigheden. Toch wordt er soms voor gekozen, alleen maar omdat beide ouders een grote behoefte hebben om het dagelijkse leven met hun kinderen te blijven delen.

In dat geval lijkt de beschikbare ruimte er weinig toe te doen. Als de wil echt aanwezig is, weten sommigen met een minimum aan ruimte en privacy een oplossing te vinden waar iedereen zich goed bij voelt.

Laura en Wim hebben één dochter. Ze wonen in een groot huis in de stad. Hun verhouding was altijd prima, tot ze zich er bewust van werden dat hun partnerrelatie uitgeblust was.

'We waren eerder mentaal uit elkaar gegroeid, dan fysiek', zegt Laura. 'We kozen voor de ongewone oplossing om apart samen te blijven. Mijn ex, onze dochter en ik hebben onze eigen ruimtes. We hebben ook een weekrooster dat vroeger diende om af te spreken wie er voor onze dochter zorgde, wie de auto had en wie er kookte. Dat heeft altijd goed gewerkt.

We eten elke dag samen en verjaardagen, kerst en oudejaarsavond worden samen gevierd. Vorig jaar zijn we voor de achttiende verjaardag van onze dochter zelfs samen op reis geweest. We zoeken dan een accommodatie waar we ieder onze eigen slaapkamer hebben.

In het begin had ik er moeite mee om de verwerking van onze relatiebreuk te combineren met de opbouw van een nieuwe gezinsomgeving. Ik had een andere relatie gehad, wat de emotionele verstandhouding tussen ons gevoelig had geschaad. Ik heb de gevoelens van schuld en verdriet in de kamer van de psychotherapeut verwerkt en niet in onze keuken.

Iedereen die we kenden, was positief over onze ongewone gezinssituatie, maar zelf was ik terughoudend om erover te praten. Ik heb er wel van geleerd dat het wellicht voor iedereen mogelijk is om de mentale klik te maken, om je gevoelens tegenover de ander te transformeren in een nieuwe vorm van partnerschap, een andere vorm van vriendschap.

Alleen vroeg ik me soms af of onze dochter niet te veel een rolmodel krijgt van ouders zonder liefdesrelatie.'

Verrassend veel ex-partners die een of andere vorm van 'derde weg' kiezen, maken zich zorgen over het feit dat hun kinderen geen 'warm' rolmodel aangeboden krijgen. Zij zien hun ouders nooit knuffelen, laat staan zoenen. Misschien zou dit hen later gevoelsarm kunnen maken, vrezen ze. Merkwaardig is wel dat ouders die op de klassieke manier uit elkaar gaan en gescheiden leven, zich deze vraag helemaal niet stellen.

Wellicht is het ook een overbodige zorg. Er zijn vast meer kerngezinnen waar knuffelen tussen de ouders na tien jaar huwelijk tot de folklore behoort dan kerngezinnen waar dit nog wél gebeurt. Een warm contact tussen de beide ouders en hun kinderen zou weleens belangrijker kunnen zijn dan de wijze waarop de ouders hun wederzijdse affectie tonen. Wel is het erg belangrijk dat er altijd voldoende respect is.

Velen herkennen zich in de ervaring van Laura, maar sommigen hebben hun twijfels over de duurzaamheid van deze leefwijze.

Zo is er bijvoorbeeld Dirk. Hij woont boven, en zijn vroegere partner beneden in het huis. De kamer van hun zoontje is tussenin. Ze wisselen elke week het toezicht, maar Claude (5) ziet zijn vader en moeder dagelijks. Dirk heeft sinds kort een andere relatie en zit in wat hij noemt de 'verkennende fase'. Zijn ex-partner heeft geen relatie.
'Ik weet nog niet of het lukt om zo dicht op elkaar te blijven leven', denkt hij. 'Je komt elkaar vaak tegen, misschien te vaak. Je blijft echt vasthangen aan elkaars dagelijks leven en dat is moeilijk.
Ik zie het eerder als een tussenoplossing tot iemand de behoefte zal voelen om een ander gezin uit te bouwen. Op dit ogenblik is dit alleen maar een vage toekomst, ons scenario reikt nog niet zo ver.'

Dit getuigt van veel realiteitszin. Tegelijk is de poging die Dirk en zijn vroegere partner ondernemen heel zinvol voor hen en leerrijk voor ons. Hun eerste stap is wel duidelijk, maar toch zo klein mogelijk. Daardoor geven ze hun kind ruim de tijd om te ondervinden dat deze nieuwe gezinstoestand nauwelijks invloed heeft op zijn bestaan. Bij een verdere stap zal Claude hieruit vertrouwen putten om ook die overgang zonder kleerscheuren te doorlopen. En voor ouders die geleerd hebben om gescheiden in eenzelfde huis respectvol met elkaar om te gaan, zal het geen inspanning vragen om dit voort te zetten als een van de twee om de hoek gaat wonen.

Voor elk wat wils

Zoals gezegd hoeft niemand zijn keuze te beperken tot een van de voorgestelde modellen. Nagenoeg elk scheidend paar kan zijn eigen weg vinden. Het volstaat om het ouderschap blijvend te delen en de kinderen zo weinig mogelijk hinder van de scheiding te laten ondervinden. De sterke wil van beiden om dit te doen volstaat.

'Na onze afgebroken studie aan de universiteit was Marijke als beheerster in een meubelzaak begonnen', schreef Frederik ons. 'Eerst woonden we in het appartement boven de zaak, maar toen ons eerste zoontje was geboren, verhuisden we naar een nieuw huis buiten de stad. Korte tijd later konden we de

zaak overnemen. Het bedrijf bloeide. Er kwam steeds meer administratie bij kijken en ik besloot ook in de zaak te stappen. Intussen was er ook een twee- de bijgekomen, een dochtertje.

Na een aantal ups en downs in onze relatie bleek de lijm niet sterk genoeg meer om de scheuren te dichten. Na veertien jaar samenzijn besloten we te scheiden. Echt ruzie hebben we nooit gemaakt, dus besloten we dat we ge- rust samen konden blijven werken. Wat de kinderen betreft kozen we voor co-ouderschap: een week bij de een, een week bij de ander. Marijke koos voor het appartement boven de winkel, ik bleef in ons huis. Omdat hun school in de buurt van de winkel was, zagen we de kinderen elke dag en za- gen zij ons samen aan het werk.

Toen Marijke iemand leerde kennen die op een uur rijden van ons vandaan woonde, werden de zaken moeilijker. Vooral voor haar. Gedurende haar week moest ze ervoor zorgen dat de kinderen op tijd op school waren, ook op haar vrije dag.

We pasten ons aan: de week dat de kids bij mij zijn, brengt Marijke hen op maandag naar school en brengt ze hun spullen bij mij. Meestal drinken we dan samen koffie en nemen we de tijd om wat bij te praten, vooral over de kinderen. Na school komen de kinderen elke dag naar de winkel en daarna gaan ze op stap met hun vrienden of gaan ze naar mijn huis. In de week dat ze bij hun moeder zijn, loopt alles ongeveer hetzelfde, behalve dat ze dan meestal niet naar mijn huis gaan.

Drie jaar geleden leerde ik ook iemand kennen, maar deze winter zijn we uit elkaar gegaan. Ze had het moeilijk met de goede band die ik met Marijke heb behouden. Haar vrees was niet nodig. Onze band is uitslui- tend als vader en moeder van onze kinderen, maar ik begrijp dat dit voor iemand die dat zelf niet heeft beleefd soms moeilijk te begrijpen is. Erg jammer.'

Het is mooi om te zien hoe de ouders er zelfs voor weten te zorgen dat de kinderen niet met die vervelende 'spullen' naar school hoeven. Want meest- al vinden ze dat echt niet leuk. Eigenlijk slagen deze twee mensen er perfect in om datgene waar ze ten overstaan van elkaar goed in zijn te bewaren en datgene waar ze last van hebben weg te laten. Hun emotionele partnerrela- tie verdwijnt, maar hun zakelijk partnerschap en hun ouderrelatie gaan onverminderd door.

Deze modellen en de vele alternatieven laten zien dat living together apart vooral een houding en een mentaliteit is, veel meer dan een pasklaar model. Het is eerder een levensfilosofie die iedereen zich eigen kan maken.

Maar we mogen niet naïef zijn en denken dat dit voor iedereen dé oplossing is. Verre van. Voor velen zal het helaas te veel gevraagd zijn. Voor wie zijn verleden niet achter zich kan laten, voor wie zich door rancune laat verteren, voor wie zijn explosieve woede-uitbarstingen niet kan beheersen, en voor wie niet bereid is om van zijn ouderschap prioriteit te maken, zal deze derde weg vermoedelijk te lastig zijn.

Als ze zien wat al deze mensen doen voor het welzijn van hun kinderen, dan kan de derde weg minstens een bron van inspiratie zijn. Niet om hetzelfde te doen, maar wel om de scherpste kanten van hun houding weg te vijlen, om zich beter bewust te worden van de schade die ze hun kinderen toebrengen door te blijven vechten, en om in te zien dat ze zelf niet gelukkig kunnen zijn als ze de ander het geluk niet gunnen.

3

EEN GOEDE SCHEIDING, HET KAN

Als je ten volle beseft hoeveel kwaad een slechte scheiding jou en vooral je kinderen doet, stel je alles in het werk om die te vermijden. Over die slechte scheiding onderschrijven we volledig de mening van Joke Hermsen,[7] schrijfster en filosofe:

> 'Wat mij zorgen baart, is dit: elk jaar worden er tienduizenden kinderen het slachtoffer van vechtscheidingen. Hun ouders zijn vaak met te hoge verwachtingen getrouwd, waardoor ze hun woede en frustraties niet kunnen beheersen als hun relatie stukloopt.
> Hoewel wij getraind zijn om op vrijwel elk gebied rationeel te handelen, lukt dit op relationeel vlak veel ex-partners juist niet. De onredelijke en niet zelden wraakzuchtige houding ten aanzien van de ex manoeuvreert kinderen echter in een uitermate ingewikkelde positie.
> Het ene na het andere onderzoek wijst uit dat deze kinderen vanwege die strijd en de ermee gepaard gaande loyaliteitsconflicten tal van psychische problemen krijgen. Ik wil het huwelijk niet failliet verklaren, maar wel nadenken hoe we het hoge aantal vechtscheidingen kunnen terugbrengen, zodat in de toekomst minder kinderen op grote schaal het slachtoffer worden.
> Als de verliefdheid wat uitgeraasd is, hoef je niet met meubilair te gaan smijten, maar zoek je een nieuwe vorm om je leven verder te delen. Meer afstand, meer ruimte, maar niet minder verbondenheid, en vooral niet minder verantwoordelijkheid voor je kinderen.'

Sommigen beweren dat het onzin is om van een 'goede scheiding' te spreken. Het is een contradictie, zo stellen zij, omdat een scheiding nu eenmaal een mislukking is en dus alleen maar ellende kan veroorzaken. Toen in de jaren zeventig een bekende Vlaamse journalist en schrijver in een televisie-interview zich liet ontvallen dat hij 'gelukkig gescheiden' was, waren de verontwaardigde en boze reacties niet te tellen. De weldenkende goegemeente was gechoqueerd. Het kwam bij hen niet op dat die man weleens de waarheid kon zeggen en hardop zei wat veel anderen dachten, maar niet durfden te zeggen.

Uiteraard gaat het hier om een subjectief gevoel van één persoon die bij de scheiding betrokken was en kun je je afvragen of zijn ex-partner er ook zo over dacht. Maar we weten dat tegenwoordig meer dan 70 procent van de scheidingen met wederzijdse toestemming tot stand komt en dat het initiatief bij één op de vier daarvan van beide partners uitgaat. Dan zou je toch denken dat minstens de helft van degenen die scheiden ervan overtuigd zijn dat ze er beter zullen van worden. Waarom zouden ze dan niet kunnen spreken van 'een goede scheiding' of van 'gelukkig gescheiden' zijn?

Wie hier een veel objectiever oordeel over kan vellen, is Diana Evers, oprichtster van de scheidingsschool. Zij schreef ons het volgende:

'Na twintig jaar werk als scheidingsbemiddelaar kan ik echt zeggen: goede scheidingen, ze bestaan. Scheidingen waarbij ouders er alles aan doen om een goed en duurzaam ouderschap neer te zetten en dat in het belang van hun kinderen.

Ik kan dit met een concreet voorbeeld illustreren. Een uit de vele, alleen de namen zijn fictief.

Anita heeft de overtuiging een goed huwelijk te hebben. Ja, haar partner heeft een wat uit de hand gelopen hobby, maar hij is lief en helpt haar wanneer ze erom vraagt. Zelf houdt ze van haar huiselijke leven, ze zorgt voor haar zoontje en lost alle kleine en grote dagelijkse probleempjes op. De melding van haar man dat hij een gezin met vrouw en kind niet echt meer ziet zitten, meer vrijheid wil en dus graag weer alleen wil wonen, valt dan ook als de spreekwoordelijke donderslag bij heldere hemel.

Ze stelt voor om samen te blijven en hem alle vrijheid te geven tot hun zoontje ouder is. Ze stelt voor samen te blijven wonen en het huis op te splitsen en ieder zijn weg te gaan. Nee dus: haar man vertrekt.

Drie maanden later vertelt hij dat zijn vriendin (welke vriendin?) zwanger is van hem en dat hij met haar wil gaan samenwonen. Elke vrouw zou alle deuren sluiten voor dit "dubbele verraad". Zij niet. Vanwege hun zoontje is ze bereid te scheiden met onderlinge toestemming. Vanwege haar zoontje vraagt ze de vader om elke dag na zijn werk even binnen te wippen zodat hun kindje niet van zijn vader vervreemdt. Vanwege hun zoontje zet ze haar gevoelens van verraden zijn, van in de steek gelaten zijn, van verdriet op de tweede plaats, gaat ze in therapie en bouwt ze met haar ex-man een goede ouderrelatie op.

Acht jaar later: vader komt met zijn twee dochters uit zijn tweede relatie naar het verjaardagsfeest van zijn zoontje. De drie kinderen zijn dikke maatjes. "Ouderverstoting" zou een optie zijn geweest in deze situatie, maar deze moeder had er veel voor over: hun zoontje kwam op de eerste plaats!'

Geen mislukking, maar een stap voorwaarts

Scheiden kan alleen een mislukking zijn voor wie zijn huwelijk een verbond vindt dat onvermijdelijk 'tot de dood ons scheidt' moet zijn. Maar wie kan dit vandaag de dag nog zeggen? Is het niet eerder iets geworden in de zin van: 'Wij hebben het voornemen samen een boeiende relatie op te bouwen, we hopen dat het lukt, maar we weten dat het bij evenveel mensen niet lukt. Het kan dus best voor het leven zijn, maar als het dat niet is, houdt onze wereld niet op.'

Natuurlijk is dat niet wat men uitspreekt als huwelijksbelofte, maar misschien denken velen dat wel. Tenzij hun verliefdheid hun geest helemaal vertroebelt.

Laten we er even van uitgaan dat een stel geen kinderen heeft. Na verloop van tijd komen ze tot de conclusie dat alles wat hen in het begin van de relatie boeide en met elkaar verbond, is weggevallen. De bubbels in hun bestaan zijn verdampt, lucht geworden. Ze voelen zich veel beter op hun werk of bij vrienden dan thuis. Is er dan één geldige reden waarom zij verder de schijn hoog zouden houden? Nog dertig, veertig jaar misschien? Is het niet zinvoller er samen een punt achter te zetten met een behoorlijke kans een betere toekomst tegemoet te gaan?

Wat voor kinderloze paren geldt, is voor degenen die wél kinderen hebben niet heel anders. Alleen kan de aanwezigheid van kinderen voor kortere of langere tijd het groeiende ongenoegen in het partnerschap maskeren. Dit leidt vaak tot een koel en los aan elkaar hangend gezin.

Natuurlijk brengt de aanwezigheid van kinderen een veel grotere verantwoordelijkheid mee. Maar die verantwoordelijkheid alleen is meestal onvoldoende om een sputterend huwelijksleven in stand te houden. Decennia geleden waren er aanzienlijk meer scheidingen tussen gehuwden zonder kinderen dan tussen gehuwden mét kinderen. Dat verschil is grotendeels verdwenen. In de meeste landen zie je dat partners met kinderen vrijwel evenveel scheiden als partners zonder kinderen.

Hoe dan ook ontstaat er bij degenen die wél kinderen hebben een conflict tussen de belangen van de kinderen enerzijds, en het recht op een eigen leven anderzijds. Juist om dit conflict te vermijden of te verzachten kan living together apart een oplossing bieden.

In gezinnen met kinderen hebben ouders bij scheiding vaak een groot schuldgevoel. Niet alleen tegenover de kinderen, maar ook tegenover de rol die men in de scheiding gespeeld denkt te hebben.

'Toen onze partnerrelatie al geruime tijd niet meer werkte, ontmoette ik een man bij wie ik weer de aandacht en liefde vond waar ik zo'n behoefte aan had', vertelt Laura. 'Na verloop van tijd heb ik die relatie beëindigd omdat ik dit niet helemaal in overeenstemming wist te brengen met mezelf. Na een jaar besloten we samen dat ik weer in onze vroegere woning kwam wonen, maar dan als ex-partner. Daar was vooral onze dochter blij mee, die niet meer van het ene huis naar het andere hoefde te verhuizen, maar die vooral haar beide ouders altijd bij zich wist.

Door deze crisis in onze relatie zijn we tot een manier van samenleven geko-men die we anders misschien niet zouden hebben gevonden, of niet zouden hebben aangedurfd. Nu zijn we er alle drie echt gelukkig mee. Toch kon ik heel moeilijk de gedachte loslaten dat dit veel schade aan onze emotionele verstandhouding had toegebracht. Ik voelde me schuldig. Dit schuldgevoel zorgde ervoor dat ik de indruk had me in een mijnenveld te bevinden waar de kleinste misstap me weer met het verleden zou confronteren.'

Als Laura had ingezien dat haar 'misstap' eigenlijk niets met hun scheiding te maken had, aangezien hun partnerrelatie al geruime tijd dood en begra-ven was, zou ze ook geen schuldgevoel hebben gehad. En dat schuldgevoel vindt dan weer zijn oorsprong in de overtuiging dat een huwelijk of vaste relatie 'voor eeuwig' moet zijn. Wie ertoe bijdraagt dat dit niet lukt, is dan schuldig. Meestal zoekt men die schuld bij de ander, maar Laura zocht de schuld bij zichzelf. In werkelijkheid heeft hun relatie gewoon de tand des tijds niet doorstaan.

Voor veel partners is het moeilijk te aanvaarden dat de tijd wellicht de schuldige is aan de teloorgang van hun sprookje. En met die tijd ook de ver-anderingen die zich in hun leven en in de maatschappij hebben voorge-daan. Nog lastiger is het verzet tegen het besef dat je zelf ook een aandeel hebt in die teloorgang, zeker als je niet degene bent die om de scheiding vraagt. Dit is vermoedelijk een van de voornaamste oorzaken waarom ie-mand de scheiding niet als 'goed' kan aanvaarden: er zijn problemen, maar je weigert ze te zien.

'Luc en ik hadden zes schitterende jaren achter de rug', schreef Stephanie ons. 'Toch waren er af en toe donkere periodes geweest waarin hij zwaarmoedig bleek te zijn. Meestal ging het om een of ander probleem dat hij veel gewichtiger zag dan het was, vond ik. De onderwaardering op zijn werk, het feit dat zijn dochter niet studeerde zoals hij dat wenste, of de onzekerheden over zijn toekomst. Stuk voor stuk konden we die problemen aanpakken en oplossen. Tot ik het probleem werd. Hij sprak er met mij nooit over, maar hij was ervan overtuigd dat ik hem bedroog.

Het klopte dat ik in gesprekken met vrienden had gezegd dat ik overspel niet erger inschatte dan veel andere vormen van ontrouw. Dat ik een incidentele fysieke aantrekking tot iemand anders minder erg vond dan heftige en niet-aflatende ruzies. En dat was precies wat er nu gebeurde. De volgende vier jaar ging het van kwaad tot erger. We bleven erg goede momenten beleven, maar ze werden almaar schaarser.

Luc begon steeds meer onbeheerst te drinken als we in gezelschap waren. Zolang we met vrienden waren, was er geen vuiltje aan de lucht, maar als we thuiskwamen, kwamen alle opgestapelde frustraties naar boven en overlaadde hij me met verwijten en geruzie tot diep in de nacht, of de ochtend.

Gedurende die vier jaar bleef ik erin geloven. Ik hoopte dat ik het kon veranderen. Ik las een halve bibliotheek over relaties en hoe ze te redden waren. Ik vond uitwegen. Stelde hem voor die te volgen. Maar als ik hem vroeg eens een boek daarover te lezen, dan deed hij dat niet. Omdat er geen probleem was, vond hij.

Die ruzies maakten mij kapot. Hoewel onze liefde voor elkaar nog altijd kon oplaaien, besefte ik steeds meer dat het vechten tegen de bierkaai was. Dat we de strijd verloren. Toen werd ik verliefd op een ander. Uit respect voor onze partners bleef het daarbij en begonnen we geen echte relatie. Maar mij bracht het tot het besef dat ons verhaal voorbij was. Luc zag hierin de oorzaak van de scheiding die daarop volgde. Ten onrechte.

Hoewel ze mij ontzettend veel pijn deed, was voor mij de scheiding een bevrijding. Luc heeft nooit kunnen aanvaarden dat we uit elkaar waren. Ik stelde voor om vrienden te blijven. Eén keer ging hij daarop in, maar dat eindigde met de vraag wanneer ik zou terugkeren. Ik zei dat dit geen zin had, zeker toen nog niet. Ik zag hem nooit meer.'

Stephanie is er op het moment van de scheiding klaar voor. Ze heeft de scheiding verwerkt voordat ze plaatsvindt. Vier jaar deed ze erover. Voor haar is de balans van de scheiding positief. Voor Luc kan op dat moment de scheiding nooit 'goed' zijn, want hij heeft in diezelfde vier jaar de problemen onder de mat geveegd. Hij heeft zich op zijn eigen eiland teruggetrokken in de vage hoop dat alles zichzelf wel zou oplossen.

Luc is zich duidelijk niet bewust van zijn eigen aandeel in de scheiding. Tot het einde van hun huwelijk heeft hij geen argumenten om de teloorgang van hun relatie in Stephanies schoenen te schuiven. Toch doet hij dat door haar van overspel te verdenken. Tegelijk is dat voor hem een excuus voor zijn nachtelijke uitbarstingen en later voor zijn dronkenschap. Dat Stephanie dan ook nog verliefd wordt op iemand anders, is voor hem de druppel die de emmer doet overlopen. Daar kan zelfs het feit dat zij niets met die verliefdheid doet uit respect voor hem, niets aan veranderen.

Soms kan een scheiding ook voor iemand 'goed' zijn zonder dat diegene het zelf beseft op het moment van de scheiding. Ik heb mensen meegemaakt die heel erg afhankelijk waren van hun partner omdat ze vanuit het ouderlijk nest rechtstreeks in de armen van een beschermende man of vrouw vielen. Uiteraard was hun weerstand tegen een scheiding absuut. Maar langzaam leerden zij wat ze nooit hadden gehoeven: opkomen voor zichzelf en zelf hun zaken regelen. Ze groeiden uit tot zelfstandige en zelfbewuste personen die hun rol in de maatschappij veel beter wisten te vervullen dan ooit voorheen.

De wet wijst de weg

Het is ooit wel anders geweest, maar voor wie nu scheidt, is de wet een trouwe bondgenoot. Tenminste, als je gebruik wilt maken van de mogelijkheden die de wet biedt.

Wie helemaal geen kosten of gedoe wil hebben bij een eventuele scheiding, kiest beter voor een samenlevingscontract. Het voordeel hiervan is dat je al vanaf het tot stand komen van het contract afspraken kunt maken wat er gebeurt als je elkaar verlaat. Nogal cynisch, hoor ik je denken. Ik zou het eerder voorzichtig noemen. Maar hoe dan ook, het zou fout zijn te denken dat het risico van een scheiding daardoor groter wordt. Integendeel. Wel zijn er wettelijke beperkingen met betrekking tot de regelingen betreffende de kinderen die de toets van het Openbaar Ministerie moeten weerstaan als het ooit tot een procedure zou komen, of als een regeling door de rechtbank moet worden goedgekeurd.

Wie trouwt, kan geen individuele afspraken voor zichzelf of voor de kinderen maken, want het huwelijk kent zijn eigen rechten en plichten. Dit doet niets af aan het feit dat het een uitstekende oefening kan zijn voor trouwlustigen om na te gaan hoe hun partner zou reageren als het ooit tot een scheiding zou komen.

Wel biedt de wet voor wie getrouwd is veel mogelijkheden om op de best mogelijke manier te scheiden. Alleen wie het de ander bijzonder moeilijk wil maken – en zichzelf ook – kiest voor een vechtscheiding. Deze kan erg lang duren, kan veel kosten en maakt niemand gelukkig.

Dikwijls is het vermeende belang van de kinderen de belangrijkste inzet bij vechtscheidingen. Dát en alles wat met geld en status te maken heeft. Heel vaak worden die twee tegen elkaar uitgespeeld, wat aantoont dat die strijd vooral met eigenbelang te maken heeft. Hoe langer de strijd duurt, hoe erger het voor de kinderen is. Zij kunnen verrassend goed verdragen dat hun ouders het niet meer met elkaar zien zitten, maar voortdurend ruzie tussen hun ouders zal de kinderen zeker schaden. Ook als ze partij lijken te kiezen voor één ouder, is dat meestal slechts schijn, of voorlopig. Het gevecht van de ouders brengt de kinderen onvermijdelijk uit evenwicht.

Onderzoek in Nederland[8] toont aan dat de negatieve gevolgen van zeer conflictueuze scheidingen voor de kinderen aanzienlijk zijn. Ze vertonen meer risicogedrag, slechtere schoolprestaties en relationele problemen. Veel vaker komen ze noodgedwongen in een keuzesituatie waardoor hun loyaliteit aan beide ouders zwaar op de proef wordt gesteld. Met als gevolg dat ouderverstoting bij hen het meest voorkomt. Daardoor raken ze helemaal met zichzelf in de knoop, omdat een kind van nature loyaal wil zijn aan beide ouders.

Wills Langendijk[9] stelt het in zijn boek *Beter scheiden* nog scherper: 'Oorlog is alleen toegestaan als je ex dreigt met kidnapping, gewelddadig is, of als er sprake is van seksueel of geestelijk misbruik. Maar meestal zijn exen niet gewelddadig of ontoerekeningsvatbaar. Ze zijn alleen boos, wraakzuchtig, paranoïde en bang.'

Dirk de Wachter[10] sluit perfect bij deze stelling aan: 'Kinderen wier ouders vechtend uit elkaar gaan, lopen ernstige kwetsuren op. We kweken een generatie die relationeel beschadigd is.

Hechting is immers belangrijk voor kinderen: het vertrouwen dat hun ouders voor hen zullen zorgen. Maar als moeder en/of vader de kinderen tegen elkaar opzetten of gebruiken als wapen, dan wordt die hechting heel erg geschaad.'

Vechtscheidingen wijzen op een gebrek aan verantwoordelijkheid van de ouders inzake hun zorgplicht ten opzichte van de kinderen. Ten voordele van de kinderen moet je je ego wat opzij kunnen schuiven en jezelf soms wegcijferen. Die verantwoordelijkheid nemen, dat lijkt tegenwoordig een probleem.

Assertiviteit wordt in deze zin vaak verward met agressiviteit. In een echtscheiding moet je inderdaad zeggen wat je wilt, maar zonder te verglijden in 'gelijkhebberij' en egocentrisme over de hoofden van de kinderen.

Natuurlijk kan het niet aanvaarden van de scheiding door een van de partners ervoor zorgen dat de ander geen andere uitweg ziet dan een procedure te starten. Maar dat wil niet zeggen dat deze ook tot het bittere einde dient te worden voortgezet.

Misschien kan midden in een procedure het voorstel om te evolueren naar birdnesting bijvoorbeeld minder bedreigend overkomen voor wie (nog) niet klaar is voor de scheiding. Wie een derde weg voorstelt, heeft immers een heel sterk argument: het welzijn en geluk van de kinderen. Het is moeilijk voor de andere ouder om dat af te wijzen. Misschien weet je hiermee je (ex-)partner wel te overtuigen de wapens in te leveren.

Wie de focus vooral op de kinderen legt, kan gemakkelijker compromissen sluiten en het veel eerder over alles eens worden. Toch kan dit ingewikkelder zijn dan je denkt. Vaak ken je niet alle mogelijkheden. Misschien zijn er regelingen die je wel zouden bevallen, maar waar je niet van weet. Daarom is het geen overbodige luxe om er iemand van buitenaf bij te betrekken, bijvoorbeeld een bemiddelaar. Deze beslist nooit iets zelf, hij of zij zet jullie alleen samen op weg, reikt mogelijkheden aan. De uiteindelijke beslissing nemen jullie altijd zelf. Daarbij probeert de bemiddelaar jullie te begeleiden op juridisch gebied, maar ook, waar nodig, op relationeel of emotioneel gebied. Een goede bemiddelaar kan ook bijstand verlenen bij het verwerkingsproces of kan helpen om weer beter met elkaar te communiceren. Als neutrale derde kiest hij of zij nooit partij en heeft hij of zij altijd de belangen van jullie beiden en van de kinderen voor ogen. Het grootste voordeel is dat een bemiddelaar losstaat van de emoties die de betrokkenen meestal verblinden.

Het is niet verwonderlijk dat het resultaat van bemiddeling over het algemeen meer bevrediging biedt dan de beste beslissing van de rechter. Een rechter blijft altijd een buitenstaander die moet oordelen op basis van pleidooien of schriftelijke besluiten. De concrete situatie kan hij moeilijk inschatten, laat staan aanvoelen. Het is dus niet zo vreemd dat een van de partijen dan ontevreden de rechtszaal verlaat – of beide partijen.

Of het je nu zelf lukt om tot een akkoord te komen of met de hulp van een bemiddelaar, het punt is dat het strijdtoneel wordt omgezet in een vredespact. Wie 'goed' wil scheiden, zal dit op een verstandige manier moeten aanpakken en doet dat het best samen.

Een scheiding waar iedereen beter van wordt

We kunnen pas echt van een goede scheiding spreken als na afloop iedereen er beter van wordt. Dat hoeft niet altijd onmiddellijk voor iedereen duidelijk te zijn, maar uiteindelijk moet dit het doel zijn van een scheiding. Zo wordt een scheiding niet alleen een afsluiting, maar vooral een nieuw begin.

In het hiervoor vermelde onderzoek in Nederland werden de gevolgen voor de kinderen zowel op korte als op middellange termijn onderzocht. Op korte termijn werden er duidelijk problemen geconstateerd. Omdat ouders vaak erg in beslag genomen zijn door de eigen problemen en emoties, hebben ze minder tijd en aandacht voor de kinderen. Daarbij moeten deze laatsten vaak verhuizen en verliezen ze voor een deel het contact met de ouder bij wie ze niet wonen. Veelal is er ook minder geld beschikbaar, wat het 'ik voel me goed'-gevoel niet bevordert.

Op langere termijn ziet het er voor scheidingskinderen veel beter uit. Dan gaat het met de meesten weer goed. Veelal verschilt hun welbevinden na verloop van tijd nog nauwelijks van dat van kinderen uit intacte gezinnen. Sommigen voelen zich zelfs beter dan voor de scheiding. Slechts een kleine minderheid houdt aan de scheiding van de ouders problemen over. Een groot deel van die minderheid had zeker te maken met ouders die niet in staat waren om op een fatsoenlijke manier uit elkaar te gaan.

Het onderzoek dat een jaar later in Vlaanderen werd gepubliceerd[11] bevestigde deze resultaten. Dit onderzoek was ruimer, omdat het naast het welbevinden van de kinderen ook dat van de ex-partners onderzocht.

Wat deze laatsten betreft, bleken zowel mannen als vrouwen die na de scheiding geen nieuwe partner hadden minder tevreden te zijn met hun leven. De mannen scoren daar een 7, de vrouwen doen het iets beter met een 7,3.

Gescheiden mannen en vrouwen die wél een nieuwe partner hebben, blijken meer tevreden te zijn met hun leven dan mannen en vrouwen die nog samenzijn met hun eerste partner. Mannen met een nieuwe partner halen 8,4 op het scorebord tegenover 8,1 voor mannen in een intacte relatie. Bij de vrouwen is het verschil iets kleiner, maar toch: 8,3 tegenover 8,1 in een klassiek gezin.

Natuurlijk kan de duur van de relatie deze cijfers beïnvloeden. Ook is het mogelijk dat mannen en vrouwen een eerste relatie meer vergelijken met het ideaalbeeld dat ze koesteren, terwijl de anderen het vanuit een realistischere gezichtshoek bekijken.

Wel moeten we er rekening mee houden dat er evenveel ondervraagden waren die de scheiding noodzakelijk vonden en dus wensten, als ondervraagden die het nut ervan niet inzagen en dus de scheiding niet wensten, of er zich zelfs tegen verzetten.

Het blijkt dus dat kort na de scheiding een deel van hen zich minder goed voelt en een ander deel beter, maar dat na verloop van tijd de grote meerderheid terugvalt op het algemene gemiddelde. Alleen lijkt een nieuwe partner wel cruciaal in de totale beleving van hun geluk.

Wat de kinderen betreft, richtte het onderzoek zich op de kinderen die nog thuis wonen. Bij de minderjarigen was er bij de jongens nauwelijks een verschil te bespeuren. Het verschil van 8,4 bij intacte gezinnen en 8,3 bij de andere ligt zelfs binnen de foutmarge. Meisjes blijken gevoeliger, vooral voor de aanwezigheid van een nieuwe partner, en scoren slechts 7,8 tegenover 8,3. Verrassend is de vaststelling dat het bij meerderjarige kinderen net omgekeerd is: daar bestaat een groter verschil in welbevinden bij de jongens en is er nauwelijks verschil bij de meisjes.

Hoe nuttig deze onderzoeken ook zijn, toch bieden ze zelden afdoende antwoorden op onze vragen. Onmiskenbaar is wel dat het welbevinden van zowel de ex-partners als hun kinderen na verloop van tijd geen grote wijzigingen ondergaat. Dit wil niet zeggen dat bij kinderen van gescheiden ouders bepaalde problemen niet in versterkte mate voorkomen. Zo zijn er meer psychische en gedragsproblemen en is er bij een aantal een duidelijke vermindering van de schoolprestaties.

De vraag blijft of dit met de scheiding zelf te maken heeft, met de gezinstoestand vóór de scheiding of met beide. Er bestaan sterke aanwijzingen dat vooral datgene wat de kinderen de laatste jaren in het gezin beleefden en de wijze waarop de scheiding plaatsvond, bepalend zijn voor hun latere ontwikkeling. De enigen die de kinderen met een goed gevoel door de scheiding kunnen loodsen, zijn hun ouders. Als hun strijd niet stopt bij de scheiding, maar misschien zelfs pas echt begint, vragen ze om problemen.

Vaststaat dat de scheiding vooral op korte termijn de gevoelswereld van kinderen overhoop kan halen. Dat laat duidelijk zien hoe belangrijk het is om deze periode zo goed mogelijk te overbruggen en op zoek te gaan naar de weg die voor het gezin het best is. Het komt erop aan een model te vinden dat voldoende flexibel is om leefbaar te zijn en voldoende sterk om duurzaam te zijn.

Hoe de derde weg kan helpen

Als we weten dat de scheiding op zich niet de grote boosdoener voor de kinderen is, maar wel de ruzies tussen de ouders en de angst voor veranderingen en onzekerheden, dan kan iedere ouder daarnaar handelen.

Het vermijden van voortdurende ruzies, zeker in aanwezigheid van de kinderen, zou voor iedere verantwoordelijke ouder de vuistregel moeten zijn. Voor ouders die vanwege de kinderen een bepaalde saamhorigheid willen behouden, is dit een absolute voorwaarde. Anders brengt hun 'aparte' aanpak nauwelijks verandering en zal de schade voor de kinderen niet geringer zijn.

Met het vermijden van veranderingen en onzekerheden in het leven van het kind ligt het anders. Ouders die er niet in slagen om op een vredelievende manier te scheiden, handelen vanuit hun eigen gezichtspunt. Onvermijdelijk veroorzaken ze een hele reeks veranderingen en onzekerheden in het leven van hun kind. Soms willen ze dat niet echt, maar lijkt het voor hen het logische gevolg van de scheiding. Vaak beseffen ze nauwelijks de impact van hun beslissingen op de kinderen.

Daarbij komt nog dat ze hun kinderen geen zekerheden kunnen bieden omdat ze, zolang het proces duurt, onzeker blijven over de afloop ervan. De vele vragen van hun kind blijven al die tijd even onbeantwoord als die van henzelf.

Ten slotte bestaat het risico dat een vuur dat niet helemaal is geblust weer gaat branden en het leven van de kinderen opnieuw helemaal overhoop kan halen.

Jules woonde vanaf zijn geboorte bij zijn moeder. Twee dagen per week kwam hij bij zijn vader en plusmoeder. Na verloop van tijd voelde Jules zich echt helemaal thuis in twee gezinnen. Voor hem was er nauwelijks een verschil tussen zijn moeder en zijn 'net niet'-moeder. Ook al omdat beide gezinnen dicht in elkaars buurt woonden. Dat veranderde totaal toen hij tien was en zijn moeder aan een nieuwe relatie begon. Ze ging bij die nieuwe vriend wonen, zo'n vijftig kilometer verderop. Na heel wat gekibbel werd besloten dat Jules op schooldagen bij zijn vader en in de weekends bij zijn moeder zou zijn. Zo bleef hij op dezelfde school en hield hij zijn vriendjes. Iedereen tevreden – of in elk geval bijna iedereen.

Want Jules' moeder had deze regeling nooit helemaal geaccepteerd. Toen hij de basisschool verliet, maakte zij daar gebruik van door voor te stellen dat hij bij beide ouders om de week zou verblijven. Met als gevolg dat Jules om de week dagelijks twee uur in de trein zou zitten. Geen goed idee, vond zijn vader. Maar het voorstel werd een eis. Niemand wilde zijn standpunten meer veranderen en de zaak kwam uiteindelijk voor de jeugdrechter.

Die besloot Jules om zijn mening te vragen. Jules was bang voor de rechter. Wat moest hij zeggen? Hij wou zijn moeder en plusvader geen pijn doen, maar hij wou ook zijn leven, dat helemaal rondom zijn vader was gebouwd, en zijn omgeving niet kwijt. Hij moest kiezen voor of tegen iets,

terwijl hij helemaal niet wilde kiezen. Wat hij wilde, was voor iedereen
partij kiezen, loyaal zijn aan iedereen. Jules voerde een verscheurende
strijd tegen alles, maar vooral tegen zichzelf.

Bij ouders die voor living together apart kozen, zijn zulke toestanden uitgesloten. Wie altijd creatief op zoek is naar de beste oplossing voor zijn kinderen, kan nooit in zo'n conflict verzeild raken. Dit betekent niet dat er zich bij hen geen veranderingen zouden kunnen voordoen. Wellicht lopen degenen die kiezen voor één huis hierbij het grootste risico. Vooral de komst van een nieuwe partner kan hun leefwijze op de proef stellen. Ondanks de beste voornemens is het moeilijk te voorspellen wat er zal gebeuren als er een nieuwe partner opduikt. En nog minder wat er te doen staat als er ook aan de andere kant nog een nieuwe partner aan te pas komt.

Joris (11) woont met zijn ouders in een huis waarin het grootste gedeelte gemeenschappelijk is en de rest net genoeg privacy biedt aan zijn vader en moeder. Zijn moeder heeft een vaste vriend die geregeld aanwezig is, maar er niet blijft overnachten.
Joris vindt het wel jammer voor zijn vader dat die geen vaste partner heeft, maar ziet niet goed in hoe die ook nog in hetzelfde huis haar plaats zou vinden. Zo raakt hij bekneld tussen de liefde voor zijn vader, voor wie hij een nieuwe partner wenst, en zijn eigen angst voor de verandering die dat zou meebrengen. Zou zijn vader dan nog wel in hetzelfde huis kunnen blijven wonen? En zou hij zijn vader dan niet voor een deel verliezen?

Die laatste vrees is weliswaar begrijpelijk, maar onterecht. De vader van Joris is rotsvast van plan te blijven wat hij altijd geweest is: de aanwezige ouder voor zijn dochter en zoon. Maar hoeveel begrip hij van een nieuwe partner zal moeten vragen en hoe hij het zal oplossen, is ook voor hem onduidelijk. 'Komt tijd komt raad' is wellicht de meest logische conclusie.

Maar ook daar geeft de derde weg het antwoord. Het belangrijkste signaal dat ouders in die situatie telkens opnieuw zullen meegeven, is dat zij, ondanks mogelijke veranderingen, altijd zullen kiezen voor de beste oplossing voor hun kinderen. Een kind dat weet dat het op die boodschap kan vertrouwen, voelt zich veilig.

We moeten ervan uit durven gaan dat de beste oplossing niet altijd de beste zal blijven. Een gezin is een levende cel en alles wat leeft, verandert en moet zich door die veranderingen telkens opnieuw aanpassen. Zolang die aanpassingen geen revolutie teweegbrengen, maar geleidelijk evolueren naar een nieuwe toekomst, is er geen vuiltje aan de lucht. Ook mensen die met zijn allen in één huis wonen, kunnen op zeker moment wat meer afstand willen nemen. Wellicht vormt dit op dat moment voor niemand nog een probleem. De geest waarin deze constructie tot stand kwam, is dan waarschijnlijk sterker geworden. Vaak zijn de ex-partners op een andere manier elkaars vriend geworden. Het zien van die blijvende vriendschap is voor de kinderen hun houvast. Een beetje fysieke afstand zal hun dan minder zwaar vallen. De fysieke relatie die hun ouders niet meer hebben, zal dan allang hun zorg niet meer zijn, zodat er meer plaats vrij is voor plusouders.

Of Joris' vader dan nooit moeite heeft met de nieuwe partner van zijn vroegere vriendin. 'Alleen als hij bij haar onrust veroorzaakt of haar kwetst', zegt hij. 'En dan maken we geen ruzie, maar ben ik wel boos. Maar gelukkig gebeurt dat zelden.' Een beter bewijs van ware vriendschap is moeilijk denkbaar.

Tips

- Overtuig jezelf ervan dat uit elkaar gaan niet het einde van de wereld is en dat je sterker uit een huwelijk of relatie kunt komen dan je erin stapte.
- Durf te zoeken naar de voordelen van de scheiding, ook al lijkt dit ongepast.
- Probeer de juiste balans te vinden tussen de echte belangen van je kinderen en je recht op een eigen leven.
- Scheiden doe je om er met zijn allen beter van te worden, handel daar dan ook naar.

4

ANDERS EN TOCH GELIJK

Als je de derde weg inslaat, ga je op avontuur. Toen je destijds trouwde of een vaste relatie begon, deed je dat ook, maar toen besefte je het minder, omdat de te volgen weg bekend was. Alleen als je eigen wensen en verlangens gingen afwijken van het uitgetekende pad, groeide dat besef. Meteen werd het avontuur gevaarlijker.

Wie bij een scheiding aan de derde weg begint, moet zelf zijn pad kiezen. Misschien is dat in het begin moeilijker, maar jíj bepaalt wel de keuzes – of liever: júllie doen dat, want om tot een nieuw akkoord te komen moet je wel overeenstemming bereiken.

Wie na een scheiding een nieuwe partner vindt, heeft algauw de neiging om zo vlug mogelijk een kopie van het kerngezin te maken. Dat lukt nooit, want een nieuw samengesteld gezin kan nooit een kerngezin worden. Het verleden dat iedereen meebrengt, staat dat in de weg. Wie kiest voor living together apart, weet vanaf het begin dat hij zelf zijn manier van samenleven zal moeten uitvinden. Wellicht is dat een voordeel. Zo weet je tenminste duidelijk dat je niet van het kerngezin kunt uitgaan.

Bij dit creatieve avontuur gelden bepaalde basisregels die in andere gezinsvormen ook voorkomen, maar in hun toepassing toch ook verschillend zijn. Het loont de moeite om na te gaan welke valkuilen mensen die je zijn voorgegaan tegenkwamen. En meer nog: hoe ze deze valkuilen hebben omzeild of naar oplossingen hebben gezocht, en die meestal ook vonden.

Vergeet het kerngezin

We zagen al eerder dat het kerngezin, in tegenstelling tot wat vaak wordt beweerd, geen vaste waarde is. Zo draaide zestig jaar geleden het kerngezin nog rond de moeder bij de haard met daarbij de vader die voor brood op de plank zorgde. Een kind uit die tijd zou in het huidige kerngezin het zijne niet meer herkennen.

In die tijd zaten de meeste gezinnen drie keer per dag samen aan tafel. Voor zover kinderen al naar de kleuterschool gingen, waren ze tussen de middag en vanaf vier uur bij moeder thuis. De weekends werden samen doorgebracht, het grootste deel daarvan in dezelfde ruimte zonder computer of tv. Daardoor was men op een heel andere manier 'samen'. Tot hun twaalfde of veertiende bleef dat voor de kinderen zo. Op hun veertiende gingen velen van hen werken en daardoor werden ze als 'volwassen' behandeld. Anderen waren intern op een internaat en kwamen slechts een paar keer in een trimester naar huis. Grootouders kwamen helemaal niet te pas aan het gezin en aan de opvoeding van de kinderen.

Dat 'alles samen doen' is tegenwoordig nog alleen een vrome intentie, geen realiteit. De kinderopvang, de peuter- en kleuterschool, de kinderoppas of de au pair heeft de taken van de ouders, vooral van de buitenshuis werkende moeder, grotendeels overgenomen. Daarbij worden grootouders massaal ingeschakeld. Uit onderzoek blijkt dat tot 90 procent van hen in mindere of meerdere mate zorgtaken op zich neemt. Daarbij vergezelt in het weekend de vader zijn zoon naar de voetbalwedstrijd, terwijl de moeder met haar dochter heen en weer naar de balletschool rijdt.

Dit is geen waardeoordeel, louter een vaststelling. In feite keren we terug naar een model dat vroeger bestond, waarbij de familie belangrijker was dan het gezin. Men kan zelfs de vergelijking maken met sommige Afrikaanse culturen, waar kinderen meer door de gemeenschap dan door de ouders worden opgevoed. De Britse schrijfster Aminatta Forna schrijft hierover in haar boek *De mythe van het moederschap*[12] het volgende:

> '*In de jaren zeventig werd ik door twee verschillende culturen opgevoed. De eerste, die van mijn eigen moeder, was Brits. Mijn ander thuis was in Sierra Leone, bij mijn Afrikaanse vader en zijn tweede vrouw.*
> *Toen ik als kind in Sierra Leone woonde, hielden veel mensen van mij. Zij hadden ook de bevoegdheid mij te begeleiden, te straffen of te adviseren. Als kinderen hadden we veel "vaders", en veel "moeders", ook veel "broers" en "zussen", omdat het daar gewoon is voor elkaars kinderen te zorgen.*
> *Mijn Afrikaanse moeder heeft tot op de dag van vandaag kinderen van vrienden en kennissen in huis. Ze is voor veel kinderen een "moeder" geweest. Daar deed het er minder toe bij wie we "biologisch" gezien hoorden, omdat kinderen bij iedereen horen.*'

Als het kerngezin geen hoeksteen maar nog slechts een mythe is, dan zijn zij die nu in andere tijden andere wegen durven te bewandelen geen onverantwoorde avonturiers. Integendeel, ze zijn progressieve geesten die creatief zoeken naar leefvormen die beter aangepast zijn aan de huidige maatschappelijke behoeften.

Bij de nieuwe inhoud die je met de derde weg aan je gezin wilt geven, zul je bewust of gedwongen afstand moeten doen van een deel van de normen die in het kerngezin gelden. De gezamenlijke slaapkamer zal er meestal als eerste aan moeten geloven.

In de onderlinge omgang van de ouders kan dit voor een zekere 'ontspanning' zorgen, omdat het meer duidelijkheid brengt, maar voor kinderen zal de gebeurtenis zeker niet onopgemerkt voorbijgaan. Hoe ouder ze zijn, hoe verregaander hun conclusie zal zijn. Maar tegelijk groeit misschien ook hun vrees voor de volgende stap.

Hun vertellen dat de oorzaak van die verandering het te harde snurken van de vader is, kan tijdelijk een oplossing zijn, maar is geen goed idee. Het is nooit goed als een kind ervaart dat ouders redenen opgeven die gemakkelijk onderuit te halen zijn.

Veel mensen beklagen zich er steeds meer over dat er tegenwoordig te gemakkelijk wordt gescheiden. Redenen te over om die stap niet lichtvaardig te zetten. Als men niet helemaal zeker is, kan men de beslissing best voor een afgesproken periode uitstellen. Tijd kan raad brengen. Je kunt met de uitvoering van de beslissing ook wachten op een beter moment voor de kinderen.

> *Zo wachtten Clara en Karel niet alleen het einde van hun scheiding af voordat ze uit elkaar gingen. Toen ze wettelijk gescheiden waren, bleven ze nog vijf maanden bij elkaar omdat ze niet zo vlug een passend huis in de omgeving vonden. Dat huis was bestemd voor Clara, maar Karel vond het even belangrijk als zij dat ze een goed huis voor de kids vond.*

> *Frank en Caroline namen de beslissing om te scheiden in februari, maar besloten te wachten tot de grote vakantie voordat ze uit elkaar gingen. Pas toen de examens van hun tweeling achter de rug waren, hebben ze hen op de hoogte gebracht.*

Voor degenen die de beslissing moeten nemen is het natuurlijk belangrijk om dat alleen te doen als ze er absoluut zeker van zijn, maar voor de kinderen is dit nog belangrijker. Onduidelijkheid over hun toekomst vertaalt zich bij hen in angst. Hoe duidelijker ze weten waar het op staat en hoe zekerder ze ervan zijn dat hun wereld wel zal veranderen maar niet zal instorten, hoe gemakkelijker ze de overgang de baas kunnen.

Uit onderzoek blijkt dat bij ouders die op een klassieke manier scheiden de kinderen nog tot lang daarna blijven hopen dat het vroeg of laat weer goed zal komen, dat ze met zijn allen het oude gezin kunnen herstellen. Aan de ouders wordt het advies gegeven daarover bij hun kinderen niet de minste twijfel te laten bestaan. Als de ouders zelf de zekerheid hebben dat het voor hen voorbij is, mag er geen ruimte gelaten worden voor valse hoop bij de kinderen.

> 'Het was de eerste vraag die mijn oudste zoon (toen 10 jaar) aan mij stelde toen het na de laatste ruzies en mijn vertrek opnieuw wat rustiger was geworden. Hij zag hoe zijn moeder en ik weer gewoon met elkaar konden omgaan. Het was logisch dat hij dacht dat dit weleens de voorbode kon zijn van een betere verstandhouding en wie weet een terugkeer. Op een dag vroeg hij mij dat dan ook. "Dat denk ik niet," heb ik hem geantwoord, "terugkeren zou alleen de ruzies maar doen terugkeren en dat wil ik niet, en nog minder wil ik dat jullie aandoen." Hij was even stil, maar zag het wel in en heeft er sindsdien nooit meer naar gevraagd.'

Bij ouders die in hetzelfde huis blijven wonen, of bij ouders die nog een aantal zaken samen doen vanwege de kinderen, kan die hoop bij de kinderen des te sterker aanwezig blijven, of opnieuw ontstaan. Daarom moeten deze ouders niet alleen erg duidelijk zijn, maar er liefst ook regelmatig op terugkomen.

> Kurt en Katrien, die in één woning verder leven, legden het op een simpele maar heel duidelijke manier aan hun kinderen uit: 'Er zijn nu eenmaal ouders die partners zijn, zoals er andere ouders zijn die geen partners (meer) zijn. Wij behoren vanaf nu tot deze laatste groep. Vandaar dat wij ieder onze eigen plaats in huis hebben. Maar dat betekent helemaal niet dat wij minder vader of moeder voor jullie zijn. Zeker niet.'

Katrien was een tijdje in therapie geweest omdat ze schuldgevoelens aan de scheiding had overgehouden. Hoewel de geest in hun relatie al een tijd helemaal uit de fles was, was zij het geweest die ongewild een eerste stap had gezet door verliefd te worden op iemand op haar werk. Inmiddels konden haar vroegere partner en zijzelf het op een andere manier weer goed met elkaar vinden. Zo goed dat de een troost zocht bij de ander, en dat een knuffel daarbij niet ongewoon meer was.

> *'Doe dat liefst niet in het bijzijn van de kinderen,' had de therapeut aangeraden, 'de kans is te groot dat jullie hen daardoor in verwarring brengen. Later, als ze heel goed beseffen dat jullie niet meer een echt stel zullen worden, dan kan het heilzaam zijn om hen op die manier te laten voelen hoe goed jullie bevriend zijn, al is het anders. Maar nu is dit voor hen nog te vroeg.'*
>
> *Toen Joris (toen 6) vriendjes in het huis rondleidde en zij verbaasd waren dat zijn vader en moeder een eigen slaapkamer en andere eigen ruimtes in huis hadden, begon hij er ook over na te denken. 'Wel wat raar', vond hij 'dat mama 's morgens van de ene kant komt en papa van de andere.' Maar verder gingen zijn zorgen niet.*

Vooral ex-partners die zoals Kurt en Katrien in hetzelfde huis blijven wonen, zullen meest alert moeten zijn om misverstanden te vermijden. Terwijl de grens met vroeger voor henzelf waarschijnlijk vrij groot is, is die voor de kinderen wellicht soms heel klein.

Voor wie in twee appartementen woont, ook al liggen ze vlak bij elkaar, schept de materiële grens duidelijkheid en is de nieuwe toestand voor de kinderen dus makkelijker te vatten.

Langzaam = duurzaam

'Volg het ritme van de kinderen, niet je eigen ritme' wordt dikwijls gezegd, en terecht. Gewoonlijk wordt dan de vorming van een nieuw gezin bedoeld, minder de scheidingsstappen in een bestaand gezin. Wil je je kinderen zo goed mogelijk door de scheiding loodsen, dan is deze raad ook hier goud waard. Soms kies je met de beste intenties voor een model dat niet bij je past, soms loopt een van de ouders op de situatie vooruit, waardoor alles in een stroomversnelling komt. Het komt er dan op aan het hoofd koel te houden en met het gekozen model ook niet meteen het idee van apart samenleven op te geven.

> *Toen ze in december 2011 het initiatief namen om er een punt achter te zetten, besloten Martine en Luc vanwege hun zoontje Igor te stoppen als partners, maar in hetzelfde huis te blijven wonen. Hun enige 'eigen' ruimte werd de slaapkamer.*

Al vlug bleek dat deze minimale fysieke afstand niet voldoende was om hun nog bestaande 'mentale nabijheid' op te vangen. Toen Luc enige tijd later een nieuwe vriendin mee naar 'hun' huis had gebracht en ze bovendien van Igor hoorde dat ze met zijn drietjes samen waren gaan eten, sloegen de stoppen bij Martine door.

'Het waren meer de omstandigheden dan het feit op zich', zegt ze nu. 'Want kort daarna zag ik in dat het eigenlijk het logische gevolg was van iets wat ikzelf in gang had gezet.'

Ze beseft maar al te goed dat ze daardoor al haar goede bedoelingen en haar vele inspanningen om de scheiding voor Igor zo sereen mogelijk te laten verlopen, aan diggelen sloeg. Hoe jammer dit incident ook was, het deed hen inzien dat deze leefwijze voor hen niet de beste keuze was.

Ze kwamen vlug tot het logische besluit: het huis verkopen en zo snel mogelijk apart gaan wonen. Zowel het een als het ander kwam in een stroomversnelling en vrij vlug vonden ze wat ze zochten.

Sindsdien ontwikkelde zich tussen hen een nieuwe leefwijze – een derde weg die voor hen veel geschikter is.

Dat Luc een vriendin kreeg, was moeilijk een verrassing te noemen. Sinds de tijd dat Martine in een postnatale depressie was beland, sliepen ze apart. En dat veranderde niet meer toen die depressie helemaal voorbij was en Martine veel zelfbewuster was dan ooit tevoren.

Maar door die vriendin in huis te brengen en er Igor bij te betrekken had Luc wel een paar stappen overgeslagen en verhinderd dat de tijd zijn werk kon doen. Bij zijn zoontje, maar ook bij zijn vroegere vriendin. Martine was op deze confrontatie helemaal niet voorbereid. Ze had nog te weinig afstand kunnen nemen. Daardoor werd Igor getuige van een scène die hem beter bespaard had kunnen blijven.

Een scheiding in één huis beleven lukt alleen als men voldoende los is gekomen van zijn verleden. Of als men weet dat men over voldoende sereniteit beschikt om zichzelf in alle omstandigheden onder controle te kunnen houden. De meeste anderen zullen beter af zijn met een minimum aan fysieke afstand – op zijn minst in een twee-onder-een-kapwoning, maar misschien nog beter in een tweede appartement enkele straten verderop.

Natuurlijk zijn financiële of materiële omstandigheden dikwijls mede de aanzet om voor de bestaande woning te kiezen. Dat hun huis hun gezamenlijke eigendom was, bepaalde bij Luc en Martine hun eerste keuze. Gelukkig beseften ze op tijd dat die oplossing niet haalbaar was. In plaats van de moed op te geven probeerden ze het op een andere manier. En met succes.

Omdat de werktijden van Luc en Martine nogal uit elkaar liggen, leek de ideale oplossing dat hij 's morgens Igor naar school brengt. Hij maakt daar uitvoerig gebruik van, omdat Igor voor de rest hoofdzakelijk bij zijn moeder verblijft.

Ze hebben een sleutel van elkaars appartement. Luc komt een uurtje voordat Igor op school moet zijn naar het appartement van Martine. Hij ontbijt met zijn zoon en het gebeurt dat hij bij die gelegenheid brood meebrengt, soms de vaat doet of iets anders wat nuttig of nodig blijkt.

Met zijn drieën gaan ze af en toe sporten of maken ze een uitstapje. Verjaardagen worden samen gevierd. Als Kerstmis of Nieuwjaar in een of ander familieverband plaatsvindt, dan zoeken ze een gelegenheid om de viering en de cadeautjes voor Igor even tot een andere dag uit te stellen.

Igor heeft weleens gevraagd of ze ook niet eens samen op reis zouden kunnen gaan, net als vroeger. 'Later misschien', had Martine voorzichtig geantwoord. Ze denkt dat op dit ogenblik de afstand daar nog niet groot genoeg voor is.

De regeling is dat Igor het ene weekend bij zijn vader doorbrengt, het andere bij zijn moeder. Door de week is hij bij zijn moeder, maar als zij voor haar werk tot laat moet werken, dan slaapt Igor bij zijn vader. Als Martine in de tijd dat Igor bij zijn vader is behoefte heeft om even iets met hem te doen, dan is dat geen enkel probleem. 'Als hij straks wat groter is, kan hij immers zelf naar zijn vader gaan of mij bij komen als hij dat wil', is haar consequente redenering. 'Wij delen ook de auto. Dit gaf tot nu toe geen problemen. En als je je kind wilt zien, dan bel je toch gewoon.'

Succesvolle verhalen, zowel van degenen die in eenzelfde huis samenleven als van degenen die wat meer afstand nodig hebben, betekenen niet dat alles vanzelf gaat. De grootste uitdaging komt als er vroeg of laat andere partners in het scenario gaan meespelen. Ook dat zal des te gevoeliger liggen naarmate de fysieke en/of mentale afstand tussen de ex-partners groter is geworden of klein is gebleven. Voor mensen die op de klassieke wijze scheiden, is dit een harde noot om kraken. Maar ook hier zijn er wezenlijke verschillen.

Zij die op traditionele wijze scheiden, hebben het schijnbare voordeel dat ze contact met elkaar meestal vermijden. Uiteraard vermindert dat de kans op conflicten. Maar omdat ze nu eenmaal kinderen hebben, zijn die contacten er toch, en is er altijd het risico dat het tot botsingen komt in aanwezigheid van de kinderen.

Het grote voordeel voor ouders die een of andere vorm van living together apart verkiezen, is dat hun houding en mentaliteit anders is. Door voluit te kiezen voor het welzijn van de kinderen en daarvoor nog heel wat samen te doen, leeft bij hen sterker het besef dat ze ook de consequenties erbij moeten nemen. Dat ze elkaar in de toekomst als ouders niet uit de weg zullen gaan, doet hen beter inzien dat ze als ex-partner de nodige afstand moeten nemen.

Verderop zullen we zien hoe je afstand van elkaar kunt nemen zonder de kinderen uit het oog te verliezen en hoe een nieuwe partner een plaats kan krijgen in je nieuwe gezin. Maar het is niet moeilijk om nu al in te zien dat ook dat anders zal gaan.

Vermoedelijk zullen de ex-partners er meer begrip voor hebben dat er een nieuwe partner opduikt, maar tegelijk zullen ze veeleisender zijn wat de keuze betreft. Beiden zullen van die nieuwe partner verwachten dat hij of zij goed met de kinderen overweg kan. Een nieuwe partner die door de kinderen niet of moeilijk wordt aanvaard, maakt nauwelijks een kans.

Het is zeker geen slecht idee om af te spreken dat een nieuwe vriend of vriendin pas in huis zal komen als je ervan overtuigd bent dat het een duurzame relatie wordt. Maar de praktijk toont aan dat dit voornemen soms door de omstandigheden wordt doorkruist en de kennismaking andersom verloopt.

Zo verblijft de vriend van Katrien al een tijd elk weekend in de gezamenlijke woning van Kurt en Katrien. De kinderen vinden de vriend van hun moeder heel leuk. Iedereen kende hem al voordat er een relatie was en hij had al vlug de sympathie van de kinderen. Het starten van de relatie maakte voor hen nauwelijks verschil. Ook tussen Ignace, de vriend van Katrien, en Kurt klikt het.

Dat is ook allemaal wel nodig, want het huis heeft veel gemeenschappelijke ruimtes. Er is net genoeg plaats om ieder voldoende privacy te geven. Het is een geluk dat Katrien en haar vriend beperkt zijn in hun relatie. De vriend heeft zakelijke verplichtingen waardoor hij door de week niet bij hen kan zijn, zodat hij alleen tijdens de weekends in het huis 'op bezoek komt'. Als hij er vaker zou zijn, zou dat heel wat problematischer kunnen zijn.

Kinderen: niet het probleem maar de oplossing

We zagen dat kinderen bang zijn voor de scheiding vanwege de onzekerheid die ze meebrengt. Maar ook omdat ze heel vaak van anderen hebben gehoord hoe ouders ook na de scheiding als kemphanen tegenover elkaar blijven staan. Terwijl zij niets liever willen dan dat hun vader en moeder na de scheiding weer normaal met elkaar omgaan, en nog liever dat ze weer vrienden zouden worden. Vrede in ruil voor de scheiding.

Vaak worden kinderen bij de scheiding als het probleem gezien. 'Waren er maar geen kinderen, dan zou het allemaal veel simpeler zijn', zegt men dan. Scheiden is ongetwijfeld eenvoudiger voor een kinderloos koppel, niet alleen tijdens het scheiden, maar ook daarna. Maar dat betekent niet dat kinderen bij scheiding het probleem moeten vormen. Integendeel, kinderen kunnen juist de belangrijkste motivatie zijn om zo veel mogelijk ruzies en conflicten te vermijden, om een rationele in plaats van een emotionele uitkomst voor het conflict te zoeken.

Jammer genoeg worden de kinderen nogal eens misbruikt om persoonlijke rekeningen met elkaar te vereffenen. Heel vaak wordt dan het belang van de kinderen aangevoerd, terwijl het in werkelijkheid over nauwelijks verborgen eigenbelang gaat. Gelukkig raken vechtscheidingen steeds meer in onbruik en zijn er ook tussen ouders die de klassieke weg van de scheiding volgen, steeds meer die het ware belang van hun kinderen vooropstellen. De invoering van co-ouderschap scherpt ook de verantwoordelijkheidszin van beide ouders aan.

We kunnen er dus van uitgaan dat er een grote overeenkomst bestaat tussen deze ouders en degenen die kiezen voor de derde weg. Meer nog, tussen ex-partners die na een klassieke scheiding uitermate soepel met elkaar omgaan wat de kinderen betreft, en ouders die een bescheiden derde weg volgen, zal weinig verschil te merken zijn.

Wel vind je sommige kenmerken sterker terug bij mensen die bewust voor living together apart kiezen. Zo zouden degenen die ervoor kiezen om niet te trouwen en met of zonder samenlevingscontract gaan samenwonen, meer bereid zijn om naar alternatieve oplossingen te zoeken. Zoals ze ooit kozen voor een andere vorm van samenleven, zouden ze ook gemakkelijker voor een andere vorm van scheiden kiezen.

Wim en Laura vonden hun passende oplossing vrij gemakkelijk. Hij schrijft dat toe aan het feit dat ze aan het begin van hun relatie hadden besloten niet te trouwen. 'Wie getrouwd is, vertrekt vanuit te veel rechten op de ander,' zegt hij, 'en van die rechten wordt bij een scheiding door de een of door de ander of door beiden vaak misbruik gemaakt. Of het nu over 'rechten' met betrekking tot de kinderen gaat, of over 'rechten' op financieel gebied, het zijn allemaal uitnodigingen om 'het gevecht' aan te gaan.

Wat opvalt bij de meesten die naar een andere weg zoeken, is een sterke ge-richtheid op het gezin. Die wint het in de meeste gevallen van de gericht-heid op de partner. Het lijkt op een sterke familieverbondenheid. Het is op-merkelijk hoe veel mensen benadrukken dat ze welkom blijven bij hun vroegere schoonfamilie. De familie is trouwens ook het uitgangspunt van Cate Cochran, die het in de ondertitel van *Reconcilable Differences* heeft over: *Marriages End, Families don't*. Met familie bedoelt ze dan zowel het oor-spronkelijke gezin als de familie zelf.

Vooral de innige verbondenheid van beide ouders met hun kinderen en hun verantwoordelijkheidszin lijken doorslaggevend te zijn. Het is de aan-wezigheid van de kinderen die hen op zoek doet gaan naar middelen om een gezin te blijven, zij het met een andere inhoud. Vaak zal de graad van verbondenheid en verantwoordelijkheidszin ook bepalen voor welke vorm van samenblijven ze kiezen.

> *'Misschien waren wij wel voorbestemd om ervoor te kiezen als "koppel" verder door het leven te gaan toen er twaalf jaar geleden te veel barsten in onze relatie waren gekomen', zegt Wim. 'Ik had ooit een tijd in Denemarken geleefd en had daar gezien hoe de taken tussen man en vrouw veel meer ge-deeld worden. De man heeft daar meestal ook zijn rol in de huishouding, neemt vaderschapsverlof, en neemt zijn vaderrol evenzeer ter harte als de moeder haar moederrol. Voor mij was een schikking waarbij ik alleen maar bezoekrecht zou krijgen onaanvaardbaar. Voor ons beiden stond het vanaf het begin vast dat we onze ouderrol "samen" moesten vervullen. En daar zijn we eigenlijk nooit van afgeweken, ook niet toen we, lange tijd te-rug, ongeveer een jaar "gescheiden" hebben geleefd.'*

Onlangs kwam men in België tot de conclusie dat er ongeveer evenveel mensen wettelijk gaan samenwonen als er trouwen. Als we daarbij dege-nen tellen die niet wettelijk, maar alleen feitelijk samenwonen,* dan vor-men samenwonende partners vermoedelijk de meerderheid. Bovendien heeft onderzoek aangetoond dat samenwonenden gemakkelijker scheiden dan gehuwden. Van deze laatsten voorspelt men dat van diegenen die van-daag trouwen, 60 procent weer uit elkaar zal gaan.

Het is duidelijk dat de kwaliteit van relaties belangrijker is dan de duur ervan. Daarbij kunnen we ons afvragen hoe sterk een relatie nog kan zijn in een tijd waarin zelfverwezenlijking en individualisme toenemen. Het ge-volg hiervan is dat de ouderlijke plicht om de kinderen een passende en volwaardige opvoeding te geven steeds losser van het huwelijk of een duurzame relatie komt te staan.

Er is dus reden te over om ervoor te zorgen dat naarmate de relaties tussen partners losser worden, hun persoonlijke betrokkenheid bij de kinderen toeneemt. Wat weerhoudt de wetgever er dan van om werk te maken van de ouderschapsbelofte?

Hans Van Crombrugge, verbonden aan het Hoger Instituut voor Gezinswetenschappen (HIG),[13] pleit al jaren voor de invoering ervan: 'Bij samenleven of een huwelijk beloven partners elkaar, al dan niet ceremonieel, steun en onderhoud, zoals de wet het voorschrijft. Misschien wordt het tijd dat ook volwassenen die kiezen voor een kind deze verbintenis publiekelijk uitspreken. In plaats van de aangifte van een kind snel af te handelen via een ziekenhuis of via internet, moeten we dat moment juist meer gewicht geven, er een heuse "ouderschaps- en opvoedbelofte" aan koppelen.

De wet regelt de ouder-kindrelatie en stelt duidelijk dat de ouders steeds, wat hun relatie ook is, verantwoordelijk blijven voor het kind. De ouderschapsbelofte moet de ouders vooral herinneren aan hun wettelijke plichten. De ouders kunnen hun belofte bevestigen als ze uit elkaar gaan of als ze een nieuwe relatie aangaan.

Bij de opvoedbelofte gaat het om het uitspreken van een aantal fundamentele rechten van het kind en zich verbinden aan het persoonlijk waarborgen van deze rechten. In de eerste plaats heeft het kind recht op een continue persoonlijke zorg van zijn ouders.

De ouders moeten bevestigen dat het kind recht heeft op een onontbindbare relatie met zijn beide ouders. Ze verplichten zich ertoe steeds voor het kind beschikbaar te zijn en de relatie met de andere ouder niet te belemmeren, wat de onderlinge partnerrelatie ook mag zijn. De ouders kunnen hun belofte bevestigen als ze uit elkaar gaan of als ze een nieuwe relatie aangaan.'

Wellicht kan men nog verder gaan. Waarom niet benadrukken dat die verantwoordelijkheid van iedere ouder afzonderlijk onvervreemdbaar aan zijn persoon verbonden is? Met andere woorden: in geen enkel geval afhankelijk van veranderingen in zijn burgerlijke staat, getrouwd of gescheiden. Op zijn minst zou het iedereen bewuster maken van de consequenties die de verwekking van een kind meebrengt.

Waarom zouden we aan de geboorte van een kind geen ouderschapsplan* koppelen dat ook een aantal essentiële uitgangspunten bevat in het geval men gaat scheiden? Het lijkt vergezocht omdat we niet gewend zijn op dat vlak vooruit te durven denken, maar we doen het wél als het om geld gaat. Waar sluit men anders een huwelijkscontract voor, tenzij om onze bezittingen te beschermen voor het geval er iets fout gaat? Het dateert uit de tijd van Napoleon, toen bij het huwelijk bezit een belangrijkere plaats innam dan de mensen om wie het ging. Er wordt vandaag de dag nog steeds duchtig gebruik van gemaakt.

Wat houdt ons dan tegen om dezelfde voorzorgsmaatregelen voor onze kinderen te nemen? Misschien kunnen degenen die ervoor kiezen niet te trouwen hierbij wel het voortouw nemen en de juiste schikkingen regelen terwijl de liefde nog groot is, en zonder in de war te zijn door de spookbeelden van een scheiding. Kinderen zijn immers de meest kwetsbare groep en aangezien de huwelijksbelofte van hun ouders zo broos is geworden, kan zo'n ouderschapsplan veel efficiënter zijn.

Ook Joke Hermsen[14] pleit hiervoor: 'Ook zou ik graag zien dat men elkaar een "opvoedbelofte"* doet in plaats van een "eeuwige trouw"-belofte. Het is voor de kinderen veel beter dat hun ouders elkaar beloven dat ze, wat er ook gebeurt, altijd goed voor de kinderen zullen blijven zorgen. De prijs die zij voor de woede en wraakacties van hun scheidende ouders moeten betalen, is veel te hoog. Ze kunnen er blijvend psychische schade van ondervinden.'

Het grotere engagement van de ouders zou ook de taak van plusouders verlichten. Ze zouden meer duidelijkheid krijgen over de omvang van hun eigen verantwoordelijkheid. Niets zegt trouwens dat zij niet ook een verklaring kunnen afleggen betreffende hún rol. Zij zouden zich kunnen verbinden in hun rol van 'medeouder' met een opvoedbelofte. Als beide ouders vrede kunnen hebben met de voorgestelde rol, dan zijn de spelregels voor iedereen duidelijk. En laat nu juist het ontbreken van duidelijke regels de oorzaak zijn van de meeste conflicten tussen ouders en plusouders.

Tips

- Voer de veranderingen in het leven van je kinderen door in hun ritme, niet in dat van jou.
- Neem zelf ook de tijd, want tijd brengt raad en voorkomt beslissingen die later pijn doen.
- Maak de kinderen duidelijk dat de oude toestand nooit terugkomt, en laat daarover nooit enige twijfel ontstaan.
- Jullie partnerschap behoort tot het verleden, als ouders hebben jullie een toekomst rond een uniek project: jullie kinderen.

Achter in dit boek (zie 'Meer weten', p. 217) vind je waar je meer informatie kunt terugvinden om zo'n opvoedbelofte op te stellen.

5

COMMUNICATIE EFFENT ELKE WEG,
ZEKER DE DERDE

Wie van ons leerde op school communiceren in een relatie? Die school zul je ver moeten zoeken. Communiceren leerde je vooral door de manier waarop je ouders met jou communiceerden. Of door wat je erover opstak bij de sportclub of bij vrienden. En vaak werkt dat in je relatie, of op zijn minst voor een tijdje. En op jouw beurt draag je die manier van communiceren over op je kinderen.

> *Inger is 23 jaar en heeft sinds één jaar een relatie met Bertil. Ze willen gaan samenwonen en een gezin stichten. Bertil heeft zijn twijfels. Inger heeft een kort lontje. Als iets haar niet lukt of ze loopt vast in haar communicatie, wordt ze boos en schreeuwt ze. Dit kapt een gesprek af. De ouders van Inger zijn gescheiden en thuis zag ze dat dit ook zo gebeurde.*
> *Daar was haar vader degene die fel en boos was. Na hun scheiding was dit net zo. Wel gebeurde het veel minder, omdat ze elkaar minder zagen. Gebeurde het toch, dan was het meestal raak. Inger wil koste wat het kost dit scenario voor zichzelf vermijden. Als er niets verandert, kan dit haar relatie met Bertil kapotmaken. Inger ziet in dat het anders kan en gaat daarmee aan de slag.*

Bij haar ouders is het niet gelukt en zij kozen voor een scheiding. Toch stopt destructieve communicatie niet door de relatie te beëindigen. Ouders die voor de scheiding dikwijls in conflictsituaties met hun partner verzeild raakten, zullen er alles aan moeten doen om de manier waarop ze communiceren grondig te herzien. Dit geldt des te meer voor degenen die kiezen voor living together apart. Door veel meer samen te blijven doen is de kans op terugval altijd aanwezig.

Zoals eerder gezegd is het minimaliseren van ruzies, zeker in het bijzijn van de kinderen, van levensbelang voor het opzetten van een succesvolle en duurzame derde weg. Gelukkig zijn de meeste ouders die eraan beginnen weinig conflictueus van aard. Ze zullen het bij problemen in de overgangsfase van de scheiding makkelijker hebben, omdat ze goed onderscheid weten te maken tussen het belang van het kind en hun eigen emoties.

Pas later zullen ze moeten uitzoeken hoe ze binnen hun nieuwe manier van samenleven anders met elkaar moeten omgaan. Anders communiceren wellicht ook, zeker als er nieuwe partners aan te pas gaan komen.

Wie voor en tijdens de scheiding gemakkelijk in ruzies vervalt, zal er alles aan moeten doen om daar in de toekomst korte metten mee te maken. Zo niet, dan is de kans op slagen vrijwel nihil. De inspanningen en opofferingen die men zich intussen heeft getroost, zijn dan jammer genoeg voor niets geweest.

Communiceren kun je leren

Wie tot nog toe geregeld ruziemaakte, wie oeverloos praatte maar niet naar de ander luisterde, wie altijd uitging van zijn eigen gelijk, zal het roer helemaal moeten omgooien. Hij of zij zal het moeten leren. Echte communicatie is voor de derde weg wat roeispanen zijn voor een roeier. Zonder echte communicatie kom je geen meter vooruit.

Marshall Rosenberg,[15] een Amerikaanse psycholoog, is grondlegger van wat men 'geweldloos communiceren' is gaan noemen. Hij stelt dat het niet gaat om te winnen of gelijk te krijgen, wel om naar elkaar te luisteren en te leren leven met verschillen. Het is een zoektocht naar verbinding maken met de ander en verwachtingen uitspreken.

Verbinding maken klinkt misschien raar als je bedenkt dat je er aan het einde van een relatie juist voor hebt gekozen een verbinding te verbreken, maar dat hoeft elkaar niet te bijten. Ook al wil je niet meer als partners samenleven, als ouders wil je samen verder. En daarvoor zijn er, of je het leuk vindt of niet, verbindingen nodig. Wie met elkaar in contact blijft, kan niet zonder.

Om conflicten te vermijden zul je zowel voor, tijdens als na de scheiding wilskracht moeten opbrengen. Ergernissen niet meteen uiten, maar je bezinnen, spreken in wensen en niet in verwijten, zinnen beginnen met 'ik zou willen dat' en niet met 'jij bent altijd zo'. Blijf niet verder zeuren over een of ander detail en haal zeker geen oude koeien uit de sloot. Zorg er liever voor dat je voor een belangrijk gesprek niet drinkt, hooguit frisdrank. Een zoet drankje houdt je hersenen alert, en helder.

Zo'n vorm van communicatie beheersen is niet alleen belangrijk voor wie creatieve wegen met zijn gezin wil bewandelen, maar verrijkt ieder mens.

Van Boeddha wordt beweerd dat hij ooit zei: 'Zij die het juiste woord beheersen, beledigen niemand. Hun woorden zijn helder maar nooit gewelddadig. Ze laten zich nooit vernederen, en vernederen nooit iemand.'

Voor mensen in een scheidingssituatie is dit gemakkelijker gezegd dan gedaan. Vaak is het evenwicht verbroken of helemaal zoek, emoties vieren hoogtij, zich beheersen lijkt soms een kunst. Zelfs wie spontaan vreedzaam met de ander omgaat, verliest er het hoofd weleens bij.

Voor wie niet heeft geleerd om op een geweldloze manier te communiceren, breken moeilijke tijden aan. We zagen dat Inger dit gelukkig beseft, zelfs voordat ze überhaupt aan een vaste relatie en een gezin begint. Mooi van haar dat ze het wil aanpakken. Het probleem kennen is de helft van de oplossing, maar toch kan die andere helft voor heel wat problemen zorgen als je iets aan jezelf wilt veranderen. Misschien heeft Inger daarbij wel de hulp van een psycholoog of ervaren therapeut nodig. En zij zit niet eens in een crisissituatie.

Maar ook wie die ommezwaai helemaal alleen wil maken, houdt het best enkele basisprincipes voor ogen.

Zo is het goed om uit te gaan van elkaars verschillen. Het feit alleen al dat je nu aan een scheiding toe bent, wijst op ten minste één fundamenteel verschil tussen jullie beiden. Maar wellicht zijn er meer. Ga ervan uit dat die verschillen groter en talrijker zullen worden naarmate de afstand tussen jullie groeit. Het is dan de kunst die te leren aanvaarden, zeker als ze niets met de kinderen te maken hebben. Hebben ze wél met de kinderen te maken, zoek dan naar een goed compromis.

De afstand zelf is even belangrijk. Het komt erop aan ten minste die afstand van elkaar te kunnen nemen die voor goede communicatie nodig is. Die afstand is liefst mentaal, maar als dat niet lukt, kan fysieke afstand, ook al blijft die beperkt, de oplossing zijn.

We zagen in een vorig hoofdstuk hoe Martine helemaal uit de rol viel die ze zich had voorgenomen toen ze haar ex-man met hun dochter en zijn vriendin in de gezamenlijke woning aantrof. Hoewel ze zelf de scheiding had gewild, moest ze concluderen dat de mentale afstand onvoldoende was om hierover een normaal gesprek te voeren.

Het was voor beiden de klik om te beseffen dat hun derde weg niet door 'één huis' liep. Zodra ze de fysieke afstand hadden vergroot tot twee appartementen, wisten ze beter met elkaar te communiceren dan ooit tevoren. Daardoor gingen ze op de juiste manier met elkaar onderhandelen en vonden ze 'hun' beste nieuwe manier van 'apart samenleven'.

Goed communiceren heeft ook alles te maken met respect voor elkaar. Dit kan in geval van scheiding erg lastig zijn. Vaak aanvaardt men de wil tot scheiden van de ander niet, en even vaak voelt men zich door de ander gekwetst of verlaten. In beide gevallen zal het respect voor die ander een zware deuk hebben opgelopen.

Maar die deuk mag niet beletten in te zien dat die ander een goede vader is, of een nog betere moeder. Het is zaak om die twee dingen volledig uit elkaar te halen. Waarom zou je de vader of de moeder in je ex niet kunnen respecteren terwijl je hem of haar als partner verlaat?

Hoe men concreet tot goede gesprekken komt, zal afhangen van de omstandigheden waarin je je bevindt of die je zelf creëert. Ruzies komen op als onweer, meestal onverwacht. Toch zijn er signalen die als pikdonkere wolken op het naderende onweer wijzen. Als je elkaar lang genoeg kent, dan weet je over welke onderwerpen je beter niet kunt spreken. En dan weet je ook welke gedragingen of reacties de ander de gordijnen in kunnen jagen.

Daar aandacht voor hebben, zeker als er kinderen in de buurt zijn, kan niet zo moeilijk zijn. Waarom zou je het niet eens helemaal anders aanpakken? Je kunt jezelf inhouden als er zich zo'n ruzie aandient en geen olie op het vuur gieten. Stel liever voor er eens in alle rust over te praten. Niet nu, nu jullie allebei zo geïrriteerd zijn. Het moment en de plaats van het huidige gesprek kan het risico verhogen. Waarom zou je geen andere plek opzoeken? Misschien kan een etentje de boel verzachten. Dat heeft in elk geval als voordeel dat je beiden rustig zit en beter in staat bent om goed te luisteren en te onderhandelen.

Houd er bij zo'n gesprek wel rekening mee dat de verwachtingen van man en vrouw behoorlijk kunnen verschillen. Vrouwen hebben er eerder behoefte aan om over hun gevoelens en problemen te praten. Ze willen vaak meer helderheid in de situatie of in zichzelf verwerven. Het zou fout zijn als de man daar onvoldoende tijd en aandacht aan besteedt. De man wil resultaten. Hij wil meestal niets liever dan een oplossing vinden, die dan verder in daden wordt omgezet. Het is dus aan de vrouw om daar voldoende oog voor te hebben.

Communicatie in het vernieuwde gezin

Er zijn mensen die tijdens hun huwelijk of relatie de gewoonte hebben om zich af en toe te bezinnen, om bewust tijd te nemen voor een heus communicatiemoment.

De basis waarop Kurt en Katrien hun relatie opbouwden, lag heel uitdruk-
kelijk in de wederzijdse afspraak elkaar volledig de mogelijkheid te geven
om zichzelf te ontplooien, zodat ze beiden de kans zouden krijgen het beste
uit zichzelf te halen.

Dat bleef niet bij een vage belofte, want een of twee keer per jaar hadden ze
een etentje om te polsen in hoeverre de ander het gevoel had dat dit ook
werkelijk gebeurde en om zich de vraag te stellen hoe goed ze zich bij elkaar
bleven voelen. Hun uitgangspunt daarbij was dat het geluk van de ander
even belangrijk was als het eigen welbevinden.

Lange tijd bleek dit het geval. Op een bepaald moment niet meer. Door een
samenloop van omstandigheden, onder meer door haar precaire werksitu-
atie, werd Katrien op iemand anders verliefd.

Tussen hen was dit goed bespreekbaar, ze hadden de gewoonte om belangrijke
zaken niet voor elkaar te verbergen. Hoewel ze ook met dit nieuwe gegeven
goed wisten om te gaan, zou het hun leven toch ingrijpend veranderen.

Mensen met zo'n uitgangspunt, die geregeld samen durven te bekijken hoe ver ze staan, hebben een grote voorsprong. Zij gaan vanaf het begin de rela-tie aan met de bedoeling om eerlijk tegen elkaar te zijn. Doeltreffende com-municatie wordt dan heel eenvoudig.

De grote meerderheid doet dit niet. Gehuwden vinden het wellicht ook minder nodig. Verkeerdelijk gaan zij ervan uit dat dit niet hoeft aangezien alles toch vastligt: de regels zijn bepaald en daar moet je je aan houden. Punt. Wie dat niet doet, gaat in de fout. Simpel toch? Simpel ja, maar ge-vaarlijk ook.

Voor wie een creatieve oplossing bij scheiding zoekt, zijn er geen spel-regels. Er moeten dus afspraken worden gemaakt over hoe het nu verder moet. Uit de meeste gesprekken die we hadden, bleek dat die afspraken zel-den definitief zijn. Ze moeten zich aanpassen aan gewijzigde omstandig-heden. Een geregelde evaluatie is dan ook onontbeerlijk, net als goede communicatie.

Mensen gaan er algauw van uit dat hoe dichter ze bij elkaar leven, hoe minder dit nodig is. Dit klopt niet. Mensen die dicht bij elkaar leven, pra-ten misschien veel, maar communiceren soms heel weinig. Zowel degenen die hun derde weg in één huis zoeken als degenen die kiezen voor afzonder-lijke woningen, zullen veel baat hebben bij regelmatige afspraken, zoals Kurt en Katrien dat doen.

Om ervoor te zorgen dat de nieuwe gezinsvorm die je voor jouw gezin hebt uitgevonden goed functioneert, is er tussen jullie veel meer opbouwende communicatie nodig dan tussen doorsnee andere partners. En nog meer tussen jullie en de kinderen. Veel mensen kiezen ervoor om dit gezamenlijk te laten plaatsvinden. Dan is de communicatie eenduidig en ondubbelzinnig en dat is een heel groot voordeel voor de kinderen. Afhankelijk van de vraag of je in één of in twee huizen woont, zul je met een aantal factoren rekening moeten houden.

SAMEN IN ÉÉN HUIS

Wie ervoor kiest om in één huis te blijven wonen, kiest er meestal voor om vaak samen te eten. Als er iets te zeggen is, zal het dan wel spontaan naar boven komen, zo denkt men. En vaak is dat ook zo, maar dat zal meestal meer gaan over banale zaken. Als er echt iets moeilijks te zeggen is, gebeurt dit vaak niet.

De nieuwe toestand die jullie hebben geschapen, is voor iedereen nieuw. Dus komt het erop aan alert te zijn en te blijven. Misschien is het goed om af en toe een moment af te spreken waarop je samen nagaat hoe alles loopt: op school, met vriendjes en zelfs thuis. Soms kan het beter zijn even met een van de kinderen alleen te praten. Ga er in elk geval van uit dat er nu meer behoefte kan zijn aan een goed gesprek dan vroeger.

Het grootste gevaar als vroegere partners in hetzelfde huis blijven wonen, is dat ze te laat communiceren – niet zozeer de kinderen, maar de ouders. De zorg om de kinderen te beschermen en hen nog niet met iets te belasten, is niet altijd de beste keuze.

'Toen de kinderen nog vrij jong waren,' vertelt Kris, 'werd ik tot mijn eigen verbazing verliefd op een man en stortte zowel voor mijn vrouw als voor mij onze wereld in. Ik was helemaal in de war door mijn pas ontdekte seksualiteit.

Na een moeilijk jaar van pijn en onzekerheid besloten we om samen te blijven, om van ons huis ons gezamenlijk nest te maken en onze relatie om te buigen in een relatie waar evenveel plaats zou zijn voor vriendschap als daarvoor, maar anders. Mijn vrouw en ik waren als echtgenoten gescheiden, maar voor iedereen daarbuiten, inclusief de kinderen, waren we zowat het ideale gezin.

Het was onze bedoeling onze kinderen in te lichten als ze zelf hun eigen seksuele identiteit zouden hebben ontdekt in hun puberteit. Maar omdat ik heel lang moeite had om mijn schuldgevoelens te verwerken en mijn ware identiteit te aanvaarden, werd het steeds opnieuw uitgesteld. Tot het plotseling te laat was...'

'Door een ongelooflijk toeval botste ik op een brief aan zijn ex-vriend', vult zijn dochter Gella aan. 'Ik was toen zeventien. Ik voelde de grond onder me wegzinken. Ik had zin om weg te lopen. Gelukkig was mama er die mij op andere gedachten kon brengen.

Niet het feit dat mijn vader homoseksueel was, was voor mij de grootste schok. Ik had op mijn veertiende ontdekt dat ik zelf lesbisch was. Vermoedelijk hielp dit mij er gemakkelijker overheen. Maar vooral het feit dat mijn ouders mij zolang in een ander beeld van zichzelf hadden doen geloven, deed me pijn. Een beeld dat niet strookte met de werkelijkheid. Dát was op dat ogenblik voor mij ondraaglijk.'

Je kunt verrast zijn over hoe de kinderen omgaan met wat je zegt, tegen hen of tegen derden, en welke consequenties ze daaruit trekken. De leeftijd speelt daarbij nauwelijks een rol. Eerder dan je denkt kan een uitspraak hen op bepaalde gedachten brengen. Wat ze daarbij zien en hun angst doen de rest.

'Zo was er een moment dat mama me zonder het te beseffen aan het denken heeft gezet', vertelt Gella. 'Toen ik acht à negen jaar was, en ik met haar praatte over het huwelijk en over getrouwd zijn, liet ze zich iets ontvallen als: "Tja, als ik het allemaal van tevoren zou hebben geweten..." Dat was bij mij blijven hangen.

Toen ik daar later op terugkwam en vroeg wat ze daar eigenlijk mee had bedoeld, had ze haar uitleg klaar: "Ja," zei ze, "toen we pas getrouwd waren, hebben we eens grote ruzie gehad over de kleur van de gordijnen." Wellicht omdat er voor de rest nooit ruzie was, was ik gerustgesteld. Als het alleen maar dát is, heb ik toen gedacht.'

Bij communicatie spelen niet alleen woorden een rol, maar ook lichaamstaal. Ouders die geen partners meer zijn maar toch nog samen in één huis wonen, kunnen dan wel zeggen dat ze geen partners meer zijn, maar voor hun kinderen is dat verschil niet altijd duidelijk. Zeker als ze nog vrij jong zijn, zullen ze de draagwijdte daarvan nauwelijks snappen.

Dat dit tijdelijk is en wel weer goed zal komen, is hun innigste wens. De kleinste aanleiding zal voor hen de bevestiging van hun hoop zijn. Het is goed dat je vriendelijk met elkaar blijft omgaan, maar het zal wel hun hoop versterken. Een teder gebaar zal hen wellicht nog meer doen geloven in de afloop waar zij van dromen.

Daarom raden therapeuten aan daar in de eerste periode speciaal op te letten. Geef elkaar geen knuffel in het bijzijn van de kinderen. Ga vriendelijk en respectvol met elkaar om, maar niet dubbelzinnig, zodat ze niet heen en weer geslingerd worden in hun gevoelens en verwachtingen. Gebruik gelegenheden die zich voordoen waaruit blijkt dat jullie geen partners meer zijn om hen op het verschil te wijzen. Dit is eigenlijk je belangrijkste zorg.

In elkaars buurt

Een fysieke scheiding met twee aparte verblijfplaatsen, hoe dicht bij elkaar ook, maakt de scheiding tastbaarder. Ook dan zullen de kinderen een tijdlang op een hereniging blijven hopen, maar er is duidelijk een grens getrokken. Ook voor hen is er vanaf nu een afstand tussen jullie beiden.

Door deze fysieke afstand keert het probleem zich nu om: de communicatie tussen beide ouders onderling en met kinderen zal niet meer spontaan gebeuren. Wie in twee huizen woont, zal die communicatie op de een of andere manier opnieuw moeten organiseren.

En hierin zit het grote verschil met scheidingen die op de klassieke manier verlopen. Daar volgt men in de regel vanaf de scheiding ieder zijn eigen weg, praat men ieder afzonderlijk met de kinderen, maar zelden of nooit samen. Het is dan al een succes als men af en toe over de kinderen overlegt, zonder dat ze erbij zijn.

Wie de derde weg inslaat, heeft tal van mogelijkheden om het anders te doen. Waarom geen wekelijkse maaltijd samen? Dat is een ideale gelegenheid om allerlei praktische informatie uit te wisselen. Het betekent ook veel voor de kinderen om geregeld bij elkaar te zijn. Zo ontstaat er een nieuw ritueel binnen het vernieuwde gezin. In het begin zal dit zoeken zijn, maar de kans is groot dat het algauw een leuke bedoening wordt, waarop spontaan over zaken zal worden gesproken die anders het daglicht niet zien.

Chantal: 'Elke woensdag eten we 's avonds samen. Afwisselend bij Jan en bij mij. Telkens wordt er even gekletst over de afgelopen week. Vooral wat er zoal op school gebeurt, staat op de agenda. Dat komt traditioneel eerst aan de beurt. Door het geklets over hun belevenissen op school komen ook gemakkelijk andere dingen naar boven. Meestal wordt het een gezellige boel. Soms merk ik meer sfeer aan tafel dan vroeger, wellicht omdat het nu veel meer iets aparts is, een "gebeurtenis".

We maakten ook samen een fietstocht op de Veluwe. Een hele week van het ene hotelletje naar het andere. Jan en ik logeerden apart, maar de hele dag waren we samen met de kinderen. Niet te geloven hoe de sfeer toen nog veel opener werd. Waar toen allemaal over werd gesproken! Ik had de indruk dat dit thuis nooit zou lukken.'

Als je die wekelijkse maaltijd en een gezamenlijke reis te veel van het goede vindt, of als het om de een of andere reden niet mogelijk is, zijn er allerlei andere creatieve oplossingen denkbaar. Af en toe eens samen een uitstapje maken of een barbecue organiseren kan hetzelfde resultaat opleveren. Voorwaarde is dan wel dat je daarnaast als ouders nog geregeld over de kinderen bijpraat.

> Noor: *'De communicatie gaat goed via mail, bellen of even langsgaan. De jongens weten dat ik met hun vader allerlei zaken afstem die voor hen belangrijk zijn en dat we elkaar informeren. Ze voelen heel goed aan dat wij een eenheid vormen. Bij de wisseling is het niet een kwestie van spullen binnen zetten. Als het kan, wordt er even een bak koffie gedronken en wordt er met elkaar gekletst. Oudergesprekken op school worden altijd samen gepland.'*

De feitelijke scheiding in twee woonplekken brengt automatisch mee dat de kinderen beurtelings in de ene en in de andere woning verblijven. Daardoor is een goede regeling over hun verblijf onontbeerlijk. Wie kiest voor living together apart zal deze regeling soepel toepassen. Toch blijft de kans bestaan dat een kind op een gegeven moment liever meer bij de ene dan bij de andere ouder wil zijn. Dat kan voor de ouder waarbij het kind minder wil zijn weleens een zware dobber zijn.

> Mieke: *'Kristof wilde vaker naar zijn vader toe. In eerste instantie was dat schrikken voor mij; ik heb de grootste zorgtaak en het voelde even als een soort afwijzing als moeder. Dat gevoel heb ik niet gedeeld en ik heb me open opgesteld. We hebben een afspraak gemaakt om hier met zijn drietjes over te praten. Omdat Kristof nu zijn vader vooral in het weekend ziet, is er alle tijd om leuke dingen te doen. Frits vertelde hem dat dat doordeweeks anders zal zijn. Uiteindelijk bleek het voor iedereen beter om het zo te laten. Ook Kristof zag dat in. En als hij zijn vader extra wil zien, kan dat.'*

Mieke zocht hier de best mogelijke oplossing. In plaats van haar stekels op te zetten en defensief te reageren, ging ze in de aanval. Maar niet agressief. Door inzicht wilde ze haar zoon overtuigen. Dit samen met de vader doen was een uitstekend idee. Zij wist immers dat Kristof zich het verblijf bij zijn vader onrealistisch voorstelde. In plaats van zelf met dat argument te komen koos ze ervoor het samen met de vader te doen. Daardoor vermeed ze een regelrechte confrontatie en baande ze een weg voor doeltreffende communicatie.

En tot slot, als je iets belangrijks te zeggen hebt tegen je ex-partner, zeg het zelf. Stuur nooit de kinderen met die boodschap op weg. Het goede klimaat tussen jullie kan het valse gevoel geven dat dit geen enkel probleem is, maar dan vergeet je het loyaliteitsgevoel van je kind. Dit gevoel kan het voor het kind moeilijk maken, zonder dat je dat in de gaten hebt. En dat heeft soms weinig met de ernst van de boodschap of met de leeftijd van het kind te maken.

Mark en Lieve wonen in twee huizen naast elkaar.
Mark: 'In de zomer waren de kinderen op zekere dag bij Lieve. Levina was even bij mij in de tuin. Daar ontstond het idee om te gaan barbecueën en Levina mocht mee-eten. Ze kon dat zelf regelen met Lieve. Toch merkte ik dat het moeilijk voor haar was. Zelfs op deze leeftijd zat ze met een loyaliteitsconflict, omdat ze bang was Lieve tekort te doen. Lieve zelf vond het overigens geen enkel probleem.'

Communicatie en nieuwe partners

In onze gesprekken merkten we dat de communicatie tussen ouders en de nieuwe partner van hun ex veel beter verloopt dan na een klassieke scheiding. Dat geldt nog meer wat de communicatie tussen de nieuwe partners en de kinderen betreft.

Twee factoren kunnen aan de basis van dit verschil liggen. Als beide ouders besluiten om verder samen voor de kinderen te zorgen, zal bij de keuze van een nieuwe partner ook diens houding tegenover de kinderen een grote rol spelen – groter wellicht dan bij een klassieke scheiding. Daarbij zorgt het intensere contact tussen de ouders en tussen de ouders en hun kinderen voor een beperkte rol voor de plusouder. Hij of zij zal minder de kans krijgen om 'ouder' te spelen. Tegelijk zal hij of zij ook beter aanvoelen dat dit veel minder nodig is. Een win-winsituatie dus.

Daarentegen heeft onderzoek aangetoond dat bij klassieke scheidingssituaties de communicatie tussen de ouders over de opvoeding van kinderen op een laag pitje komt te staan. In het beste geval wordt er nog heel sporadisch over gepraat, maar meestal wordt de plusouder voor de ouder de gesprekspartner bij uitstek, ook wat de kinderen betreft.

Vreemd is wel dat de invoering van co-ouderschap daar nauwelijks iets aan heeft veranderd. De plusouder is dan ook vaak een welkome hulp als de communicatie tussen de ouders faalt. Nadeel is dat men daardoor naar twee opvoedingsstijlen evolueert die sterk van elkaar kunnen verschillen. Voor het kind kan dit verwarrend zijn. De kans is groot dat het voor de gemakkelijkste van de twee kiest.

Als je kiest voor de derde weg, zal de inbreng van de plusouder veel beperkter zijn. Als ouders blijven jullie immers veel meer aanwezig bij de opvoeding van jullie kinderen. De plusouder zal meer moeten integreren in het opvoedingsmodel dat jullie hebben gekozen. Hij of zij dient dus goed op de hoogte te worden gehouden van keuzes die jullie maken. De communicatie tussen de drie of vier volwassenen zal dan ook op scherp moeten staan.

Let hierbij wel op dat meer communicatie niet tot meer meningsverschillen leidt, want conflicten kunnen negatief zijn voor jullie vernieuwde relatie én voor de relatie met jullie nieuwe partner. Stel meningsverschillen dus tijdig aan de orde en laat ze niet groeien tot ze jullie onderlinge relaties ondermijnen.

Als je dit in acht neemt, staat jullie 'apart samenblijven' een nieuwe partnerrelatie zeker niet in de weg. Integendeel, de nieuwe partner kan perfect zijn aanvullende rol vervullen. Alleen moet dit in harmonie gebeuren. Goede en volgehouden communicatie is de enige weg naar die harmonie.

Tips

- Probeer anders met elkaar te communiceren. Durf jullie oude patronen in twijfel te trekken.
- Begin met goed te luisteren naar wat je (ex-)partner je te zeggen heeft. Aanvaard daarbij dat hij of zij anders is dan jij.
- Houd negatieve emoties onder controle. Lukt je dat niet, zoek dan hulp.
- Ontwikkel respect voor je ex als ouder en als mens.

6

HOE VERTEL JE HET AAN DE KINDEREN?

Vanaf je geboorte begint je eigen ontdekkingstocht in deze wereld. In die tocht word je bijgestaan door je ouders. Zij zijn een constante factor waar je altijd op kunt rekenen. Vanaf het begin heeft een kind een speciale verbinding met zijn vader en moeder. Door een vroege scheiding van de ouders kan het kind plotseling in een achtbaan belanden waarvan het niet weet wanneer en hoe die stopt.

Ouders kunnen kiezen hoe en wanneer zij het nieuws over de scheiding vertellen. Daardoor hebben ze een bepalende invloed op de manier waarop hun kind het proces verder beleeft. Dat geldt natuurlijk voor alle ouders die scheiden, ook voor degenen die een traditionele weg inslaan. Een goed moment kiezen en iets plannen waardoor ze onmiddellijk ondervinden dat jullie allebei voor hen aanwezig blijven, zal die moeilijke eerste stap aanzienlijk vergemakkelijken.

Manon, de jongste van drie, nu vijftien jaar, beleefde de aankondiging van de scheiding zo: 'Het was eigenlijk een gewone vrijdagavond voor mijn broers en mij, de laatste avond voor de kerstvakantie. Toen riepen onze ouders ons bij elkaar. De precieze woorden weet ik niet meer, maar het was een moment waarop mijn wereld in elkaar stortte. Ik was er kapot van en wou zo snel mogelijk vluchten voor alles en iedereen, maar dat ging natuurlijk niet.

We waren alle drie zo van slag dat we weinig vragen stelden. Onze enige vraag was: waarom? Ze wilden weg van elkaar, niet voor iemand anders zeiden ze, maar gewoon omdat ze helemaal uit elkaar waren gegroeid, alle twee heel hard werkten maar niets meer samen deden, veel te veel ruziemaakten over alles en nog wat. Dat laatste hadden we wel goed gemerkt. Dat kwam, zeiden ze, omdat ze zo lang gehoopt hadden dat het toch nog zou lukken. Voor ons.

De volgende dag vertrokken we alsnog op vakantie. We sliepen met mijn oma en mijn moeder in een hotel en papa in een ander hotel. Elke dag konden

we kiezen met wie we gingen skiën en de dag doorbrachten. Achteraf vond
ik het een supervakantie, ook al omdat mijn nichtje mee was. Zij was voor
mij een heel grote steun.'

Als je kiest voor living together apart, dan kies je voor de weg van de gelei-
delijkheid, en dat heeft zo zijn gevolgen. We weten inmiddels dat de derde
weg niet altijd kant-en-klaar op de plank ligt als het moment van de scheiding daar is. Het is dus heel goed mogelijk dat je op meerdere momenten
iets te vertellen hebt en je zult bij elke stap je kind op de best mogelijke manier moeten begeleiden.

Omdat jullie samenblijven als ouders, kan het onderscheid met volledig samenzijn voor het kind delicaat zijn. Het zal erop aankomen de boodschap heel begrijpelijk over te brengen, rekening houdend met de leeftijd
van het kind.

Kinderen ervaren veiligheid bij hun ouders. De ouder-kindrelatie is een af-
hankelijkheidsrelatie. Deze afhankelijkheid maakt een kind kwetsbaar.
Daarom is het zo belangrijk om je kind duidelijk te maken dat de scheiding
niets verandert aan jouw rol als ouder. Vertel je kind dat je er in de toekomst
voor hem of haar zult zijn zoals nu en dat hij op je kan rekenen. Vertel je kind
eerlijk dat er wel zaken gaan veranderen, maar dat je die veranderingen samen gaat doormaken. Je mag best vertellen dat je ook niet alles al weet, maar
dat je goed naar elkaar zult luisteren. Als een kind ervaart dat zijn ouders be-
trouwbaar zijn, dat ze doen wat ze zeggen, versterkt dat zijn vertrouwen.

Omdat jullie als ouders willen blijven samenwerken, ligt het voor de
hand dat jullie die boodschap samen overbrengen. De scheiding van hun
ouders is voor de kinderen zo'n ingrijpende gebeurtenis dat ze zich dat moment heel hun leven zullen herinneren. Het loont dus de moeite dit gesprek samen goed voor te bereiden.

Het grote voordeel wanneer je als ouder 'apart samenblijft', is dat je de
kinderen kunt geruststellen: aan jullie bondgenootschap naar hen toe zal
niets veranderen, en ze kunnen op jullie beiden blijven rekenen.

Maak hun duidelijk dat zij er niets mee te maken hebben dat jullie gaan
scheiden. Een kind heeft gauw de neiging de schuld bij zichzelf te zoeken.
Je mag ook gerust laten zien dat de scheiding je verdrietig maakt. Daardoor
zullen je kinderen ook gemakkelijker hun eigen verdriet durven tonen. Zeg
hun ook dat zij verdrietig of boos mogen zijn, dat je dat begrijpt.

En geef aan dat ze op jullie aankondiging dat jullie gaan scheiden mogen reageren, niet alleen op het moment zelf, maar ook de volgende dagen.

Dat je hun vragen eerlijk zult beantwoorden. Bereid je ook voor op vragen over de oorzaak van jullie beslissing, zeker als de kinderen niet echt klein meer zijn. Dan kun je eerlijk zijn zonder in details te vervallen. Een neutraal antwoord is te verkiezen boven een grondige analyse. Dat de andere ouder daarbij nooit in een slecht daglicht mag worden gesteld, hoeft nauwelijks te worden gezegd.

Blijf naar hen luisteren. Blijf naar hen kijken. Je kunt hun niet vaak genoeg vertellen dat je van hen houdt. Laat zien dat je elkaar als ouder verder respecteert, net als vroeger. Geef hun de tijd om te wennen aan het idee en bied hun de kans en de ruimte om jou te laten weten wat ze willen. Dit besef komt soms pas later. Zorg dat je er dan ook bent.

Het juiste moment

De zorg dat ze hun kinderen onnodig zouden belasten, is bij de meeste ouders vrij groot. Uitstellen lijkt dan een logische en verantwoorde stap, maar is niet altijd de juiste. Kinderen hebben een haarfijn gevoel voor de sfeer in huis en weten soms eerder dan je denkt dat er 'iets aan de hand is'. Ze geven vaak een signaal dat ze ergens mee zitten. De leerkrachten op school zien dat bijvoorbeeld, terwijl jij er niets van merkt omdat je te veel met je eigen problemen bezig bent. Een directeur zegt hierover:

'De leerkrachten zien veranderingen bij de kinderen. Ouders informeren ons vaak wel over een overlijden of over een probleem met hun kind. Dat het thuis niet lekker zit vanwege relatieproblemen of een aankomende scheiding, durven ze niet te delen. Wij zien dat een leerling zich meer terug gaat trekken in de groep of juist veel meer aandacht gaat vragen. Dat kan verschillende oorzaken hebben, maar die horen we meestal wel.
De problemen thuis blijven meestal achterwege. Voor ons is het ook lastig om aan de ouders te vragen of het soms niet goed gaat in hun relatie. We praten wel over de gedragsverandering die we zien. Later krijgen we dan vaak de bevestiging van onze vrees. We hebben het gevoel dat we het kind beter kunnen begeleiden als we eerder informatie krijgen.'

Anis en Petra hebben ervaren dat juist het melden van hun scheiding een positief effect had op de kinderen. Het gaf de kinderen rust, omdat het onbehaaglijke gevoel van hun onzekerheid verdwenen was.

Anis en Petra hebben de kinderen (toen 10, 8 en 3) samen verteld dat ze uit elkaar zouden gaan toen hun plan concreet was. De oudste kinderen hadden al gevoeld dat het niet goed ging. De belangrijkste vraag van beiden was hoe het wonen verder zou gaan. Toen Anis was vertrokken, was er direct een andere energie in huis. De sfeer was minder geladen.

Het nieuws uitstellen gebeurt soms ook uit eigenbelang. Zodra de kinderen het weten, is de stap naar de buitenwereld snel gezet. Dan wordt het 'openbaar' en daar is men als ouder zelf misschien nog niet aan toe.

Maar het omgekeerde doen is zeker geen goed idee: vertel het niet eerst aan vrienden, want dan loop je het risico dat je kinderen het van anderen vernemen. Het broodnodige vertrouwen dat ze in jullie moeten hebben, wordt dan flink aangetast. En het wordt wel heel moeilijk om het vertrouwen terug te winnen als de kinderen er zelf op de een of andere manier achter komen.

We zagen in het vorige hoofdstuk hoe de 'ontdekking' van een schijntoestand bij haar ouders Gella, de dochter van Kris en Françoise, helemaal ontredderde. Dat verhaal toont aan hoe lastig het voor ouders kan zijn om het juiste moment te kiezen. Het lag hier ook extra moeilijk, omdat de ouders al die tijd samen in hetzelfde huis bleven wonen, en zelfs hetzelfde bed deelden. Geen enkele kans dus dat de kinderen ook maar het minste onraad konden vermoeden, maar des te erger de schok en des te sterker het gevoel bedrogen te zijn. Toch kwam Gella tot een verrassende conclusie.

'Eigenaardig genoeg, als je me nu vraagt of ik het beter zou hebben gevonden als mijn ouders het mij eerder hadden gezegd, dan moet ik het antwoord schuldig blijven. Nu ben ik er helemaal mee verzoend en begrijp ik ook waarom het voor hen zo moeilijk was om het beste moment te kiezen. Misschien was er gewoon geen beste moment.'

Zo'n ontdekking kan natuurlijk ook plaatsvinden als de ouders in twee woningen leven, maar dan is de situatie wel anders. Dan heeft het kind de scheiding al feitelijk kunnen vaststellen.

Voor wie aan birdnesting begint of in twee woningen gaat wonen, ligt de keuze van het geschikte moment voor de hand: vertel het het liefst voor de aanvang van het birdnesting of de verhuizing naar de andere woning. Bij kinderen van wie de ouders in één huis blijven wonen, ligt het veel moeilijker. De inrichting van een aparte slaapkamer kan dan weleens de beste gelegenheid zijn.

Als ook dat niet gebeurt, zoals bij de ouders van Gella, dan is de enige uitweg de evolutie van de kinderen op de voet volgen, wat niet altijd eenvoudig is.

'Ik had me voorgenomen mijn drie kinderen pas over mijn nieuwe partner in te lichten als ze de juiste leeftijd hadden om het te begrijpen. Met mijn oudste zoon lukte dat perfect. En hij zweeg erover als een graf tegen de twee anderen. Zo gebeurde het ook met mijn andere zoon. Maar bij mijn dochter, de jongste, was ik te laat. Ik had me niet gerealiseerd dat meisjes vlugger "rijp" zijn voor zulke dingen en er ook meer over roddelen. Hoewel dit geen negatieve invloed heeft gehad op de verdere relatie met mijn dochter, heb ik nog altijd spijt van mijn stommiteit.'

Realiseer je ook dat je wellicht niet alle antwoorden over de toekomstige situatie klaar zult hebben, maar wat je gaat vertellen moet voor je kind te bevatten zijn en bij zijn leeftijd en ontwikkelingsfase passen.

Die leeftijd is beslist een essentiële factor bij het bericht van de scheiding. Houd daar altijd rekening mee.

Hoe vertel je het nieuws?

Als ouder ben je je ervan bewust dat je de onbezorgde wereld van je kinderen door elkaar gaat schudden. Het vraagt moed om het te vertellen. Je hebt het beste moment uitgekozen, maar hoe vertel je het? Je weet dat je je eigen verdriet wel mag laten zien, maar niet te veel, want je wilt voorkomen dat ze denken dat ze jou moeten troosten. Heb je een gezin met drie kinderen, besef dan dat ze het alle drie anders zullen beleven. Kinderen kunnen zich vrijer voelen in het uiten van hun emoties als ze jong zijn. Laat dat maar gerust gebeuren. En twijfel je of het goed gaat, vraag het dan aan je kind en vul het niet zelf in.

Petra Vollinga[16] geeft ons in *Het grote co-ouder doe boek* een uitstekend uitgangspunt voor het 'slechtnieuwsgesprek' in vijf stappen.

Stap 1. Houd de inleiding zo kort mogelijk. 'Schatjes, ga eens even zitten' is ruim voldoende als uit je houding en blik voldoende blijkt dat er een nare boodschap zit aan te komen.

Stap 2. Deel de klap onmiddellijk uit. Je kunt slecht nieuws het best meteen brengen en dan pas verder praten. Het schijnt dat je door zo'n schok langzamer gaat denken en dat is in dit geval een winstpunt. Over het hoe en waarom moet je nu dus niet te veel praten. Een paar argumenten is ruim voldoende.

Stap 3. De moeilijkste stap: help hen om het te verwerken terwijl je daar wellicht zelf nog niet klaar mee bent. Dus ga niet verder in op je eigen problemen, maar op hún verdriet, hún boosheid, hún verwarring.

Stap 4. Als je de schok die ze ondergingen goed hebt opgevangen, kun je overgaan naar de oplossing. Hoe meer je hen naar waarheid kunt geruststellen, hoe beter. Hoe concreter je dat kunt doen, hoe meer effect het zal hebben. De voorsprong van ouders die ervoor kiezen samen ouder te blijven is hier overduidelijk.

Stap 5. Maak afspraken. Vertel meteen wat er de eerstkomende dagen gaat gebeuren, hoe je ervoor gaat zorgen dat ze jullie beiden nooit echt zullen hoeven missen en wat jullie nog zeker samen zullen doen. Hoe duidelijker je dat kunt doen, hoe beter.

Duidelijk zijn wil zeggen: de waarheid vertellen. Vooral over de redenen waarom de scheiding plaatsvindt, wordt nogal eens stiekem gedaan: 'We zijn uit elkaar gegroeid', is misschien waar, maar zegt de kinderen niets. Het wil niet zeggen dat je alle details moet vertellen, maar 'we hebben te veel ruzie' of 'ik heb tegen je vader/moeder gelogen' begrijpen ze veel beter.

En als het moet, is het geen taboe om te zeggen dat papa of mama verliefd is geworden op iemand anders. Je moet als ouder kunnen aanvaarden dat je het verhaal niet mooier kunt maken dan het werkelijk is. En beter is om de andere ouder hierbij eerder te verontschuldigen dan te beschuldigen.

SAMEN ONDER ÉÉN DAK

Een scheiding is voor een kind een grote verandering, ook al blijf je allemaal in één huis wonen. De kans is immers groot dat wat een kind erover heeft gehoord, een negatieve klank had. Dat deze onheilspellende gebeurtenis ook in zijn eigen beschermde wereld kon binnendringen, kan het nauwelijks geloven. Alle redenen dus om onmiddellijk te benadrukken dat het bij jullie anders zal verlopen.

Wie in één huis blijft wonen, heeft de beste kaarten in handen om kinderen gerust te stellen. Dat het huis in veel gevallen moet worden aangepast, is misschien een goede zaak. Zo krijgen ze beter zicht op wat er gebeurt. Want het risico bestaat dat je te gemakkelijk denkt dat alle problemen met de uitleg zijn opgelost.

Voor jezelf is er een last van je schouders omdat je niet langer een relatie hoeft te onderhouden die niet met jouw gevoelens overeenstemt. Maar voor de kinderen is de weg omgekeerd: zij staan aan het begin. Van nu af vragen ze zich af wat dit concreet voor hen gaat betekenen.

Daardoor is het des te noodzakelijker dat je de kinderen op het hart drukt dat ze altijd bij jullie terechtkunnen met hun vragen. En zelfs als ze niets vragen, is het nuttig om af en toe zelf op het gesprek terug te komen. Dat hoeft geen georganiseerd gesprek te zijn zoals het eerste. Doe het liever naar aanleiding van een opmerking, of op een intiem moment dat je met hen deelt. Vertel hun over zaken die je nu niet meer samen doet en vroeger wel. Dat je niet meer bij elkaar slaapt, weten ze intussen wel, maar wat betekent het om verder 'geen partner meer te zijn'? Niet meer samen met vakantie bijvoorbeeld, of wel? Ga je nog samen uit eten, of niet? Ga je ook alleen uit? Praat waar het kan in concrete voorbeelden die bij jullie horen.

Praat ook over wat er verandert in de woonsituatie. Is er een praktische verbouwing nodig die maakt dat ieder eigen ruimtes krijgt? Verandert er dan ook iets aan de slaapkamers van de kinderen en kun je hen daarin betrekken? In dat geval geef je hun tegelijk iets prettigs om naar uit te kijken. Zo wordt het project van de twee ouders het project van het hele gezin, zeker als je voor hen ook voor een meerwaarde kunt zorgen. Tegelijk merken ze sterker het verschil tussen oud en nieuw.

De kans is groot dat jullie rolverdeling dezelfde blijft: wie de kinderen naar school brengt, wie meegaat naar de sportclub. Vertellen dat veel dingen níét veranderen zal altijd geruststellend zijn.

Vertel ook wanneer de nieuwe situatie ingaat. Vermoedelijk gebeurt dat snel, en dat is ook het best. Als jullie in één huis blijven wonen, hoeven jullie immers nauwelijks rekening te houden met een formeel scheidingsmoment of toestemming van de rechter. In sommige gevallen zal de nieuwe leefwijze in feite al van kracht zijn. Er is meestal geen afdoende reden om ook dat niet eerlijk te zeggen.

Wellicht zijn er nog geen nieuwe partners. Het is niet zeker of dit zo zal blijven. Afhankelijk van de leeftijd van het kind kan het daarnaar vragen. Als je daar zelf nog geen zicht op hebt, zeg dan gerust dat je nog niet precies weet hoe je het dan gaat doen. Dat dit van veel factoren kan afhangen, maar dat ze één ding zeker kunnen weten: dat jullie ook dan weer samen zullen zoeken naar een oplossing waarbij zij altijd op jullie beiden kunnen rekenen.

De keus om in eenzelfde woning te blijven wonen, past uitstekend bij de baby- en peuterfase, omdat je in deze periode een band met je kind opbouwt. Het kind heeft behoefte aan lichamelijke geborgenheid, zorg en gezelschap bij het ontdekken van de wereld. Denk niet dat zo'n boodschap langs het jonge kind heen zal gaan. Woorden zoals 'pijn' en 'verlies' zullen ze vooral letterlijk nemen en lijfelijk aanvoelen. Wees dus voorzichtig in je woordkeuze. Als er verder weinig ruzie in huis is, kan de overgang voor deze kinderen vrijwel rimpelloos verlopen.

In de basisschoolfase wordt de wereld van de kinderen groter. Behalve in hun vertrouwde huis brengen ze steeds meer tijd door op school en krijgen ze ook vriendjes en vriendinnetjes. Kinderen zijn zich op deze leeftijd veel meer bewust van wat er met een scheiding gebeurt. Te veel veranderingen zetten hun leven op zijn kop en de keus om onder één dak te blijven wonen lijkt ook voor hen de minst ingrijpende oplossing. Toch kan het nuttig zijn met hen te overleggen hoe ze deze 'aparte' oplossing aan hun vriendjes en op school kunnen uitleggen, als het daar ter sprake komt.

Pubers en jongvolwassenen gaan op ontdekkingstocht naar zichzelf en gaan zichzelf meer losmaken van hun ouders. Ze zoeken naar hun eigen identiteit, naar hun eigen normen en waarden, en dat levert soms conflicten met hun ouders op. Het voordeel van wonen in één huis is dat het lijntje tussen de ouders superkort blijft. Hun loyaliteit gaat naar jullie, maar ook naar vrienden of eerste liefdes. Die kunnen weleens voorgaan. Dat hoort bij het proces van loslaten. Realiseer je dan dat dit niets te maken heeft met jullie scheiding. Als je hen inlicht over de scheiding, zullen ze graag willen weten wat hun 'bewegingsruimte' zal zijn en of hun leventje zo veel mogelijk verder kan gaan.

BIRDNESTING

Door bij de scheidingsboodschap te kunnen verzekeren dat ze in hun vertrouwde huis en omgeving mogen blijven, neem je de grootste angst voor verandering bij de kinderen weg. Dat hun vader en moeder een tijd uit beeld zijn is erg, maar het behoud van hun omgeving kan dat voor een belangrijk deel opvangen.

Vertel hun meteen hoe ze tijdens de dagen dat ze bij de ene ouder zijn contact kunnen houden met de andere. Wees niet te krenterig met die contactmiddelen. Hoe vrijer een kind zich voelt in de omgang met zijn beide ouders, hoe gelukkiger het is. Bij een goede aanpak zal het kind ervaren dat ondanks de scheiding veel bij het oude blijft. En dat is een hele verademing.

Praat in het eerste gesprek niet te veel over allerlei regelingen. Hun hoofd zal daar zeker niet naar staan. Toch zal er in de huishouding vermoedelijk een en ander veranderen. Als ouders had je een bepaalde taakverdeling, maar die kun je niet handhaven in jullie nieuwe manier van leven. Spreek samen goed af wat je van elkaar verwacht. Vertel de kinderen zo vlug mogelijk de spelregels die voor hen van belang zijn.

Birdnesting kan het gevoel geven dat het gezin als gezin uit elkaar valt. Het wij-gevoel staat ter discussie, en het is aan jullie, als ouders, om duidelijk te maken wat jullie nog wel samen gaan doen. Eens per week samen eten? Samen fietsen? Laat kinderen meedenken over zulke momenten. Zo betrek je hen in de verandering.

Kinderen willen natuurlijk weten waar je gaat wonen als je niet bij hen bent. Hoe dicht is het in de buurt? En mogen ze gewoon komen als ze dat willen? Wees duidelijk in wat wel en niet kan. En neem hen er liefst zo vlug mogelijk mee naartoe.

De baby- en peuterfase in combinatie met birdnesting maakt dat beide ouders niet steeds in de buurt zijn. Het voordeel kan zijn dat ruzies of heftige emoties zeldzaam zijn en bij die rust heeft het kind baat. Voor het opbouwen van de band met iedere ouder is een aanwezigheid van twee dagdelen per week plus een weekend een minimum. Een kortere afwisseling is te verkiezen boven een langere.

In de basisschoolfase zijn kinderen zich bewust van wat er met een scheiding gebeurt en kunnen ze dat ook op zichzelf projecteren. Het is dus heel belangrijk dat je vertelt dat het uit elkaar gaan niets met hen te maken heeft en dat je nog evenveel van hen houdt. Het is voor hen vooral belangrijk dat ze in hun omgeving kunnen blijven en de andere ouder nooit te lang hoeven te missen.

Pubers en jongvolwassenen zullen heel blij zijn als ze horen dat ze op één plek kunnen blijven wonen, vooral uit praktische overwegingen: niet steeds met spullen hoeven verkassen en vrienden en vriendinnen weten altijd waar ze zijn. De periode dat de ene of de andere ouder aanwezig is, speelt voor hen minder een rol. Zeker als ze verder nog alles met iedere ouder kunnen doen wat ze vroeger met hem of haar deden. Door de scheiding kunnen ze zich sneller losmaken van de ouder. Laat hun dus zeker zien dat jullie op één lijn zitten en bondgenoten zijn.

Zo vindt Daan (15) het wel behoorlijk vervelend dat als er iets gebeurt in de week dat hij bij zijn moeder is, zijn vader het ook weet. Maar die twee-eenheid geeft hem ook duidelijkheid.

Een ander punt is dat je in deze leeftijdsfase gaat ervaren dat kinderen rechtstreeks zaken gaan regelen met de ouder met wie iets aan de hand is. Ze leren steeds meer hun eigen boontjes te doppen. Geef hun daar complimenten voor! Tenzij het zaken zijn waarvan je vindt dat beide ouders ermee te maken hebben. Zeg hun tijdig welk soort zaken dat zijn.

IN ELKAARS BUURT

Birdnesting heeft meestal een beperkte houdbaarheid: het wisselen breekt de volwassene op, of het brengt te veel kosten mee, of er komt een nieuwe relatie die de formule moeilijk maakt. Toch moet je deze periode niet te kort maken. Birdnesting heeft immers tot doel de kinderen te helpen om die moeilijke fase te verwerken en rustig naar de volgende stap toe te leven.

Die volgende stap is meestal een tweede huis of appartement in elkaars buurt. Soms is het een twee-onder-een-kapwoning waarbij je al dan niet kamers voor de kinderen inricht die vanaf beide huizen toegankelijk zijn. In dat laatste geval is het verschil met het verblijven in één huis heel klein, maar toch belangrijk.

> Toen er een kans ontstond dat Mark met zijn nieuwe vrouw naast zijn ex kon wonen, vonden ze dit beiden een ideale oplossing.
> Mark: 'Het stelde ons in staat om voor de kinderen een eenheid te vormen. Die eenheid werd gecreëerd door twee aan elkaar gekoppelde woonhuizen, waarbij de kinderen via de eerste verdieping naar beide huizen kunnen.'

> Levina en Peter hebben hun eigen kamers en hoeven zich niet meer te verplaatsen, ongeacht bij welke ouder ze zijn. Geen gesjouw met spullen. In de gezamenlijke gang hangt een prikbord. Alle belangrijke schoolinformatie of andere zaken worden daarop gedeeld. Spullen vergeten? Dat probleem kennen zij niet. En Levina en Peter hebben op deze manier de kans gekregen een hechte band op te bouwen met hun nieuwe broertje en zusje bij hun vader, ondanks het leeftijdsverschil. Het is een verrijking voor hen.

Twee afzonderlijke verblijfplaatsen versterkt de boodschap dat jullie 'echt' uit elkaar gaan. Ze snappen beter wat er gebeurt ('dat hoort zo bij een scheiding'), en tegelijk brengt het meer verandering in hun leven. Blijf je in de buurt wonen, dan verhoogt dit hun gevoel van veiligheid: papa en mama zijn dan wel niet meer bij elkaar, maar toch dicht in de buurt.

In de baby- en peuterfase vraagt deze regeling voldoende aandacht voor de frequentie en de tijd die iedere ouder met zijn kind zal doorbrengen. Alleen dan worden de band en de hechting niet verstoord. Omdat je niet meer samenwoont, vraagt dat meer afstemming op elkaar. Leg goed uit wat hetzelfde blijft en wat verandert. Gebruik gerust speelgoed om dat te doen, of prentenboekjes over het wonen in twee huizen.

In de basisschoolfase zullen kinderen gemakkelijk denken dat alles maar tijdelijk is, dat het misschien allemaal wel weer goed komt als ze lief genoeg zijn. Daarom is het begin van een vakantie het ideale moment. Er is dan echt tijd om hen goed in het oog te houden en bij te sturen waar nodig. Tegelijk kun je hen dan beter voorbereiden op het moment dat ze weer naar school gaan, voor het geval ze erover aangesproken worden of er zelf over willen praten.

Bereid hen erop voor dat vriendjes en klasgenoten misschien niet willen geloven dat hun ouders gescheiden zijn en het toch goed met elkaar kunnen vinden. Want net als jij merkt dat andere volwassenen niet kunnen geloven dat scheiden en bevriend blijven samengaat, zal dit bij kinderen niet anders zijn. Je mag je kinderen gerust zeggen dat ze er trots op mogen zijn dat hun ouders dat wél kunnen. Dat betekent dat jullie als ouders heel erg begaan met hen zijn, dat jullie vooral voor hen goede vrienden willen blijven. De stap om hen tegelijk te doen inzien dat die goede verstandhouding niets te maken heeft met een terugkeer naar vroeger, is dan vlug gezet.

> *Voor Aurelie was het allemaal wat verwarrend. Ze is nu tien en haar ouders wonen vijf minuten bij elkaar vandaan. Regelmatig eten ze met elkaar of zijn ze met zijn drietjes in de stad te vinden en dan hebben ze het zeer naar hun zin. Dat nauwe contact maakte dat ze dacht dat haar ouders wel weer bij elkaar zouden kunnen wonen. Misschien zullen ze dat binnenkort ook wel doen, dacht ze.*
>
> *Gelukkig had de vriendin van haar vader daar wat van opgevangen. Ze had een goede band met Aurelie en het meisje had haar in haar fantasie toevertrouwd dat haar vader en moeder de volgende vakantie samen met haar naar Spanje zouden gaan. 'Ga jij dan ook met vakantie?' had zij haar gevraagd.*
>
> *Toen haar vader dat hoorde, was zijn eerste reactie boosheid en wou hij zijn dochter op het matje roepen. Zijn vriendin overtuigde hem ervan dat niet te doen. Hij kon haar beter goed uitleggen dat alles wat haar ouders samendoen voor haar is. Dat ze helemaal niet meer verliefd op elkaar waren en dus zeker niet bij elkaar zouden terugkeren.*

Bij pubers en jongvolwassenen kan het bericht over de scheiding verwarrend zijn. Hun eigen leven zit vol veranderingen en dit komt daarbovenop. Hun dan vertellen dat je niet meer bij elkaar gaat wonen en dat ze in twee huizen hun stekkie krijgen, zal niet met open armen worden ontvangen. Dat de afstand tussen jullie beiden niet te groot is, is wel een voordeel dat ze zeker zullen waarderen. Iets vergeten is dan geen ramp en hun vrienden blijven dichtbij.

Geef hun de kans zelf praktische oplossingen te vinden voor de nieuwe leefomstandigheden en geef hun daar complimenten voor. Geef hun ook zo veel mogelijk inspraak bij de inrichting van hun eigen kamer. Zorg ervoor dat ze bij beiden zo veel mogelijk hetzelfde comfort hebben. Als de een het financieel breder heeft dan de ander, is bijdragen aan de inrichtingskosten van de ander een goed idee. Dat is veel beter dan hen voortdurend laten verhuizen van uitgesproken luxe naar het allernoodzakelijkste en omgekeerd.

> *Elle had na vijftien jaar huwelijk en twee kinderen (11 en 9) de scheiding van Gerd ingezet. Heel erg tegen de zin van diens ouders. Deze laatsten hadden altijd alles voor hem geregeld, inclusief een prachtige villa waarin hij samen met vrouw en kinderen woonde.*
>
> *Bij de scheiding was het ook weer de vader van Gerd die het roer in handen nam. Zijn enige zorg was het 'familiebezit' te vrijwaren, ook al ging dat ten koste van de wijze waarop de kinderen met hun moeder zouden moeten leven. Want de kinderen waren aan de moeder toegewezen, de vader kreeg alleen bezoekrecht. Elle slaagde erin in een heel bescheiden woning de eindjes aan elkaar te knopen.*
>
> *Het plan om de kinderen met de luxe naar hun vader en diens ouders te lokken mislukte. Het keerde zich zelfs tegen Gerd, toen zijn nieuwe vriendin hen te veel wou bemoederen. Ook namen ze het hem kwalijk dat hij nooit iets had ondernomen om hen in zijn comfort te laten delen en het hun moeder wat gemakkelijker te maken.*

Het nieuws is verteld, en nu?

Misschien biedt de keuze voor twee woningen wel de meeste zekerheid voor de toekomst. Maar de zekerheid dat het een definitieve keuze is, heb je nooit. De gedachte dat kinderen weer verder kunnen met hun leven zodra de scheiding formeel een feit is, is een utopie. Ga ervan uit dat er altijd evoluties nodig kunnen zijn. Telkens zal men op zoek moeten gaan naar de beste 'derde weg' en telkens zal men het met de kinderen moeten bespreken.

Gelukkig hebben we tijdens onze gesprekken mogen ondervinden dat ouders die voor apart samenblijven kozen een soort extra zintuig lijken te hebben om het welzijn van hun kinderen boven alles te plaatsen. Ze hebben tijd genomen en gevonden, niet alleen om de beste oplossingen te zoeken, maar meestal ook om die op de beste manier aan hun kinderen mee te delen.

Het zijn juist de openheid, de eerlijkheid, het geduld en het wederzijdse respect die voor de kinderen zo belangrijk zijn. Nu, bij de scheiding van hun ouders, maar later ook voor henzelf. Een beter rolmodel kunnen ouders hun kinderen moeilijk meegeven.

Tips

- Weten wat er concreet voor hen gaat veranderen en wat hetzelfde blijft, is voor de kinderen veel belangrijker dan weten hoe gescheiden jullie precies zijn.
- Jullie kinderen geruststellen dat ze altijd op jullie beiden kunnen rekenen is belangrijker dan op elke vraag een pasklaar antwoord hebben.
- Spreek met één stem zodat ze aanvoelen dat jullie als ouders voor hen partners blijven.
- Wat er ook gebeurt, behandel elkaar ten overstaan van de kinderen altijd met respect.

7

AFSTAND NEMEN VAN DICHTBIJ, KAN DAT?

Praten over afstand nemen is denken aan een vorm van afscheid, loslaten. Voor velen is dat een zware opgave. Van mensen die erin slaagden afstand te nemen van hun partner kunnen we dus heel wat leren.

Wel moeten we vaststellen dat ze op onze vraag 'hoe ben jij erin geslaagd om afstand te nemen?' meestal het antwoord schuldig bleven. Sommigen waren zelfs verrast, omdat ze afstand nemen niet als een bewust proces hadden ervaren. Anderen erkenden dat het hun erg zwaar viel, maar dat ze niet duidelijk konden zeggen hoe het uiteindelijk toch lukte. We moesten dus zelf op zoek naar het antwoord.

Gelukkig zat er een rode draad in hun verhalen. De mate waarin afstand wordt genomen, is afhankelijk van de mate waarin het eigen leven en het eigen geluk na verloop van tijd weer vorm krijgen.

Deze simpele vaststelling is bij scheiding een grote uitdaging. Geconfronteerd met de vele emoties, praktische beslommeringen en onzekerheden is er blijkbaar weinig ruimte voor een 'eigen leven'. En toch, afstand is niet alleen zinvol bij scheiding, maar ook in elke relatie. Afstand nemen als je besluit voor een deel 'samen te blijven', krijgt een aparte dimensie, waarbij de mentale afstand belangrijker is dan de fysieke.

Zuurstof voor elke relatie

Alfons Vansteenwegen,[17] auteur van *Liefde is een werkwoord*, zegt het zo: 'Het creëren van mentale afstand is een noodzaak om een langdurige relatie te doen slagen.' Het succes ervan hangt volgens hem af van de mate waarin iedere persoon zijn eigen zelfstandige persoonlijkheid kan behouden, los van zijn partner. Veel stellen zondigen daartegen, en daardoor verlopen niet alleen hun relaties maar ook hun scheidingen zo moeizaam.

Het uitgangspunt van elke relatie is dat ze tot doel heeft dat beide partijen er beter van worden. Er beter van worden wil zeggen dat je er energie uit put en vreugde aan beleeft. Als één partner er beter van wordt en de andere slechter, is de relatie onevenwichtig en dus ongezond. Want juist die onevenwichtigheid is het grootste gevaar voor een goede relatie.

Ik had ooit een relatie met een vrouw die bijzonder sterk leek te zijn. Ze kwam net uit een vechtscheiding. Om die af te dwingen had ze alles uit de kast moeten halen. Al de problemen waar haar man in verzeild raakte, wist ze op te lossen. Daarbij had ze een verantwoordelijke baan. Dat alles had haar zelfvertrouwen stevig onderbouwd. Ik vond het heerlijk om met zo'n zelfbewuste vrouw te kunnen leven.

Toen er na zekere tijd problemen bij haar ontstonden, vond ik het een uitdaging om die voor haar op te lossen. Ik zag er een kans in om haar mijn liefde te tonen, maar stond er niet bij stil dat dit haar zelfbewustzijn kon ondermijnen. Na verloop van tijd verwachtte ze van mij dat ik elk probleem voor haar oploste. Me van geen kwaad bewust deed ik dat, tot ze zich helemaal op mij verliet. Tot mijn schande en verdriet moest ik vaststellen dat elke oplossing die ik voor haar had bedacht een pijler van haar zelfbewustzijn had doorgezaagd. Tot er niets van over was. Het evenwicht was helemaal zoek. En onherstelbaar.

In veel relaties is na verloop van tijd het evenwicht zoek. Met als gevolg dat een van de partners zich sterk voelt, en de andere zwak. Gewoonlijk heeft deze laatste dan de neiging om zich helemaal op de ander te verlaten uit angst en machteloosheid. Tegelijk voelt de ander die druk die hem of haar verstikt. De vicieuze cirkel leidt regelrecht tot wat men ten koste van alles wou vermijden: een breuk.

Als je tijdens je relatie geen afstand wist in te bouwen, kom je bij een scheiding in een dubbelzinnige situatie terecht. Je weet heel goed dat er een diepe kloof tussen jouw partner en jezelf is gegroeid, maar hoe groter de kloof is, hoe meer de zwakkere zich vastklampt uit angst te verliezen.

Die angst verlamt je en verhindert je op zijn beurt om afstand te nemen: je bent bang om alleen te zijn, bang om aan een nieuwe toekomst te beginnen, bang om fouten te maken, bang voor mogelijke reacties van de ander. Kortom, bang om afscheid te nemen van het zekere en te kiezen voor het onzekere.

In deze schizofrene situatie is er maar één uitweg: loslaten. Dat is makkelijker gezegd dan gedaan, zeker voor wie zich onzeker voelt. Het komt er dus op aan eerst daaraan te werken. Je zelfvertrouwen terugwinnen is de enige reddingsboei voor wie het water tot aan de lippen staat.

Als je door je relatie je zelfvertrouwen en identiteit verliest, kan die relatie voor jou niet goed zijn. Dat is het eerste besef dat moet groeien. Het voortzetten van die relatie kan je alleen maar meer ellende bezorgen. De olievlek van jouw verdriet zal alleen maar groter worden. Pas als je dit duidelijk inziet, kun je aan de wederopbouw beginnen. Dan zul je langzaam je eigen kwaliteiten terugvinden en ga je stap voor stap in je eigen toekomst geloven.

Wellicht is het moeilijk om die twee stappen alleen te zetten. Besef dat er buiten je partner nog andere mensen zijn. Mensen die in je geloven: ouders, familie, vrienden, vriendinnen. Aarzel niet om desnoods professionele hulp in te schakelen. Zoek geen mensen op die met jou aan de klaagmuur gaan staan. Zoek mensen die je helpen om uit het dal te komen. Je zult zien dat het beter lukt dan je dacht. Scheiden klinkt dan niet langer als lijden, maar als bevrijden. Pas vanaf dan ben je in staat om de beste beslissingen te nemen voor de toekomst, voor jezelf en voor de kinderen.

Alleen is daar tijd voor nodig, afhankelijk van de diepte van het dal. Het is aan je partner om je die tijd te gunnen. Als die ziet dat je ook naar goede oplossingen wilt zoeken in plaats van de oorlog te verklaren, heeft hij of zij er alle belang bij op jouw voorstel in te gaan. En als het bij die goede oplossingen vooral om de kinderen gaat, kan hij of zij ook heel moeilijk dwars gaan liggen.

Samenblijven op afstand

Voor wie tijdens een relatie zichzelf is gebleven, zal het gemakkelijker zijn om bij een scheiding een ander soort afstand in te bouwen. Want dan gaat het niet om de angst om te verliezen, maar om het omgaan met een onherroepelijk verlies. Eigenlijk is dit gemakkelijker, omdat het een reëel probleem is. Angst is een irreële vijand en die is moeilijker te bestrijden. Maar dit lijkt lastiger, omdat je echt afstand moet doen van elkaar, en dat is pijnlijk.

Wie zichzelf geheel of gedeeltelijk in een relatie is verloren, moet eerst de kans krijgen om zichzelf terug te vinden. Pas dan kan er sprake zijn van afstand nemen.

TIJD OM TE AANVAARDEN

Tenzij beide partners de stekker gelijktijdig uit het stopcontact trekken, is tijd noodzakelijk voor een scheidingsproces. Wie als eerste vaststelt dat het zo niet verder kan, heeft wellicht al een innerlijk parcours afgelegd van wikken en wegen, van twijfel, van pijn en verdriet. Uiteindelijk woog de balans voor hem of haar negatief door.

Tot dat moment weet de ander soms van niets of wil het niet weten. De boodschap komt dan bijzonder hard aan. Hij of zij voelt zich verslagen, slachtoffer ook. Het is naïef en onverantwoord te denken dat het voor hem of haar mogelijk is om op een zinvolle manier aan de toekomst te denken, afstand te nemen of keuzes te maken.

De oorzaak van veel uit de hand gelopen scheidingen is de eerste beslisser die te snel een oplossing wil. Vaak heeft die intussen al een kant-en-klaar scheidingsplan, waardoor de ander zich nog meer aangevallen en miskend voelt. Die ander verdient in eerste instantie tijd om de volgende stap te kunnen zetten – tijd om de scheiding te kunnen aanvaarden, tijd die nodig zal zijn om op een constructieve manier aan de scheiding te kunnen meewerken, tijd om samen tot een oplossing te komen waar iedereen beter van wordt.

Bert en Bea hebben drie zonen. Na een lang proces van wikken en wegen neemt Bert de beslissing: hij wil scheiden. Hij ging ervan uit dat ook Bea niet gelukkig was en dat zijn beslissing voor beiden dus een goede zaak was. Tot zijn grote verbazing kwam zijn boodschap bij haar aan als een donderslag.

Ze kozen in eerste instantie voor birdnesting. Of liever: hij stelde het voor bij wijze van proef, en zij volgde hem.

'In de eerste periode na dat gesprek', herinnert Bert zich, 'hadden we alle-bei de beste intenties om naar een harmonieuze regeling voor de kinderen te streven. Na vier maanden gaf Bea aan dat die birdnesting voor haar niet werkte. Meteen bleef van de goede intenties om naar een derde weg te zoeken heel weinig over. De scheiding moest dus vanuit de gezamenlijke woning haar beslag krijgen.' Bea deed in de ogen van Bert te weinig om de scheiding actief te verwerken. Ze wentelde zich steeds meer in de slachtoffer-rol. Logisch dat de kinderen steeds meer met haar gingen sympathiseren.

'Misschien ook wel mijn fout,' denkt hij, 'want in het begin heb ik te veel de schuld van wat er mis was gelopen op me willen nemen. Nu, achteraf, besef ik wel dat ik op dát ogenblik onderschatte dat Bea er nog niet toe was gekomen de scheiding te aanvaarden. Voor mij was het zo klaar als een klontje dat onze relatie niet meer werkte. Ik kon niet begrijpen dat dit voor haar anders was. Het kwam jammer genoeg nooit helemaal meer goed.'

Bert spreekt vanuit zijn teleurstelling, maar beseft dat hij ook te weinig oog had voor haar gemoedstoestand. De combinatie van die twee heeft haar destructieve effect niet gemist.

Om stapsgewijs en constructief tot apart samenleven te komen moet tijd worden genomen. 'Together' heeft ook in dit eerste prille stadium betekenis. Ouders moeten sámen de derde weg op kunnen gaan, ook als dat betekent dat de één een tijdje moet stilstaan en moet wachten op de ander.

DE GROOTSTE UITDAGING

De grootste uitdaging om living together apart in praktijk te brengen, is dat je tegelijk afstand moet nemen én een nieuw soort 'samenleven' moet opbouwen. De tijd lijkt voor die twee activiteiten wel in tegengestelde richting te verlopen. De scheiding gaat uit van onbegrip en vijandigheid, terwijl je slechts aan de derde weg kunt beginnen met wederzijds begrip en vertrouwen. Hoe raak je het onbegrip en de vijandigheid die met de scheiding gepaard gaan zo vlug mogelijk kwijt zodat er weer plaats is voor begrip en vertrouwen?

Algemeen neemt men aan dat afstand nemen een proces is dat meerdere jaren kan duren. Te lang voor wie de derde weg inslaat. De discussie over wat en waar het is misgegaan en vooral wie daar schuldig aan is, zitten de blik op de toekomst meestal hardnekkig in de weg. Velen voelen zich in een eerste fase labiel of schuldig, of allebei. Dat is allerminst een klimaat waarin je goed doordachte beslissingen voor de toekomst kunt nemen.

Het komt er dus op aan zo vlug mogelijk de knop om te zetten. Als je blijft staren naar waar de zon onderging, zul je hem nooit meer zien opkomen. Wat onvermijdelijk is, moet je kunnen aanvaarden. Verdere discussies over het verleden zijn zinloos.

Ontkenning, ongeloof, boosheid, schuld, schaamte en pijn zijn allemaal haarden van conflicten in de verwarring van de op til zijnde scheiding. Er is geen reden om ze uit de weg te gaan. Wel is het van groot belang ze met een open en heldere geest aan te pakken. Conflicten bij scheiding zijn niet het noodzakelijke kwaad waar ze dikwijls voor worden versleten. Onuitgesproken gevoelens die hun weg naar buiten niet vinden, zijn veel erger. Dat worden frustraties die het broze evenwicht zeker zullen verstoren.

Conflicten mag je gerust als onvermijdelijk en heilzaam zien. Je moet alleen zorgen dat ze niet verharden, maar dat je ze oplost. Dan brengen ze je telkens een stap dichter bij je einddoel. Tegelijk wordt bij elke stap de mentale afstand tussen jullie groter. En daar krikt je zelfvertrouwen van op. Het is dus niet het conflict op zich waar je bang voor moet zijn, maar voor de manier waarop je ermee omgaat.

We wezen in een vorig hoofdstuk op het nut van geweldloze communicatie. Die zul je hier meer dan nodig hebben om niet elk conflict in een ruzie te laten escaleren. Misschien helpt het om jezelf ervan te overtuigen dat elke ruzie, in tegenstelling tot een conflict, je verder van je einddoel brengt. Ruzies lossen nooit iets op.

Lieve en Mark waren achttien jaar samen, waarvan elf jaar getrouwd. Ze hadden heel wat verre reizen gemaakt en allerlei culturen gezien. Ze maakten daar kennis met verschillende vormen van relaties. Er kwam een moment dat Mark wou onderzoeken of het mogelijk was binnen zijn huwelijk ook een andere relatie te hebben.

Lieve: 'Dat had niet mijn voorkeur, ik ben voor monogamie. Ik ging er uiteindelijk toch min of meer in mee en werd verliefd op een ander. Ik kon dat niet combineren met mijn huwelijk. Zo kwamen we zonder het te willen in een existentieel conflict terecht.

We hebben er samen lang over gedaan en de verschillende mogelijkheden onderzocht en besproken. Uiteindelijk heb ik gekozen voor de ander. Ook voor Mark werkte het niet zoals hij had gedacht. Het was ons intussen duidelijk geworden dat ons huwelijk voorbij was. We hebben geen overhaaste beslissingen genomen en elkaar de tijd gegund. Nu leven we als buren naast elkaar met onze kinderen op de grens.'

MIDDELEN VOLGENS HET BOEKJE WERKEN NIET

Met de klassieke tips om afstand te leren nemen kom je er niet. Ze leren ons dat je beter geen pogingen onderneemt om je ex-partner tegen het lijf te lopen, zijn of haar vrienden niet speciaal opzoekt en zelfs zijn of haar favoriete plekken mijdt. Bij living together apart kun je dit allemaal vergeten.

Therapeuten stellen over het algemeen voor om alles wat je vroegere partner achterliet te verwijderen. Dat kan natuurlijk niet als je elkaars woning geregeld in- en uitloopt.

Je moet ook je relatie afsluiten, zeggen ze. Dat is gemakkelijk gezegd als je de helft van de relatie moet behouden om samen voor de kinderen te zorgen.

Daarom kan scheiden als partners en samenblijven als ouders alleen maar lukken als men het ideaalbeeld van de partner kan vergeten, en zich kan focussen op zijn kwaliteiten als ouder. De beste manier om daarin te slagen is door nuchter naar je partner proberen te kijken. Hij is niet de droomprins met wie je ooit trouwde. Zij is niet de prinses die wellicht alleen maar in je fantasie bestond. Zij zijn mensen van vlees en bloed met kwaliteiten en gebreken. Bekijk hen zoals ze zijn, nu.

In plaats van je te concentreren op de mooie tijden die jullie samen beleefden, is het beter aan de minder goede momenten te denken. Later zul je vanzelf wel tot een gerelativeerd beeld komen. Voorlopig kunnen de minder goede kanten je het best helpen om het afscheid gemakkelijker te maken. En juist dat heb je nodig om zo vlug mogelijk je leven weer in eigen hand te nemen. Zoek je oude vrienden op en maak nieuwe. Zo zul je vlugger inzien dat je niet de enige bent die dit overkomt en door hun aanwezigheid en steun word je sterker.

'ANDERS SAMEN', MET VERTROUWEN

Samen ouder blijven en toch voldoende afstand nemen als partner kan misschien wel het best op een heel andere manier bereikt worden. Afstand nemen is het negatieve deel van het verhaal. Samen aan de toekomst van de kinderen werken is het positieve deel ervan. Hoe meer je je op dit laatste concentreert en hoe minder op het eerste, hoe vlugger er spontaan afstand zal ontstaan.

Samen (blijven) zorgen voor de toekomst van jullie kinderen is vanaf nu jullie gemeenschappelijke project. Dat project geeft jullie samen een nieuwe toekomst, en dat is het beste medicijn om de rest van het verleden te laten voor wat het is: voorbij. Jullie hoeven jullie verleden niet te vergeten, maar wel achter je te laten.

Bij vrijwel alle getuigenissen vonden we hetzelfde uitgangspunt: een oplossing die niet in de eerste plaats rekening hield met het welzijn van de kinderen, was geen optie.

Kurt en Katrien wonen nog altijd in één huis. In tegenstelling tot Katrien heeft Kurt nog geen nieuwe partner. Als er voor hem een vaste partner zou komen, dan kan het huis een probleem worden, maar hun verantwoordelijkheid als ouder willen ze ook dan behouden. Zij willen hun principe vasthouden: de kinderen samen naar hun volwassenheid leiden. Dat wil niet zeggen dat er door omstandigheden niet zou kunnen worden gesleuteld aan het model, maar dat kan niet ten koste gaan van het geluk van een van hen.

Ook voor Laura en Wim stond vast, zoals voor de meeste anderen, dat ze hun ouderrol 'samen' zouden blijven vervullen. Daar zijn ze nooit van afgeweken, ook niet toen ze een jaar gescheiden hadden geleefd. Vandaar dat hun dochter er gerust op was: 'Ik had het gevoel dat wat er ook zou gebeuren, er altijd genoeg plaats voor mij zou zijn', vertrouwde ze ons toe.

Een 'kinderbrug' tussen gescheiden ouders is op elk moment noodzakelijk, ook in de fase waarin er nog chaos heerst. In ideale omstandigheden is deze brug de blijvende mentale verbinding tussen ouders waarover kinderen vrij, onbezonnen en onbelast heen en weer kunnen lopen.

Die brug behouden zoals hij tijdens het vorige samenzijn was, is voor veel ouders 'een brug te ver'. Dat is ook niet nodig. Wel moet de minimale functie van de kinderbrug behouden blijven. Ouders moeten hun kinderen het recht geven om gelukkig te zijn bij de andere ouder, en hun oprecht laten voelen dat dit kan. Zodra aan die voorwaarde is voldaan, voelen kinderen zich 'vrij' bij de andere ouder en staan zij buiten het conflict. Gebeurt dat niet, dan gaan kinderen hun eigen brug bouwen. Door conflicten groeit er dan een kloof tussen de ouders, die voor de kinderen onoverbrugbaar wordt. De kinderen vallen naar beneden of laten noodgedwongen één ouder los.

Wie kiest voor de derde weg, wil natuurlijk meer dan die noodbrug. Zij bouwen op de oude fundamenten gewoon een nieuwe brug die hun nieuwe leefwerelden verbindt. Over die brug vinden de kinderen hun eigen nieuwe weg naar hun ouders toe.

Door het geluk van hun kinderen vooraan in hun agenda te schrijven schuiven ze bewust hun eigen belangen en conflicten voor een deel opzij. Dit lukt omdat ze in de andere ouder het vertrouwen krijgen dat ze in de (ex-)partner waren verloren: 'Hij of zij wil hetzelfde als ikzelf: het geluk van onze kinderen.'

En in de praktijk?

Uit al het voorgaande blijkt dat bij living together apart tijd en afstand bepalend zijn. De combinatie van die twee stelt ons voor twee belangrijke keuzes. Allereerst bij de scheiding: birdnesting of gewoon samenblijven? En later: één of twee huizen? Meestal nemen mensen die twee beslissingen in deze volgorde.

Op het moment van de scheiding is het onmogelijk om in te schatten wat een of twee jaar later de beste oplossing zal zijn. En zelfs al is dit mogelijk, de spanningen en emoties die onvermijdelijk met de scheiding gepaard gaan, maken het heel moeilijk om definitieve keuzes te maken. Neem je tijd, bouw een wapenbestand in. Maak liever goede en duidelijke afspraken voor een bepaalde tijd. En neem die tijd om jullie toekomst vorm te geven, ieder afzonderlijk als individu en samen als ouder.

Clara was aan een andere relatie begonnen toen ze vond dat hun relatie al-lang was doodgebloed.

Alvorens effectief te scheiden vond ze dat er een volledige regeling op pa-pier moest staan. Vooral de kinderen hadden daar alle belang bij, zo was haar vaste overtuiging. Van een voortdurend slechte verstandhouding tussen hun vader en moeder zouden zij het slachtoffer zijn.

Clara omschrijft haar derde weg als eentje van wachten, geduld en respect voor Karel en zijn gevoelens. Zij was degene die het initiatief had genomen en dus moest wachten tot Karel bereid was mee te werken aan een scheiding. Karel van zijn kant vindt dat het hele proces te lang aansleepte en daardoor zwaar woog. Toch is hij ervan overtuigd dat die tijd misschien de beste raad-gever was om tot hun derde weg te komen.

Toen ze de scheiding inzetten, besloten ze gedurende de scheiding bij elkaar te blijven vanwege de kinderen. Over de toekomstige regeling rond de kin-deren hadden ze vrij vlug een akkoord. Over andere zaken ging de discussie minder vlot, maar later bleek dat het daarvoor juist belangrijk was om de tijd te nemen om tot een regeling te komen waarin beiden zich konden vin-den. Dit was het fundament voor hun blijvend goede ouderrelatie.

Omdat zij overwegend voor de kinderen zorgde, denkt Clara dat het niet moeilijk zou zijn geweest de kinderen partij te laten kiezen. Op die manier had ze misbruik kunnen maken van de kinderen in een strijd 'tegen' papa. 'Dit zou een dubbel verlies zijn geweest', vindt ze, van de kinderen naar haar toe omdat ze hen weghield van hun vader en van de kinderen naar hun va-der toe omdat hij hen niet belangrijk genoeg vond om voor hen te vechten.

'Moeders moeten inzien dat voor kinderen hun vader even belangrijk is als hun moeder', is haar overtuiging. 'Kinderen kunnen of mogen geen van beiden missen.'

Toen ze eenmaal waren gescheiden, bleven ze nog vijf maanden samenleven – een prima periode om naar een woning te zoeken voor Clara.

Sindsdien is de rust weergekeerd en leven ze volgens hun nieuwe afspraken. Clara vindt dat Karel zijn vaderrol wonderwel opneemt. Hij is daarin ge-groeid. Vroeger rekende hij te veel op Clara om voor de kinderen te zorgen.

Tijd was hier de sleutel naar de derde weg: tijd om te overleggen, te beslis-sen en te verwerken. Maar ook tijd om vertrouwen te leren hebben of terug te winnen. Die tijd zorgde voor nieuw evenwicht. Zowel Karel als Clara be-seft dat als een van beiden effectieve stappen had ondernomen om snel tot een regeling te komen, dit wellicht tot een lange en pijnlijke vechtscheiding had geleid. De partnerrelatie speelde zich vanuit het oogpunt van hen beiden op een verschillend niveau af. Voor Clara was de partnerband al langer verbroken, terwijl Karel lange tijd bleef hopen dat hun relatie te redden was als Clara haar buitenechtelijke relatie stopzette.

Door die tegengestelde inschatting van de stand van hun relatie kozen ze ervoor deze moeilijke tijd samen door te brengen. Vermoedelijk was het voor hen de enige uitweg om tot bezinning te komen, maar zeker niet de gemakkelijkste.

Had Clara over scheiden gesproken voordat ze een relatie met iemand anders had of had Karel kunnen inzien dat achter de scheve schaats van Clara hun scheve relatie schuilging, dan hadden ze er wellicht beter aan gedaan fysiek afstand te nemen. Apart wonen en aan birdnesting doen had hen veel sneller tot rust kunnen brengen. Dan hadden ze meteen ondervonden of ze in staat waren goede ouders te blijven terwijl ze hun partnerschap trachtten te vergeten.

Het klinkt misschien eigenaardig, maar wie hoopt dat het misschien toch nog goed kan komen, kiest er beter niet voor om te dicht bij elkaar te blijven. Meestal blijven de conflicten dan overheersen en wordt het alleen maar slechter. Een zekere tijd fysiek afstand nemen kan rust brengen. Dit kan leiden tot andere inzichten en wie weet het verlangen naar de ander weer opwekken.

EÉN OF TWEE HUIZEN?

Voor een oplossing op langere termijn geldt hetzelfde basisprincipe: hoe geringer de mentale afstand, hoe meer de fysieke afstand voor compensatie moet zorgen. Zeker als bij de beslissing tot scheiden een derde speler betrokken is, wordt zelfs het grootste huis algauw te klein. Clara en Karel wisten de moeilijkste fase goed door te komen (vooral toen ze beiden een minnaar hadden), maar het zou toch niet verstandig zijn geweest om hun derde weg in hetzelfde huis voort te zetten.

De keuze voor één huis wordt het best niet gemaakt op basis van financiële overwegingen. Dat is nooit vol te houden als de rest niet goed zit. En uiteindelijk kan het je meer kosten dan je er (tijdelijk) bij wint.

De Franse uitspraak *reculer pour mieux sauter* – een stap achteruitzetten om er twee vooruit te kunnen zetten – is in de aanloop naar living together apart zeker de beste keuze.

Zonder dat dit de bedoeling was, viel het, zoals we eerder zagen, voor Laura en Wim wel zo uit. In plaats van in oeverloze discussies te vervallen kwamen ze overeen dat Laura bij haar nieuwe vriend zou gaan inwonen. Wim ging ervan uit dat tijd raad zou brengen en bleef in het grote huis. Hun dochter zou evenveel bij haar vader als bij haar moeder zijn.

Laura werd al vlug verteerd door een gevoel van schuld. Misschien kwam dat ook wel doordat ze zelf ooit de scheiding van haar ouders meemaakte, een scheiding die allesbehalve vreedzaam verliep. In geen enkel geval wilde ze haar kind aandoen wat ze zelf had meegemaakt. Marthe zelf had het minst last van de verandering. Ze kon het goed vinden met de vriend van haar moeder en voelde zich even dicht bij haar beide ouders.

Na een jaar zette Laura de relatie met haar vriend stop. 'De beste oplossing om haar moederrol te vervullen, was om in "een andere vorm" en in een "andere hoedanigheid" terug te keren naar het vroegere thuis', vond ze. Wim kon zich daarin vinden. Sindsdien leven ze meer dan tien jaar apart samen in één huis.

Meer dan wat ook is de juiste afstand een heel persoonlijke kwestie. Een algemene regel geven is onmogelijk. Wat kan helpen is om goed inzicht te hebben in jezelf en in de ander. Maar ook dat is niet altijd eenvoudig. Hoe sta je echt tegenover degene die gisteren nog je partner was? Als je diep in jezelf je partner nog naar de maan wenst, dan zal twee straten verder gaan wonen geen oplossing zijn. Maar dan kun je ook niet aan een derde weg beginnen.

Het komt er dus op aan goed te weten wat je aankunt en wat niet, maar ook om erachter te komen wat de ander al dan niet aankan. Luister naar wat hij of zij te zeggen heeft. Niet om het te weerleggen, maar om erachter te komen wat je partner echt voelt. Dat is niet per se datgene wat jij denkt dat hij of zij voelt. Vaak slaan degenen die zeggen hun partner vanbinnen en vanbuiten te kennen, de plank helemaal mis. 'Samen' een andere invulling geven is vooral een kwestie van luisteren.

Tips

- Omdat afstand nemen alleen maar mogelijk is als je eigen leven en geluk weer vorm krijgen, is investeren in jezelf de eerste boodschap.
- Heb er begrip voor als jouw (ex-)partner niet zo ver is als jij. Geef hem of haar de kans en de tijd om begrip te krijgen voor jouw standpunt.
- Vergeet het ideaalbeeld van jouw (ex-)partner. Zie hem of haar als een mens met gebreken, maar ook met oog voor zijn of haar kwaliteiten.
- Hoe minder je erin slaagt mentale afstand te nemen van je (ex-)partner, hoe meer fysieke afstand nodig zal zijn.

8

MET HET HART OF MET HET VERSTAND?

Scheiden is een proces dat verstikt in de gevoelens. Sommige kunnen ons helpen, de meeste maken het ons erg moeilijk om de juiste beslissingen te nemen. Gelukkig vervagen gevoelens meestal vrij vlug en nemen ze in sterkte af. Vaak zijn we achteraf blij dat we niet op basis van onze eerste gevoelens en impulsieve reacties handelden. In door emoties overmande situaties zijn mensen nu eenmaal minder in staat om goede beslissingen te nemen.

In *Gelukkiger leven*[18] verwoordt Gerbert Bakx het zo: 'In een toestand van emotionele crisis worden nogal eens impulsieve beslissingen genomen die niet veel met liefde te maken hebben en waar men later spijt van krijgt. Vaak worden in ogenblikken van boosheid dingen gezegd, worden verwijten naar iemands hoofd geslingerd of worden uit wraakgevoelens dingen gedaan die diepe wonden nalaten en die de relatie uiteindelijk meer schade berokkenen dan het gebeuren zelf.'

Hoe kunnen we ervoor zorgen dat die gevoelens bij een scheiding een goede ouderrelatie niet bedreigen? Bepaalde gevoelens lijken 'standaard' bij een scheiding te behoren. Het zijn vaste hindernissen op elke derde weg.

Als je wilt uitgaan van 'een goede scheiding', laat dan je negatieve gevoelens nooit de toon bepalen.

Kris: 'Ik weid hier niet uit over de eerste moeilijke periode van verwijten die mijn vrouw me maakte, de schuldgevoelens die bij mezelf leefden en de onmogelijkheid hierover te praten met mijn ouders. Ja, ik heb mezelf verwijten gemaakt en dagen en nachten gehuild. Op den duur had ik het gevoel innerlijk te huilen en voelde ik de tranen langs de binnenkant in mijn keel vloeien.
Uiteindelijk zijn we de rationele toer op gegaan. Mijn vrouw is heel lang van me blijven houden en blijven hopen dat ik emotioneel bij haar zou terugkeren. Het huis waarvoor we de bouwplannen door onze huwelijkscrisis in de kast stopten, hebben we uiteindelijk toch samen gebouwd, en we zijn er samen met de kinderen ingetrokken.

We maakten van dat huis ons gezamenlijke nest en bogen onze relatie om in een relatie waarin evenveel plaats was voor vriendschap als voordien, maar anders.'

Ondanks veel verdriet, schuldgevoel en wanhoop slaagden Kris en Françoise erin de situatie aan te pakken. Ze namen geen beslissingen op basis van hun eerste emoties, maar brachten de moed op om de tijd zijn werk te laten doen en tot bezinning te komen.

Dit is alleen maar mogelijk als je de negatieve gevoelens onder controle krijgt, zodat je weer ruimte kunt geven aan de constructieve gevoelens die je kunnen helpen.

Laten we enkele gevoelens die ons bij een scheiding kunnen overvallen even van nabij bekijken. We behandelen expres niet alle gevoelens. Voor een deel omdat dit vrijwel onmogelijk is, maar meer nog omdat bepaalde emoties, zoals wraak of wrok, niet verenigbaar zijn met iemand die op zoek gaat naar een derde weg.

Gevoelens die ons parten (kunnen) spelen

Deze gevoelens kennen en in staat zijn ze bij onszelf te herkennen is een eerste stap. Weten hoe we ze kunnen aanpakken en beheersen is een volgende stap – uiteraard de belangrijkste.

ANGST EN VREES

Halsstarrig vasthouden aan een vooringenomen mening is vaak een uiting van angst. Ook achter woede, onredelijkheid en overdreven drama gaat vaak een gevoel van angst en onzekerheid schuil. Angst is daardoor een gevaarlijke emotie, omdat hij zich in gedaantes voordoet die anderen op het verkeerde been zetten. Dat gebeurt meestal niet bewust, en dus niet omdat we boos willen zijn, maar om onze kwetsbaarheid te verstoppen.

Actie leidt tot reactie. Zo kan angst leiden tot meer boosheid of woede bij de ander, en voor we het weten escaleert het conflict.

In het geval van angst heeft het hart het verstand duidelijk nodig. Hoe meer emoties de overhand nemen, hoe meer het conflict zal oplaaien. En hoe meer het conflict escaleert, hoe groter de kans dat we richting een verliessituatie gaan.

Angst is moeilijk te bestrijden omdat hij zich richt op een ondefinieerbaar gevaar. Bovendien verstoppen we onze angst meestal niet alleen voor de ander, maar ook voor onszelf. Wie echt last heeft van angstgevoelens, kan het best deskundige hulp zoeken.

Maar bij een scheiding gaat het meestal om een mengeling van angst en vrees. Je hebt angst voor de toekomst waar je alleen komt voor te staan en die angst vertaalt zich in allerlei concrete dingen die je vreest. De kans dat die ooit zullen gebeuren, is bij een klassieke scheiding misschien vrij reëel, maar bij degenen die kiezen voor de derde weg waarschijnlijk ongegrond. Samen voor de kinderen blijven zorgen houdt immers in dat men de ander niet in de steek laat als die in moeilijkheden zit.

Van Clara bijvoorbeeld weten we dat het begin van haar derde weg geduld vergde en ups en downs kende. Nu, achteraf, beseft ze dat de conflicten tussen Karel en haar en het gebrek aan vertrouwen in elkaar tijdens het gehele scheidingsproces grotendeels terug te brengen waren tot angst. Angst dat ze zou toegeven, maar uiteindelijk op een weigering van Karel zou stoten om aan zijn financiële verplichtingen te voldoen.

De vrees van Clara bleek later helemaal ongegrond. Bij Martine ligt het anders. Nadat zij Luc met zijn nieuwe vriendin in huis had aangetroffen en bij haar 'de stoppen waren doorgeslagen', zag ze algauw in dat haar angst om de betrokkenheid van zoontje Igor ongegrond was. Maar onmiddellijk kwam er een andere vrees voor in de plaats:

'Mijn grootste angst was toen gebaseerd op het feit dat ik eigenlijk wilde vermijden dat Igor het erg zou vinden. Gelukkig was dat niet het geval. Maar nu blijft wel mijn angst dat het op een dag niet meer zo goed gaat, of dat hij zegt: "Ik wil liever bij papa zijn." Ik weet dat die kans heel gering is en dat ik me daartegen moet verzetten, maar diep in mij blijft het moeilijk.'

Ondanks haar angst heeft Martine toch de goede reactie. Ze weet dat ze zich ertegen moet verzetten, maar aangezien haar vrees over iets concreets gaat, kan ze er ook nuchter mee omgaan: hoe groot is de kans eigenlijk die zij nu al 'gering' noemt? En wanneer zou dat kunnen gebeuren, binnen tien jaar misschien? Dan zal niets meer zijn zoals het nu is, ook haar leefwijze en haar gevoelens niet. En zelfs dan zijn er wel oplossingen te vinden. Waarom zou ze zich vandaag dan zorgen maken?

Wel moeten degenen die kiezen voor living together apart flexibeler dan anderen zijn. Voor wie te bang is voor de toekomst en te weinig vertrouwen heeft in anderen – vooral de ex-partner – kan die weg te lastig zijn. Garanties dat de weg die je hebt gekozen ook in de toekomst de beste zal zijn, zijn er niet. Je moet eerder verwachten dat er aanpassingen nodig zullen zijn. Je kunt je daar alleen maar tegen wapenen door vanaf het begin zo veel mogelijk vooruit te denken, maar alles voorzien is onmogelijk.

Dit alles ondermijnt de essentie van de derde weg niet. Integendeel zelfs, het versterkt de ideologie erachter. Telkens opnieuw kun je het zien als een uitdaging om beter het doel te bereiken dat jullie samen hebben gesteld, en dat jullie ook samen tot een goed einde willen brengen.

MEA CULPA

De wetgever hecht geen waarde meer aan wie er 'schuld' heeft aan de scheiding. Hij wordt hierin langzaam gevolgd door de maatschappij waarin wij leven. We zien steeds meer in dat mensen die scheiden niet slecht of schuldig zijn, dat het zinloos is om van schuld te spreken omdat je in een relatie altijd met zijn tweeën bent, en dus ook bij het mislopen van die relatie. En toch blijft wie scheidt nog vaak met een schuldgevoel zitten – omdat de relatie niet standhield, omdat hij of zij de stekker uit de relatie trok, omdat de kinderen lijden, of omdat we niet langer model staan voor 'het gezin'.

> We zagen hoe bij Laura en Wim de eerste jaren na de scheiding moeilijk verliepen. Laura had vooral last van een schuldgevoel omdat zij had besloten het huis te verlaten om een nieuwe relatie aan te gaan. Dit schuldgevoel zorgde mede voor de unieke invulling van haar moederrol door terug naar huis te keren en een andere manier van samenleven met haar ex-partner uit te proberen.
> Laura: 'Toen dat schuldgevoel mij destijds overmande, heb ik een beroep gedaan op een therapeut. Dat heeft mij veel geholpen en inzicht in mezelf gegeven. Ik ontdekte hoe mijn verleden me met dat schuldgevoel opzadelde, maar ik leerde ook hoe heel veel kleine dingen samen in het leven veel belangrijker kunnen zijn dan Geluk met de grote G, of de Liefde met een even grote L.'

Laura lijkt zich dus vooral schuldig te voelen, omdat zij als eerste een andere partner vond en de keuze maakte de gezinswoning te verlaten. Maar ook de negatieve ervaring rond de scheiding van haar ouders speelde een rol.

Wie apart samenleven als ouders, voelen zich vaak ook schuldig omdat ze voor hun kinderen geen liefdevol rolmodel zijn als partners. Wellicht omdat ze zo met hun kinderen begaan zijn, voelen ze dit sterker aan dan anderen. Telkens als ouders ons over dit soort schuldgevoel spraken, stelden we onmiddellijk de vraag aan de kinderen. Telkens kregen we ongeveer hetzelfde antwoord:

> Kris: 'We maakten nooit ruzie, niet onder elkaar en dus ook niet voor de ogen van de kinderen. Maar ze zagen ons ook nooit knuffelen of samen stoeien. En ik heb nog steeds scrupules omdat wij hun op dat vlak geen goed rolmodel meegaven.'
> 'Die scrupules hoeven echt niet,' stelt Gella (nu 26) hem onmiddellijk gerust, 'ik zou het erg hebben gevonden als jullie mij niet hadden geknuffeld, maar dat jullie niet knuffelden vond ik normaal. Ik herinner me niet dat ik ooit ouders van mijn vrienden zag knuffelen of dat ik van hen hoorde dat zij dat deden. Ik denk ook dat dit over het algemeen heel weinig gebeurt, ook bij ouders die een gewoon gezin hebben en al zoveel jaren bij elkaar zijn. En al zeker niet in het bijzijn van hun kinderen. Dat jullie geen ruzies maakten, dát was voor ons belangrijk.'
> 'Daar ben ik het helemaal mee eens', zegt Edgard (nu 23), haar broer. 'Als kind wil je liefde krijgen en je goed voelen. De mate van affectie tussen mijn ouders heb ik nooit als abnormaal ervaren.'

Bij scheiding komt het schuldgevoel ook vaak voort uit een overtrokken gevoel van mislukking en falen: het huwelijk dat mislukte of het gezin dat we niet aan onze kinderen kunnen bieden.

Psycholoog Maarten Vansteenkiste[19] schrijft hierover: 'Hierbij moeten we ons de vraag stellen: zijn we zo schuldig als we ons voelen? Schuldgevoel weegt op een mens als een rugzak vol stenen. Soms zou je niks liever willen dan al die schuldgevoelens achterlaten langs de kant van de weg. Het enige goede antwoord hierop is: maak de rugzak eens open en kijk welke stenen echt van jou zijn.

Je kunt schuldgevoel ook beschouwen als een alarm dat afgaat. Het zet de weg open om met meer overtuiging prioriteiten te stellen. Schuldgevoel is een vorm van zelfevaluatie. Het is een signaal om je af te vragen of wat je doet ook echt jouw verantwoordelijkheid is. Het geeft aan dat je niet functioneert vanuit je eigen verlangens en behoeften. Zo bekeken kan het je ook helpen prioriteiten te stellen in je leven.'

JALOEZIE

Jaloezie verwijten we zo gemakkelijk aan anderen, maar herkennen we zelden bij onszelf. Kunnen, maar vooral mogen we jaloers zijn op degene met wie we niet meer samenleven? Waarom brengt de confrontatie met het feit dat de ander echt verder leeft ons nog zo van ons stuk? Dit zijn verwarrende gevoelens, die soms hard en onverwacht toeslaan.

Dat jaloezie living together apart stevig in de weg staat, is een understatement. Wie zonder geruzie wil blijven samenwerken voor de kinderen, moet die gevoelens opzij kunnen zetten. Niet voor niets legden we eerder sterk de nadruk op het nemen van afstand, vooral op mentaal vlak.

Jaloezie heeft nog nooit iemand iets positiefs gebracht, wel veel ellende. Jaloezie wordt gemakkelijk met liefde in verband gebracht, maar dit is zeer betwistbaar. Heeft ze niet veel meer te maken met verliefdheid? Daarvan mag men toch verwachten dat die bij een scheiding allang is verdwenen. Wat overblijft, is de angst om te verliezen, maar als je kiest voor de derde weg, hoef je niets te verliezen. Hoogstens zullen de verhoudingen veranderen.

Een sterkere vorm van jaloezie is afgunst en dat is heel wat anders. Wie afgunstig is, gunt de ander zijn of haar geluk niet, terwijl de basis van succesvol apart samenleven juist is dat je elkaar wél gunt. Als je je afgunst niet de baas leert te zijn, zit je met een probleem. Ook hierbij kan professionele hulp de uitweg zijn.

GEMIS

Gemis is misschien wel het sterkst beleefde gevoel van gescheiden ouders, zeker in het begin. De vroegere partner mist men zelden, de kinderen des te meer. Dat blijkt ook uit de klacht van iemand die ons schreef:

> 'Wat ik het meest heb gemist in de literatuur sinds mijn scheiding, nu drie jaar geleden, is de belichting van het emotionele. Wat is de impact van je kinderen een week niet zien? Wat doet dat met een moeder? Wat doet dat met een vader of een plusmoeder? Hoe ga je om met de reacties van de kinderen? Ik ben gescheiden en heb een nieuwe partner met wie ik sinds kort samenwoon. We hebben een co-ouderschapsregeling, volgens mij een van de slechtste systemen die men ooit heeft uitgevonden.'

Misschien herken je je in die aanklacht. Veel moeders en vaders vinden het erg om hun kind geregeld een week te moeten missen. Dat zij of hun ouders soms zelf jaar in jaar uit in een internaat zaten, zijn ze allang vergeten.

Soms lijkt het wel alsof de ouders hun kinderen meer nodig hebben dan de kinderen hun ouders.

Toch kun je er alle begrip voor hebben dat het even wennen is voordat men er de voordelen van gaat inzien.

> *Martine: 'In het begin had ik het ook moeilijk op de dagen dat hij bij zijn vader was. Hier zit ik nu, dacht ik. Gelukkig wist ik me te vermannen, realiseerde ik me dat ik van die drie dagen gebruik moest maken om nieuwe energie op te doen. Zodat als hij terugkwam, hij een moeder vond zoals hij die wenste. Een moeder die positief tegen de dingen aankeek en daardoor dat positieve gevoel op hem kon overdragen.*
> *Sindsdien ben ik ook het voordeel van die dagen gaan inzien. Een kans om dingen te doen die je niet kunt doen als je altijd de zorg voor je zoon hebt. Binnen ons nieuwe bestaan is dit een kans om zonder scrupules in de eerste plaats aan mezelf te denken.'*

Wat dit gemis betreft, komt de derde weg ons tegemoet. Hij verhindert immers dat we de kinderen bij een scheiding, samen met huis, inboedel, geld en de rest, gaan verdelen. Kinderen worden niet verdeeld, maar blijven gedeeld tussen ouders. Een kleine nuance, maar een wereld van verschil.

Toen Luc hoorde dat Martine het moeilijk had met dat gemis tijdens die drie dagen, stelde hij haar onmiddellijk gerust: 'Als je even met Igor eens iets wilt doen, dan is dat geen enkel probleem, een sms'je volstaat', had hij gezegd. Of living together apart op zijn best.

Gevoelens die ons kunnen helpen

Gelukkig zijn er niet alleen gevoelens die ons in de weg staan, maar ook die het pad effenen. Iedereen heeft zulke gevoelens. Het is alleen een kwestie van de eerste onder controle te krijgen en de tweede een kans te geven.

LIEFDE EN BEZORGDHEID

De liefde van ouders voor hun kinderen is moeilijk te omschrijven. Iedere ouder kent het, maar kan er geen woorden voor vinden. Het is die liefde die leidt tot de bezorgdheid van waaruit ouders willen doen wat het best voor hun kinderen is. Het is geen toeval dat die liefde en zorg sterk aanwezig zijn bij vrijwel alle (ex-)partners met wie we spraken. Dat gevoel is hun kompas naar hun derde weg.

De kinderen uit die gezinnen voelen ook dat deze gevoelens bij beide ouders intact zijn. De scheiding heeft daar niets aan veranderd, soms integendeel. Soms is de relatie met iedere ouder verdiept omdat ze nu meer afzonderlijk met hen omgaan. De liefde aan beide kanten is vaak gegroeid.

HOOP DIE LOONT

Dat liefde voor onze kinderen het cement is om samen ouders te blijven, vinden we normaal. Maar wellicht zijn hoop en volharding niet minder belangrijk, zeker als de scheiding een erg moeizaam begin kent.

> Dorien: 'Onze scheiding begon erg slecht. De verleiding was groot om onder alles een streep te trekken. Maar dat wilde ik in geen geval vanwege Axel en Amelie.
> Ik bleef hopen op een betere toekomst en was bereid daar heel veel voor te doen. Het is die hoop die mij telkens opnieuw op het punt bracht een akkefietje te laten voor wat het was en naar de toekomst te blijven kijken. We hebben dieptepunten gehad, waarbij wanhoop om de hoek loerde. Alleen onze volharding bracht een sprankeltje hoop om als strohalm te gebruiken.
> Dankzij die hoop zijn we nu allemaal gelukkig. We vierden onlangs de communie van onze dochter samen, we geven samen feestjes voor de verjaardagen, en drinken samen koffie als de kinderen nog niet klaar zijn om met papa mee te gaan als hij hen komt halen.
> Wat ooit onmogelijk leek, is werkelijkheid geworden. Hoewel we meer dan vijftig kilometer van elkaar wonen, hebben we allebei het gevoel onze kinderen samen op te voeden. Dat heeft er lange tijd anders uitgezien.'

Het blijvende geloof dat het anders, beter en gelukkiger kan, zorgt voor het verleggen van grenzen. Een hoogspringer legt aan het begin de lat ook niet op twee meter. Met enkele centimeters per keer werkt hij zich naar het einddoel. Waarom zouden we het bij de zorg voor onze kinderen anders doen?

VAN RESPECT TOT EEN ANDERE VORM VAN VRIENDSCHAP?

Dat bij een scheiding jouw respect voor je partner is aangetast, is begrijpelijk maar niet onoverkomelijk. Als ook jouw respect voor de ouder in je partner is verdwenen, is dit wel een probleem. Om te slagen in living together apart moet je er ten minste van overtuigd zijn dat je (ex-)partner een goede vader of moeder is. Maar dat is niet altijd voldoende.

Als je het respect voor je man voor een deel bent verloren omdat hij geregeld een puinhoop van het huis maakte terwijl jij van orde en netheid houdt, dan zal verder in één huis wonen wellicht geen goede optie zijn. Kies je voor twee huizen, voel je dan niet geroepen om af en toe bij hem orde op zaken te stellen met het excuus dat de kinderen in zo'n warboel niet kunnen leven.

Hoe meer respect er overblijft, hoe beter het is. Is het op het randje, probeer dan samen uit te zoeken waar de schoen wringt. Vraag indien het echt nodig is aan de ander om er iets aan te doen en toon je zelf ook bereid om datgene te vermijden wat jouw (ex-)partner zo erg stoort. Wellicht ben je verrast hoe jullie dit na de scheiding beter lukt dan ervoor.

Zoals Clara bijvoorbeeld, wier scheiding echt niet vlekkeloos verliep: 'Sinds de effectieve scheiding is de rust weergekeerd. Vrijwel onmiddellijk begon voor ons een nieuw leven: eentje van overleg, respect en gezamenlijke verantwoordelijkheid. Ook het vertrouwen in de andere ouder is doorslaggevend. En dat vertrouwen is nu helemaal hersteld. Wederzijds.'

Niet zelden evolueert dit respect tot een vernieuwde vorm van vriendschap tussen de ouders. Daar zijn zij zelf blij mee, en de kinderen nog meer.

Berenice: 'Alles heeft zich nu gestabiliseerd. Paul en ik hebben nu beiden een jarenlange relatie. De kinderen kunnen het met hun twee plusvaders erg goed vinden, zodat wij er af en toe met zijn allen een echt feestje van kunnen maken. Het feit dat de twee nieuwe partners geen kinderen hebben, vergemakkelijkt ons "verbond", dat ik gerust vriendschap zou kunnen noemen. James en Annemie, de kinderen, kunnen dit alleen maar volmondig beamen.'

Zo'n vriendschap is een mooi meegenomen cadeau, maar niet echt een noodzaak. Respect is dat wél.

De gevoelens van de kinderen

De gevoelens van ouders kennen we onderhand wel, want ze zijn onvermijdelijk bij een scheiding. De gevoelens van onze kinderen zijn ons niet altijd even duidelijk. Ze blijken uit hun gedragingen, hun houding, hun woorden. Naar wat er echt in hen leeft, blijft het meestal gissen. Ouders horen vaak pas achteraf hoe hun kinderen de scheiding echt beleefden.

In heel wat gezinnen die we bezochten waren er oudere kinderen. We vroegen naar hun ervaringen. Je leest daar meer over in het laatste hoofdstuk. Toch kunnen we nu al zeggen dat er van de negatieve gevolgen die algemeen worden vastgesteld bij kinderen van gescheiden ouders, weinig te vinden was. Dit wil niet zeggen dat deze kinderen geen angst of onzekerheid hebben gekend, geen boosheid of verdriet. Maar door de samenhorigheid van de ouders nam dat nauwelijks een grotere plaats in dan ruzies die in de beste gezinnen voorkomen. Ook dan leeft een kind met angst en verdriet, maar blijvende littekens laat dat meestal niet na.

ANGST EN VERWARRING DOOR ONZEKERHEID

Naarmate angst en spanningen tussen de ouders toenemen, worden ook de kinderen onzekerder. Als de ouders een periode van uitdijend conflict beleven, nemen de kinderen daar ongewild aan deel.

> *Tijdens de periode dat Karel en Clara nog samenwoonden en voor de buitenwereld en de kinderen de schone schijn ophielden, leefden Viktor, Henri en Isa in onzekerheid. Hoewel zij niets wisten van de beslissing van Carla om te scheiden, merkten ze wel wat er gaande was. Tijdens die periode waren ze opvallend braaf.*
>
> *Clara zegt achteraf te hebben ingezien dat hun ontwikkeling eigenlijk stilstond doordat zij als ouders te veel bezig waren met zichzelf en ruziemaakten.*
>
> *'Henri was opvallend de flinkste: klaagde nooit en was het "ideale kind". Pas maanden na de effectieve scheiding begon hij aan zijn verwerkingsproces, dat gepaard ging met angst. Het lijkt alsof hij daarmee wachtte tot Viktors verwerking, die gepaard ging met woede-uitbarstingen en huilbuien, achter de rug was.'*
>
> *Clara vraagt zich af of ze dit misschien onbewust stimuleerde door het flinke gedrag van Henri te veel op te hemelen toen Viktor zo moeilijk deed.*

Het enige dat de angst en verwarring bij kinderen kan wegnemen, is duidelijkheid over wat er te gebeuren staat. Daarom maken ouders die hun kinderen buitenspel weten te zetten totdat hun strijd is uitgevochten, het zichzelf en de kinderen veel gemakkelijker.

Als je hun daarbij ook nog kunt zeggen dat jullie samen voor hen blijven zorgen en er weinig zal veranderen in hun leven, zal de onzekerheid vlug verdwijnen. De enige vraag die dan overblijft, is of deze unieke regeling wel (lang) stand zal houden.

Voor Arno, zoontje van Tim en Sien, is de situatie waarin hij nu woont niet helemaal duidelijk. Papa woont boven, en mama verhuisde naar de benedenverdieping die daarvoor verhuurd werd. Tim vraagt zich af of deze regeling wel zo goed is voor Arno. Hij en Sien zijn nog niet zo lang uit elkaar, en weten zelf eigenlijk nog niet zo goed waar ze naartoe willen en zien dit als een tussenoplossing. Daardoor beantwoorden ze ook niet zo eerlijk al de vragen van Arno.

Logisch dat Arno verward en angstig reageert. Vragen van je kinderen beantwoorden waarop je zelf het antwoord nog niet kent, is moeilijk. Toch schuilt in de meeste vragen van kinderen steeds diezelfde essentiële vraag: zullen jullie er allebei voor mij blijven en kan ik op jullie rekenen? Zullen we jullie niet verliezen? Die vraag kun je altijd beantwoorden.

BOOSHEID

Als je erin slaagt jullie nieuwe leefwijze op een goede manier te communiceren, zal er bij de kinderen zelden een gevoel van boosheid ontstaan. Eerder voelen ze aan hoezeer je met hen begaan bent en het beste met hen voorhebt. Je kunt eerder boze reacties verwachten als hun vertrouwen in jou geschaad is.

Om kinderen te beschermen verzwijgen ouders vaak dingen voor hen. Als ze de waarheid dan zelf moeten ontdekken, is hun vertrouwen zoek. Het is dan niet het feit zelf dat hen treft en boos maakt, maar het feit dat je hen niet als volwaardig hebt behandeld. De verzwijging wordt dan erger dan de kwaal.

Zo zagen we hoe Gella, de dochter van Kris en Françoise, niet boos was omdat haar ouders niet meer als partners samenleefden, ook niet omdat haar vader homoseksueel bleek te zijn, maar wel omdat haar ouders haar al die jaren in een ander beeld van zichzelf hadden doen geloven. Dát was op dat ogenblik voor haar ondraaglijk.

SCHULDGEVOEL EN LOYALITEIT

Kinderen denken vaak dat zij de oorzaak zijn van de scheiding van hun ouders. Als iedereen in hetzelfde huis blijft wonen, zal dat schuldgevoel zich zelden voordoen. Zelfs bij birdnesting of bij het samen voor de kinderen blijven zorgen in twee huizen bleek dit schuldgevoel zeldzaam.

Gezien het nauwe contact tussen hun ouders is er dan ook veel minder een loyaliteitsprobleem. Toch blijft alertheid geboden, want dit gevoel leeft bijzonder sterk en kan bij de minste gelegenheid opduiken.

Omdat ze hadden gehoord dat Karolien mede aan de basis lag van de schei-ding van hun ouders, hadden Lut en Wout vooraf het plan opgevat haar te haten. Toen ze haar ontmoetten, vonden ze haar eigenlijk leuk. Daardoor voelden ze zich schuldig tegenover hun moeder.

Hun moeder geeft toe dat het haar tijd kostte om Karolien een plaats te geven en te aanvaarden. Maar toen Lut na een tijd liet blijken dat haar houding het voor hen moeilijk maakte, besloot ze de nodige inspanning te leveren.

Voor zover er schuldgevoel bij kinderen aanwezig is, hebben ouders de bes-te sleutel in handen om deze emotionele last bij hen weg te nemen door duidelijk aan te geven dat ze zich best goed mogen voelen bij de ander.

IJDELE HOOP

Als er één gevoel bij het kind is dat we speciaal in het oog moeten houden, dan is het wel de hoop dat alles weer goed zal komen. Jij als ouder weet wel hoe het zit, maar denk niet te snel dat je kind je wel zal volgen.

De kans dat die hoop blijft leven, is bij deze leefwijze nu eenmaal groter dan bij wie de klassieke scheidingsweg volgt. Het is voor kinderen niet al-tijd duidelijk waar de ouderrelatie eindigt en de partnerrelatie begint, ze-ker als ouders in één huis wonen, zoals bij Sylvie en Joris.

Wat Sylvie erg betreurt, is dat Joris en zij te lang voor Julie hebben verzwe-gen dat zij hun relatie beëindigden. Zij beschouwt dit als een van hun grootste fouten. Ze wilden Julie zo lang mogelijk overmatig beschermen, en gaven eerder het signaal dat ze toch samen zouden blijven. Dit heeft het herenigingsverlangen van Julie erg gevoed, en maakte haar ook triest.

Uiteindelijk legden ze haar de situatie uit: mama en papa gingen scheiden, maar zouden in één huis blijven wonen. Het was of er een enorme last van haar schouders viel, want nu had ze eindelijk een verhaal naar de buiten-wereld toe.

Toch is de herenigingsdrang bij Julie en haar broer nog altijd aanwezig. Ze sporen Sylvie en Joris aan tot knuffelen als ze dicht bij elkaar staan, en wan-neer ze met zijn vieren iets doen, willen de kinderen altijd foto's maken.

'Hoop doet leven' moeten de ouders uit het woordenboek van hun kinderen schrappen. In elk geval wat hun hereniging betreft. Hoop op een haalbaar doel is motiverend, ijdele hoop leidt tot ontgoocheling en wordt destructief. Ouders die de derde weg inslaan, mogen, meer dan anderen, die ijdele hoop geen kans geven.

Wie een scheiding meemaakt en positief verder wil, moet door een bos van tegenstrijdige gevoelens. Dan alleen je hart laten spreken is niet 'verstandig'.

Dit wil niet zeggen dat we onze gevoelens geen kans mogen geven. Zeker mogen we ze niet onderdrukken, want daar komt alleen maar narigheid van. Door onze schuldgevoelens te ontmantelen kunnen we ze constructief aanwenden. Door in onze woede de achterliggende angst te herkennen kunnen we onze boosheid ontmijnen. Door meer plaats te maken voor respect en vriendschap dan voor jaloersheid en afgunst ligt de weg naar een betere toekomst open.

Nooit zullen we ons doel bereiken door onze eerst opkomende gevoelens blindelings te volgen. Doen we dat wel, dan nemen ze de leiding van ons over en bepalen zij wat er verder zal gebeuren. Elke vooruitgang kunnen we dan vergeten. Om tot de beste inzichten te komen en de juiste keuzes te maken hebben we ons verstand broodnodig.

Tips

- Gevoelens die je parten kunnen spelen, moet je aanpakken. Lukt het niet alleen, zoek dan hulp.
- Alleen je hart laten spreken is niet verstandig. Neem nooit beslissingen op basis van je (eerste) emoties.
- Ontdek de angst in je woede-uitvallen, onredelijkheid of slachtofferrol. Om tot oplossingen te komen moet je die angst overboord gooien.
- Behoed jullie kinderen voor de ijdele hoop dat alles weer goed zal komen.

9

ONZE OMGEVING, STEUN OF REM?

Onze maatschappij heeft de mond vol van flexibiliteit en creativiteit. Dus zou je denken dat creatieve vernieuwingen op applaus zouden worden onthaald, maar dit is niet direct wat we zien bij degenen die het lef hebben living together apart uit te proberen. Heel wat scepsis valt hun te beurt: 'Het is verwarrend voor de kinderen', 'Het is voor de meeste mensen onmogelijk', 'Jullie houden dat nooit vol', 'Doe toch gewoon'. Buiten de gebaande paden gaan lijkt veel buitenstaanders te veel van het goede.

Wij zijn gewend om mensen in hokjes te plaatsen en hen daarop te taxeren. Iedereen moet tot 'een groep' behoren, en wie overblijft is 'anders'. Mensen zijn gescheiden of ze zijn het niet. 'Onbekend maakt onbemind' is in deze context van toepassing. Zeg maar eens: 'Ja, ik ben gescheiden, maar we wonen nog in hetzelfde huis en voeden onze kinderen samen verder op.' De kans is klein dat het antwoord is: 'Wauw, wat leuk dat jullie op die manier toch een gezin blijven.'

De samenleving beoordeelt alles vanuit het idee dat zij de juiste norm in pacht heeft. Op diezelfde basis veroordeelt zij ook. Dat je niet meer samen hoeft te blijven als het echt niet gaat, daarover is de publieke opinie het intussen wel eens. Tot het de eigen kinderen betreft, dan ligt het wel even anders.

En als men scheidt, wat is dan de norm? De scheiding volledig doortrekken, ook wat de ouderrelatie betreft? De partner helemaal afstoten omdat het tussen jullie niet klikte, ook al is hij of zij misschien een heel goede vader of moeder? Hoeveel schoonouders sluiten hun ex-schoonzoon of -dochter nog in de armen als het tot een scheiding komt, ook al waardeerden ze hem of haar altijd zeer? Het feit dat mensen op zoek gaan naar alternatieve vormen om gescheiden te leven doet vermoeden dat de gehanteerde normen niet voldoen.

In zijn boek *Identiteit* verdedigt Mark Verhaeghe[20] de stelling dat onze omgeving grotendeels bepaalt wie wij worden. We leven gewrongen tussen verlatingsangst (angst om verwijderd te worden door de groep) en intrusieangst (het verlangen naar autonomie): 'We willen deel uitmaken van grotere gehelen en tegelijk streven we naar onafhankelijkheid.'

Terwijl we ons tijdens de puberteit afzetten tegen de algemene norm en onze eigenheid ontdekken, lijken we ons tijdens onze volwassenheid gaandeweg weer te conformeren. Mensen worden nu eenmaal graag aanvaard en goedgekeurd. Voor sommigen kan dat goed lijken, voor anderen is het dat niet. We laten dat in het midden.

Wel staat vast dat elke afwijkende vorm van samenleven stuit op verzet en commentaar van de omgeving. De derde weg vormt hierop geen uitzondering. Toch zou het heel jammer zijn als je hem om die reden links zou laten liggen. Je hoeft je immers alleen maar te verantwoorden tegenover een beperkte kring: jezelf, je partner en je kinderen. Zolang je met hen rekening houdt, kun je weinig verkeerd doen.

Wel is het goed om je bewust te zijn van de tegenwind die je kunt krijgen, zelfs vanuit hoeken waaruit je dit het minst verwacht. Zo ben je er beter op voorbereid en sta je sterker in je schoenen als je het wantrouwen weg moet werken.

Want je kunt het ook heel anders zien. Misschien is het wel eerder aan de maatschappij om haar normen bij te stellen en zijn er mensen als jij nodig die anders durven denken omdat ze ervan overtuigd zijn dat dit beter is.

Opvallend is het enthousiasme van de jongere generatie. We hoorden van Wout en Frans, wier ouders al jaren aan birdnesting doen, en ook van Marthe, wier gescheiden ouders nog steeds onder één dak wonen, nagenoeg hetzelfde.

'De meeste vrienden of vriendinnen aan wie ik vertelde hoe de vork precies in de steel zat bij ons, toonden bewondering dat mijn ouders hun probleem op die manier hadden weten op te lossen. Eigenlijk heb ik er nooit moeite mee gehad om te vertellen hoe wij "afzonderlijk samenleven".'

Als genoeg mensen zo zouden leven, wordt living together apart een norm als andere normen en zal de omgeving die leefwijze aanvaarden. Degenen die deze weg in de toekomst willen bewandelen, zullen je dankbaar zijn dat je het voortouw hebt durven nemen.

Onze naaste omgeving

Wat 'men' over ons denkt, hoeft ons natuurlijk niet te interesseren. Tenzij het om onze naaste omgeving gaat waar we juist op zoek gaan naar steun en goedkeuring. En die naaste omgeving valt nou net soms hard tegen. Dat heeft zo zijn redenen.

Hoe dichter iemand bij je staat, hoe beter hij je denkt te kennen en hoe beter hij meent te weten wat goed voor jou is. Het probleem is dat, hoe goed die persoon je ook kent, hij niet weet hoe jouw relatie er echt uitziet, wat er zich precies tussen jullie afspeelt of wat er zich niet meer afspeelt.

OUDERS

Ouders zijn de eerst aangewezenen als er zich ernstige moeilijkheden voordoen. Met de beste bedoelingen willen ze je helpen. Maar ze kunnen je ook beoordelen, of veroordelen. Juist omdat de band zo nauw is, zijn ze niet altijd de besten om uit te maken wat je te doen staat. Daarbij behoren zij tot een andere generatie, waardoor ze vaak denken volgens de normen en gewoonten van hun tijd. Als jij dan een richting uit gaat die zelfs voor je eigen generatiegenoten verrassend is, kan het gebeuren dat je ouders daar helemaal niet blij mee zijn.

> 'Wat mijn vader betreft,' zegt Berenice, 'die heeft zich daar weinig mee bemoeid. Mijn moeder was erg ongelukkig uit bezorgdheid voor de kinderen en dat uitte zich door mij voor alles en nog wat te willen waarschuwen. Ik ben toen een keer bij haar geweest en heb haar gezegd: "Kijk mama, zowel voor Paul als voor mij komen de kinderen veruit op de eerste plaats. Wij zullen alles doen om het op de beste manier voor hen te regelen. Maar wat zaken betreft als bezoekrecht, financiën en andere dingen, wil ik echt niet dat jij daar iets over zegt." Mijn vader heeft me wel gesteund, zodat de tegenwind vlug ging liggen.'

Het is zeker niet gemakkelijk om die stap te zetten, maar het is vaak wel de beste. Stel tijdig paal en perk aan de overdreven inmenging van buitenaf. Ouders zijn voor hun volwassen kinderen de beste steun door er gewoon te zijn als het nodig is en door raad te geven als erom gevraagd wordt. Als ze zelf willen dirigeren en de zaken naar hun hand willen zetten of olie op het vuur gieten, versnellen ze vaak wat ze willen voorkomen: het uiteenvallen van het gezin.

Berenice had niet alleen tegenover haar eigen moeder de passende reactie, later zou ze ook op de juiste manier omgaan met haar schoonmoeder, die uiteindelijk moest constateren dat ze zich jammerlijk vergist had.

Berenice: 'Mijn schoonmoeder had mijn gedrag flink bekritiseerd tijdens de twee jaar dat nog niemand wist dat haar zoon homoseksueel was. Zij had ook een aantal keren op de kinderen gepast terwijl ik uitging en dacht dus te weten wat er aan de hand was.

Toen ze later hoorde hoe het zat, viel haar dat erg zwaar. De aanvaarding ervan was daardoor nog pijnlijker. Als twee verstandige mensen zijn we gaan samen zitten, hebben we het uitgepraat en sindsdien zijn we weer "familie" zoals vroeger.

Ik kon haar de "roddels" ook niet kwalijk nemen: ze had haar zoon gesteund tot de waarheid haar vol in het gezicht trof. Ik vond het zeer pijnlijk voor haar. Dat beetje geroddel was niets in vergelijking met het verdriet dat haar toen trof.'

We moeten accepteren dat ouders reageren vanuit hun liefde en bezorgdheid. Daardoor zijn ze zelden objectief, en kunnen ze ons niet altijd bieden wat we zoeken. Natuurlijk is het altijd goed naar hun raad te luisteren. Ervaring is tenslotte een rijke schat, maar alleen echt nuttig als je die ook in vraag durft te stellen. Goedbedoeld advies is niet altijd goed.

Jammer genoeg geven sommige reacties van ouders veel minder blijk van liefde en bezorgdheid, maar meer van onbegrip of autoriteit, of zijn ze gewoon bang voor de reacties: wat zullen de mensen van ons zeggen?

In de meeste gesprekken die we voerden, hoorden we dat minstens één ouder op de een of andere manier had dwarsgelegen.

Noor: 'Niemand had onze scheiding zien aankomen. Mijn ouders wisten helemaal niet hoe hiermee om te gaan. Ze waren alleen maar boos en bang dat anderen er wat van zouden vinden. Ze waren ook teleurgesteld. Het maakte vanaf dat moment het contact met hen niet meer mogelijk. We hadden gehoopt dat ze er ook voor de jongens zouden zijn, maar dat was niet zo. Pas na een halfjaar kwam er weer contact op gang en dat werd voorzichtig weer opgebouwd.'

Martine: 'Zowel mijn moeder en haar partner als mijn ex-schoonouders hebben onze beslissing tot deze leefvorm heel goed aanvaard. Bij deze laatsten heb ik zelfs samen met Igor Sint-Nicolaas gevierd. In het gezin van mijn vader ligt het anders. Niemand durft er eigenlijk over praten of er vragen over stellen. Vreemd.'

Petra: 'De ouders van Anis hebben heel boos gereageerd op de scheiding. Ze kwamen met het verwijt "dat de kinderen nu wel in de goot zouden belanden". Dat was keihard. Er is nu weer contact, maar het blijft voorzichtig.'

Eigenaardig genoeg is het niet altijd de familiale band die bepaalt op wie de afwijzing zich richt. Sommige ouders kiezen partij voor hun schoonzoon of schoondochter, meestal omdat ze blijven zoeken naar een schuldige voor de ellende die hun overkomt. Hun eigen zoon of dochter heeft hun droom aan diggelen geslagen en daarom sluiten ze de ander in hun armen. Anderen willen de fout van hun eigen kind niet inzien en zoeken daarom naar redenen om de mislukking in de schoenen van de ander te schuiven.

Soms brengt de zoektocht naar de schuldige ouders en vrienden op één lijn. Overspel is dan meestal de gemakkelijkste stok om mee te slaan. Of zoals Martine het uitdrukte:

'Als een van beiden vreemdgaat, dan is het voor de buitenwereld duidelijk: hij of zij gaat in de fout. De soms veel grotere of ingewikkeldere problemen die achter een scheiding schuilgaan, zijn onduidelijk en bestaan dus niet.'

Voor Jan en Nicole waren de reacties van de buitenwereld eerder een last dan een steun. Vooral Nicole moest het ontgelden. Terwijl zij steun zocht om haar persoonlijk verdriet te verwerken, had ze soms te veel energie nodig om Jan als vader te verdedigen. Soms werkte goedbedoelde hulp uit de omgeving averechts. Ze kreeg zelfs eens het verwijt haar kinderen in de steek te laten. En ze liet zich op haar kop zitten door Jan, die haar financieel nadeel wilde berokkenen.
Zelfs hun dochter Lut herinnert zich dat haar vader zijn gezin in de steek had gelaten voor een ander, en dat mama dus de kinderen moest 'krijgen'. Uiteindelijk zocht Nicole de steun die ze nodig had eerder bij een therapeut dan in haar omgeving.

VRIENDEN EN KENNISSEN

Vooral van onze vrienden verwachten we veel. En terecht. Met hen is er geen sprake van een generatiekloof en wellicht zullen ze zich minder met jou vereenzelvigen. Daardoor nemen ze beter afstand en kunnen ze je steunen.

Sommigen hebben wel last van loyaliteit. Ze zijn dan voorzichtig en proberen zich buiten het conflict te houden. Anderen haken af of vermijden je, weer anderen kiezen partij, soms heel vooringenomen. Met ieder van hen kom je eigenlijk geen stap verder.

Vrienden die je echt kunnen helpen, herken je doordat ze je wel raad geven, maar ook durven te wijzen op je fouten. De beste vrienden kunnen goed luisteren en hebben ook oog en oor voor de argumenten of problemen van je partner. Nuttige vrienden zijn degenen die jouw klaagzang niet meezingen, maar je helpen zoeken naar oplossingen die goed zijn voor iedereen.

Als je bovendien op zoek gaat naar een ongeplaveide weg, zullen het ook vrienden moeten zijn met een open geest. Vrienden die niet bang zijn om creatief naar oplossingen te zoeken die niet zomaar door de goegemeente worden aanvaard. Zulke vrienden bestaan wel echt, zoals bij Berenice en Paul:

'Van onze vrienden niets dan goeds. Eigenlijk is er niemand die lastig heeft gedaan. Integendeel, ik heb van velen echt steun en begrip ondervonden.'

Of bij Kurt en Katrien: 'Wat onze vrienden betreft, zijn er heel wat die bewonderen wat wij doen en ons steunden. Anderen vinden dat we toch wel veel geluk hebben. Maar ons geluk is er niet vanzelf gekomen.'

Anderen die de derde weg kozen, beleefden minder plezier aan hun vrienden. Vaak omdat die een stereotiep beeld hebben van een scheiding en ervan overtuigd zijn dat achter die derde weg beslist iets anders schuil moet gaan.

Martine: 'Het ergst vond ik de reacties van vriendinnen. Sommigen willen niet aanvaarden dat het uit is tussen ons. Ze houden het erbij dat als we zo goed met elkaar om kunnen gaan, we eigenlijk nog verliefd zijn op elkaar zonder het te beseffen. Anderen zien het als een vlucht. Dat we de consequenties van een scheiding niet willen aanvaarden. Bij weer anderen voel ik een vorm van onderhuidse jaloersheid. Zoals bij een vriendin die, ondanks een affaire van haar man, met hem is samengebleven. Het veroorzaakt bij haar een onvoldaanheid waarbij ze met een zekere afgunst naar mijn herwonnen vrijheid kijkt.'

Noor: 'Er waren ook mensen die het gevoel hadden te moeten kiezen. Voor Bart en voor mij was dat niet nodig. Anderen vonden dat ik helemaal klaar moest zijn met hem. Ze snapten niet dat ik hem zoveel kansen gaf. Er waren momenten dat het heel verleidelijk was om daarin mee te gaan. Ik ben zo blij dat ik vooral naar mezelf heb geluisterd.'

Die laatste woorden bevatten de kern van de boodschap. Wie kan beter bepalen wat goed is voor jou, voor je kinderen en voor jouw (ex-)partner, dan jijzelf?

Voor Inge en Pepijn was het antwoord hierop heel duidelijk. Inge: 'We hebben ons niet laten beïnvloeden door anderen. Dat is soms lastig. Omdat we nog zo close met elkaar omgaan, zijn mensen ervan overtuigd dat wij weer bij elkaar zijn of zullen komen. Ze willen het niet snappen en sommige mensen blijven het proberen. Het lijkt alsof er twee hokjes zijn. Hokje één: bij elkaar als stel, en hokje twee: niet meer met elkaar omgaan.
Als ouders gaan wij goed met elkaar om en we mogen elkaar als mens. Zo simpel is het. Natuurlijk krijgen we ook complimenten van anderen die ons als een voorbeeld zien.'

De situatie van Inge en Pepijn is wel apart. Pepijn was als jeugdvriend opgegroeid bij het gezin van Inge. Zo waren ze meer gestart als vrienden dan als minnaars. Na een zwaar skiongeluk en een lange revalidatie besloten ze dat ze best samen oud konden worden. Negen maanden later werd Eric geboren en belandde Inge in een postnatale depressie. Hun relatie werd heel broos. Toen Inge uiteindelijk verliefd werd op iemand anders, kwamen ze tot het inzicht dat hun relatie meer een broer-zusrelatie was geworden. Of altijd was geweest.
Ze hadden er dan ook weinig moeite mee om afstand te nemen van hun partnerrelatie en hun broer-zusrelatie te behouden. Door die broer-zusrelatie eten ze elke dinsdag samen en gaan ze ook samen met vakantie. Een deel van hun omgeving kan daar duidelijk niet bij.

Met dit alles is niet gezegd dat ouders en vrienden het niet goed met ons menen. Alleen moeten we beseffen dat iedereen spreekt vanuit zijn eigen gezichtspunt. Dat dit subjectief kan zijn, is logisch. Dat ze soms ook hun eigen belang verdedigen, is dat ook. Aan jou om te oordelen wat je kan helpen en wat je kan schaden.

Het is echt niet gemakkelijk om in de verwarring van een scheiding je mannetje te staan. Nog moeilijker is het om mensen uit je omgeving te durven zeggen wat je wél en wat je niet van hen verwacht. Zoek vooral geen mensen op die jouw grote gelijk bevestigen. Die zijn nuttig om je moed in te spreken als je ten strijde trekt, maar lopen je in de weg als je vrede zoekt.

En denk eraan, je hoeft je niet te verantwoorden tegenover derden. Zelfs niet tegenover je naasten. Waar je van op aan kunt, is dat in de meeste gevallen de sceptici wel zullen bijdraaien. Na verloop van tijd zijn het nog uitzonderingen die twijfelen aan jullie succes.

Professionals

Als onze omgeving faalt, verwachten we wellicht dat we in de professionele wereld van de hulpverlening applaus of ondersteuning zullen krijgen. Zij hebben immers de ervaring en de professionele kennis rond scheiden en de gevolgen ervan voor de kinderen. En ja, de kans is reëel dat je er goed wordt geholpen.

Je kunt het best naar een therapeut om je uit de put te halen, om je verloren zelfvertrouwen terug te vinden en te verstevigen. Een bemiddelaar kan je helpen om je uit een wirwar van tegenstellingen te helpen waar je geen gat meer in ziet. En een advocaat kan je perfect helpen om je rechten te waarborgen. Maar je op de weg naar living together apart helpen is een andere zaak. Ook hiervoor zul je op zoek moeten gaan naar professionals die platgetreden paden durven te verlaten, die samen met jou creatief willen denken en de voor- en nadelen zorgvuldig willen afwegen.

THERAPEUTEN

Sommigen beweren dat living together apart voor kinderen verwarrend moet zijn, zeker als ouders samen onder één dak blijven wonen. Kinderen moeten duidelijkheid hebben over de relatie tussen hun vader en moeder, en het feit dat ze nog samenleven zou dat onmogelijk maken.

Toch blijkt uit bijna alle studies dat dé belastende factor voor een kind bij de scheiding de conflicten tussen de ouders is. Elk initiatief dat erop is gericht om een goede ouderrelatie te behouden, verdient dus vertrouwen. Hoe ouders hun partnerrelatie invullen, lijkt ons van ondergeschikt belang. Mocht er al enige kans op verwarring bestaan, dan ben je als ouder beslist in staat om die onduidelijkheid weg te werken.

Kinderen zouden ook een verkeerd signaal krijgen als ouders samen voor hen blijven zorgen, nog regelmatig met elkaar eten, samen uitstapjes maken of met vakantie gaan. Als ouders hier voldoende duidelijk over zijn, dan lijkt ons dat in het geheel van de scheiding een kleine hindernis. Bovendien is dit een zorg die alle scheidende ouders met elkaar delen. Ieder kind heeft de hoop dat zijn ouders zich verzoenen. Het feit dat ouders nog bij elkaar wonen of samen dingen ondernemen voor en met de kinderen, staat daar los van. Alleen zul je hieraan des te meer aandacht moeten besteden naarmate de afstand die jullie van elkaar scheidt kleiner is.

Verder zou de regeling voor de kinderen duidelijk en stabiel moeten zijn. Een flexibele omgang tussen vader en moeder zou die duidelijkheid in de weg staan. Maar dat slaat nergens op. Want wat is er nou beter voor een kind dan dat vader en moeder ondanks hun scheiding bijna altijd bereikbaar zijn?

Trouwens, niet zo lang geleden werd de klassieke weekendregeling waarbij kinderen om de veertien dagen een weekend bij hun vader zijn, weggewuifd. Intussen kwam het co-ouderschap op. Hoewel in principe een goede zaak, kreeg ook dit de laatste tijd veel kritiek. Logisch, omdat er nu eenmaal geen algemeen geldende regels bestaan. Wat ideaal is voor de een kan niet werken voor de ander.

Maar er zijn ook professionals die nauw aansluiten bij wat de derde weg beoogt, zoals Peter Adriaenssens:[21] 'Ik denk dat elk algemeen antwoord een fout antwoord is. Zo fout als het voordien was om vaders één weekend op de twee te geven, zo fout is het vandaag om te denken dat we nu een andere magische formule hebben. Co-educatie* kan voor veel jongeren welkom zijn, maar is het zeker niet voor iedereen. Een grote zorg voor ons zijn de baby's en jonge kinderen, die nog volop in het hechtingsproces zitten. Wat men uitsteekt met baby's en kinderen van vijftien maanden, dat is soms erg om te zien. Het duurt lang voor de notie "tijd" vorm krijgt bij een kind. Een jong kind weet niet wat het betekent als je zegt: tot over vier dagen.

En probeer ook om je gezond verstand te gebruiken en flexibel te zijn. Is het normaal dat een kind in de agenda moet kijken om te weten bij wie het vandaag binnen mag? Waarom zou een kind niet kunnen binnenlopen bij de beide ouders? Het rare aan scheiding is dat we met kinderen dingen doen die we anders nooit zouden accepteren. Al bestaan ze natuurlijk ook: de gezinnen die er wel in slagen om twee straten van elkaar te gaan wonen en het van elkaar over te nemen op momenten dat het nodig is. "Ik heb morgen een late vergadering, ga maar naar papa." Ik vind het ook goed als de oude "taakverdeling" overeind blijft, het spel dat in alle gezinnen wordt gespeeld. Gij maakt u minder rap kwaad over het rapport, praat gij er maar mee. Is het omdat je op twee verschillende adressen woont, dat dat allemaal moet stoppen?'

Deze mening wordt ook gedeeld door de Nederlandse filosofe Joke Hermsen.[22] Op de vraag naar de beste manier waarop gescheiden ouders hun kinderen verder samen kunnen opvoeden, was het antwoord: 'Ik denk dat iedereen de vorm moet scheppen die het best bij hem past. Zelf voel ik veel voor het "living next door together"-model. Ieder een eigen woning, maar wel vlak bij elkaar in de buurt, zodat de kinderen niet te veel hoeven te reizen.'

BEMIDDELAARS

Heel wat ouders slagen er zelf in hun meningsverschillen te overbruggen en een eigen model te bedenken. Voor anderen kan de hulp van een bemiddelaar welkom zijn, een neutrale derde met oog voor de belangen van beide ouders en van de kinderen. De bemiddelaar zorgt dat er (opnieuw) gecommuniceerd wordt en komt met ideeën waarvan jij het bestaan misschien niet vermoedde. Nooit neemt hij beslissingen.

Hij of zij zal je vermoedelijk niet aan de derde weg helpen, maar die ook niet afsluiten. Als ruimdenkende medemens kan hij of zij er wel voor zorgen dat jullie vertrekpunt een wit blad zonder kader is, in plaats van een voorgedrukt formulier waarbij allerlei principes al vastliggen.

Het enige probleem kan zijn dat de derde weg hen nog te weinig bekend is. Dan is het aan jou om met dat idee op de proppen te komen. Ook bij hem of haar zal het enthousiasme om mee te denken afhangen van zijn of haar al dan niet progressieve houding.

Mediators in Nederland zijn iets terughoudender dan bemiddelaars. Maar het feit dat in Nederland bijvoorbeeld een ouderschapsplan verplicht is, toont aan dat de neuzen daar al wat meer in de goede richting staan.

EN DAN ZIJN ER DE ADVOCATEN

Erg jammer, maar het is geen opzichzelfstaand verhaal: mensen die hun goede voornemens laten varen nadat een advocaat hen kneedde tot de 'vechtmodus'. Winst en verlies is het werkterrein van advocaten, hoewel er bij een scheiding niets te winnen valt. Gevoelens en creativiteit zijn geen noodzakelijke profieleigenschappen voor een advocaat.

Wij geven graag advocaten het voordeel van de twijfel. Trouwens, een deel van hen neemt het belang van het kind heel serieus. Deze advocaten zijn zelf allergisch voor het gedrag van vakbroeders die alleen maar willen procederen en worden gedreven door winstbejag.

Deze laatsten sturen zelden of nooit aan op bemiddeling, terwijl dat hun eerste reflex zou kunnen zijn. Niet voor niets pleit Peter Adriaenssens[23] voor de invoering van trajectbemiddeling in België. Daarbij zouden stellen die een scheidingsprocedure beginnen één à twee uur uitleg krijgen over de verschillende manieren waarop je kunt scheiden. Een proefproject bewees dat de helft van de stellen die zo'n uitleg krijgen van traject veranderen. De meesten van hen zetten de stap naar bemiddeling.

In Nederland ligt dit anders omdat daar een organisatie bestaat die de meeste advocaten in familiezaken groepeert. Alle leden verplichten zich ertoe het belang van de kinderen te eerbiedigen. Een degelijke brochure legt aan iedereen die wil scheiden uit dat hij of zij het best de weg van bemiddeling kan kiezen. Als dat niet lukt, dan pas is er de advocaat. In Vlaanderen volgt de meerderheid eerder het omgekeerde scenario.

Clara: 'Om tot een goede scheiding te komen was ik bereid heel wat water bij de wijn te doen. Maar daarbij hield ik geen rekening met mijn advocaat. "Als je scheidt, moet je ervoor gaan en alleen nog aan jezelf denken", zei die. Ik kon mijn oren niet geloven, ben naar huis gegaan en dacht: dit kan niet, dit is zo fout, er moet een andere manier zijn. Ik ga echt geen nog grotere ruzie ontketenen met de vader van mijn kinderen. De advocaten stelden zelfs een kortgeding voor om Karel uit het huis te zetten. Dat vond ik echt helemaal te ver gaan.
In plaats daarvan werd mijn derde weg er een van wachten, geduld en respect voor de gevoelens van Karel. Met goed gevolg. Ik ben heel gelukkig dat ik hun raad destijds niet volgde.'

Wie gaat scheiden, moet goed beseffen dat elke actie tot reactie leidt en voordat je het goed en wel beseft, speelt het conflict zich over je hoofd heen af. En aangezien er dan intussen zoveel wederzijdse verwijten zijn gevallen, zit de kans op een goede ouderrelatie er niet meer in.

Zorg er dus voor dat je het heft in eigen hand houdt. Weet welke advocaat je kiest. Doe bij hem of haar de juridische informatie op die je nodig hebt, maar beslis zelf waar je naartoe wilt. En vooral: verwacht niet te snel lof voor een goede regeling voor de kinderen.

De derde weg kent dus ook de hindernissen die iedereen tegenkomt die onbetreden paden durft te bewandelen. Wie met anderen meeloopt, hoeft weinig tegenwerking te vrezen, maar de vraag is of dat de beste oplossing is.

Wie zijn eigen pad kiest, moet durven uitgaan van zijn eigen kracht en zelf bepalen bij wie en waarvoor hij steun wil zoeken. Soms is dat lastiger dan de voetsporen van anderen volgen. Maar het loont en maakt je tweede leven tot een boeiend avontuur.

Anna en Gilbert spraken aan het begin van hun scheiding af dat hun dochter Mia voorop zou blijven staan. In het begin liep alles wat stroef, maar algauw werd het heel gewoon. Ze vonden hun eigen derde weg. Ze vieren en doen heel wat samen en aan het eind van elke vakantie gaan ze samen uit eten. Tot een jaar geleden gingen ze samen met vakantie.

Ze spraken af om de invloed van stiefouders op Mia te beperken. Zo heeft Anna een relatie met een vriend die een heel eind verderop woont. Daardoor brengen ze alleen de weekends met elkaar door.

Anna: 'Er zijn wel derden geweest die commentaar hadden op de manier waarop wij het met elkaar geregeld hebben. Zelfs de moeder van Gilbert vond lange tijd dat ik door onze manier van omgaan met elkaar de hoop van haar zoon bleef aanwakkeren. Dat maakte het voor ons soms zwaar. Maar als ik zie hoe lekker Mia in haar vel zit en hoe blij ze is, dan is het dat allemaal meer dan waard.'

Tips

- Luister naar 'goede raad' van anderen, maar volg jullie zelfgekozen (derde) weg.
- Ervaring van anderen kan helpen, maar je hebt altijd het recht om die in twijfel te trekken.
- Mijd zowel zachte heelmeesters die jouw grote gelijk bevestigen als anderen die je de loopgraven in willen sturen.
- Als je kiest voor professionele steun, wees dan kieskeurig en zoek die in overeenstemming met wat je wilt bereiken.

10

PRIVACY ALS ZUURSTOF

Onze wereld wordt één groot dorp – reden waarom we weer op zoek gaan naar het echte dorp waar we ons geborgen voelen. Met privacy is dat net zo. Zodra we buiten komen, wordt onze privacy aan alle kanten bedreigd. Vanwege onze veiligheid leren we daarmee leven, maar des te meer groeit onze behoefte aan privacy als we de voordeur achter ons dichttrekken. En zelfs dan zit de buitenwereld ons achterna.

Geen wonder dat dit laatste plekje eigenheid en rust voor iedereen zo belangrijk is geworden. Elk gezin heeft zijn manier om met die privacy om te gaan. Veel zal afhangen van de grootte van het gezin en van de beschikbare ruimte. Maar als het even kan, zullen we ervoor zorgen dat ieder zijn eigen kamer heeft, behalve de ouders dan. En laat dat laatste in veel gevallen nu precies het eerste struikelblok zijn als er aan scheiden wordt gedacht.

Ooit zei de Franse schrijver Henry de Montherlant dat het huwelijk veel beter af zou zijn als echtgenoten ieder hun eigen kamer hadden. Misschien had hij niet helemaal ongelijk. In een traditioneel gezin kan dit best een eigen werkkamer, hobbyruimte of slaapkamer zijn. In dat geval kunnen we spreken van ruimtelijke of territoriale privacy. Zo'n plaats moet een ruimte zijn waar je de grootst mogelijke vrijheid geniet, waar anderen alleen maar toegang hebben als jij dat wilt of toestaat. Omdat dit echt jóúw plek is, geeft die je een geborgen gevoel. Maar dat prettige gevoel is vlug weg als je er niet op kunt vertrouwen dat anderen je privacy zullen respecteren. Uiteindelijk is respect voor privacy belangrijker dan de ruimte.

Stel je voor dat iedereen zijn eigen kamer heeft, maar dat er in huis iemand rondloopt die voor detective speelt. Hij of zij probeert voortdurend de geheimen van de anderen te achterhalen of wil uit wantrouwen alles te weten komen. Dan is de muur snel afgebroken.

Bij apart samenleven heeft het begrip 'privacy' een bijzondere vorm, want het onderscheid tussen deze twee soorten privacy speelt dan een belangrijke rol. Hoe dichter je met verschillende personen of gezinnen bij elkaar leeft, hoe minder territoriale privacy er over zal blijven. Alleen het

respect voor elkaars privacy kan dan het gebrek aan ruimtelijke adem-
ruimte compenseren.

Wie de overstap maakt van een klassiek gezin naar living together apart
moet het begrip privacy herdefiniëren. In elk geval tegenover de (ex-)part-
ner liggen de kaarten vanaf dan helemaal anders. Uitgangspunt moet zijn
dat het privéleven van de een vanaf nu buiten het aandachtsveld van de andere komt te liggen. In zijn of haar privéleven ga je alleen nog binnen als je
daartoe wordt uitgenodigd.

Privacy in één huis: dansen op het slappe koord

Wie ervoor kiest om samen in één huis te blijven wonen, loopt ongetwijfeld het grootste risico vroeg of laat met de privacy overhoop te liggen.
Omdat de gezinswoning de eerste keuze is bij een scheiding, ligt de privacy
aan twee kanten onder vuur. Je vorige leven en vroegere gewoontes laat je
immers niet zo gemakkelijk los.

Het kost moeite om op een andere manier met elkaar om te gaan, om uit
te vinden waar de grenzen van jullie privacy nu liggen. Tegelijk duurt het een
hele tijd voordat jullie voldoende afstand van elkaar hebben genomen als
partners. Daarbij kunnen de meeste woningen niet zomaar op een geschikte
manier worden opgedeeld en dat maakt het alleen maar ingewikkelder.

> *Luc en Martine hadden heel veel energie gestoken in het vinden en inrich-*
> *ten van hun huis. Het was een van de voornaamste redenen waarom ze er*
> *bij hun scheiding wilden blijven samenwonen.*
> *Dat pakte niet goed uit. We zagen hoe Martine de controle over zichzelf*
> *verloor toen ze Luc er met zijn nieuwe vriendin en in aanwezigheid van*
> *Igor aantrof.*

Dat Luc een vriendin had, was het punt niet. Dat ze hen in huis aantrof en
dat hun zoontje daarbij betrokken was, was dat wél. Vooral het gebrek aan
mentale afstand belette hen om fysiek zo dicht bij elkaar te leven.

Het is niet gemakkelijk, maar bij het zoeken naar een oplossing moet
men vooruit durven denken. Bij elke scheiding moet men ervan uitgaan
dat ten minste een van de twee ex-partners later een nieuwe relatie zal krijgen. Voordat jullie aan grote veranderingen beginnen, moeten jullie dus
zeker overleggen of er ook plaats zal zijn voor die nieuwe partner. Niet alleen of jullie bereid zijn om met een andere partner in hetzelfde huis te

wonen, maar ook op welke manier daar de noodzakelijke fysieke ruimte voor kan worden gevonden.

Kurt en Katrien hadden in de tijd dat ze samen aan hun toekomst bouwden twee huizen naast elkaar gekocht. Die hadden ze twintig jaar geleden van binnenuit omgebouwd tot één woning plus een studio, die verhuurd werd. Vijf jaar geleden, toen ze als partners scheidden, verliepen de werkzaamheden in omgekeerde richting. Een deel van het huis is gemeenschappelijk gebied, waar ook de kinderen hun slaapkamer hebben. De basis van Kurt is de studio, die niet meer verhuurd wordt. Ondanks de aanpassingen heb je in de hele woning nog steeds de indruk dat ze in één huis leven.
De belangrijkste stap in de 'reconstructie' was ongetwijfeld de installatie van een tweede badkamer. Die bezorgde beiden definitief een gevoel van voldoende privacy, een waarborg om goed te kunnen functioneren. Ook de afspraak dat ze elkaar in hun 'eigen gebied' niet onaangekondigd 'overvallen', werkt dat goede gevoel in de hand.
Het is lastiger als Katriens vriend op bezoek komt. Wellicht een geluk is dat dit alleen tijdens de weekends het geval is. Het zou moeilijk zijn als ook Kurt een vriendin zou hebben, die toevallig wél meer in het huis aanwezig zou zijn.

Al een aantal jaren loopt alles hier perfect. Iedereen kan het goed met iedereen vinden. Katrien is zeker bereid om een partner van Kurt in huis te aanvaarden, zelfs de kinderen wensen hun vader een nieuwe partner toe. Maar ze kunnen zich moeilijk voorstellen dat hun huis voldoende ruimte en privacy zou bieden, tenzij ze er weer echt twee huizen van maken met de kamers van de kinderen als 'niemandsland'. Dat is een bijna surrealistisch idee.

Is het samenwonen in één huis na het uiteenvallen van een relatie dan een te moeilijke opdracht? Dat hoeft helemaal niet. Veel hangt af van de mentale afstand die de (ex-)partners kunnen opbrengen én van de ruimte die ze ter beschikking hebben. Hun positieve houding doet de rest.

Wel blijkt dat degenen die eraan beginnen de gevolgen van hun keuze op lange termijn vaak onvoldoende inschatten. Soms durven ze ook niet altijd genoeg risico's nemen om hun toekomst een stabiele vorm te geven. In de twee aangehaalde voorbeelden bestond er een sterke band met de woning. Ze hadden er hun ziel ingestoken en wilden het huis niet kwijt. Begrijpelijk, maar niet altijd de beste weg.

Cate Cochran[24] vertelt het verhaal van een stel dat durfde te kiezen voor een drastische verandering. Ze besloten hun huis te verkopen en een ander, veel groter huis te kopen. Dat nieuwe huis ging hun budget flink te boven, maar het was geschikt om tot vier appartementen om te bouwen. Door twee ervan te verhuren slaagden ze erin de grote lening die ze aangingen terug te betalen. De twee andere appartementen betrokken ze zelf, met de kinderen tussen hen in en met een win-winresultaat tot gevolg. Ze hadden in één keer voldoende autonomie en privacy om volledig ouder te blijven en toch weer hun eigen leven te leiden. Zijn ze daarom gelukkiger dan Kurt en Katrien? Niet per se, maar wel zorgden ze voor een structuur die de tand des tijds kan doorstaan.

De onzekerheid die de kinderen van Kurt en Katrien nog hebben over wat er zal gebeuren als hun vader een vaste vriendin krijgt, bestaat bij deze mensen niet. Om nog maar te zwijgen van de onzekerheid van Kurt zelf, die niet kan inschatten wat er gebeurt als hij iemand ontmoet met wie hij verder wil en hoeveel begrip hij van die toekomstige vriendin moet vragen.

Hoeveel fysieke afstand er tussen elkaar nodig is, verschilt van persoon tot persoon. Het hangt vooral af van de privacy die men voor zichzelf wenst en die men bereid is aan anderen te geven. Bij een scheiding ben je altijd met zijn tweeën. Het is dus raadzaam om alles af te stemmen op degene die de meeste privacy verlangt, of op degene die nog het minst afstand heeft genomen.

Zo was ik verbaasd toen ik Laura en Wim bezocht en bij de deur maar één bel vond en helemaal geen naam. Ik dacht dat ik bij het verkeerde huis stond. In hun brief had ik gelezen dat ze in een oud herenhuis woonden, dat ze hadden opgesplitst in drie appartementen. Wim woonde boven, Laura op de begane grond en Marthe(20), hun dochter, tussenin.

Toen ik tijdens het interview vroeg of die ene bel voor niemand een probleem was, nam Marthe het woord: 'Helemaal niet,' zei ze, 'als er iemand voor papa aanbelt, dan roept mama: "Wim, iemand voor jou!" Net zoals ze dat doet voor mij.'

Als je ervoor kiest om in één woning verder te leven, moet je er ook aan denken dat een nieuwe partner niet per se alleen komt. Hij of zij kan ook een of meer kinderen hebben. Is hij of zij dan ook nog co-ouder, dan kunnen de planning en het gebruik van de ruimtes wel een echte puzzel worden.

En net bij het samenvoegen van twee gezinnen is het van groot belang dat ieder kind over een minimum aan privacy beschikt. Je kunt daar heel inventief in zijn en zelfs in één kamer zorgen voor twee min of meer afgescheiden gedeelten, maar ook aan creativiteit zijn grenzen.

Gelukkig zijn er steeds meer ouders die de week met de kinderen alleen met hen doorbrengen. Een halve latrelatie met zo'n partner met kinderen is dan wellicht de beste oplossing.

Bij de introductie van een nieuwe partner zal men ook met de privacygevoeligheid van die derde rekening moeten houden. Sommige mensen kunnen moeite hebben met zaken die anderen doodgewoon vinden.

Frans en Jeanne woonden pas enkele dagen samen in één huis met de vroegere vrouw van Frans. Ze hadden allebei een keuken en badkamer, maar echte afscheidingen waren er niet.

'Frans was wat vroeger opgestaan om de kinderen naar school te brengen', vertelt Jeanne. 'Ik was weer even ingedommeld zodat ik me moest haasten om op tijd op mijn werk te zijn.

Toen ik onder de douche stond, hoorde ik stemmen in de gang, maar ik realiseerde me niet wat er gaande was. Toen ik onder de douche uit kwam, hoorde ik dat het Frans en zijn ex waren die ruziemaakten op de overloop tussen de badkamer en onze slaapkamer, waar al mijn kleren lagen. Ik zag geen andere uitweg dan mijn hoofd naar buiten te steken en hun te vragen ergens anders ruzie te gaan maken. Heel vervelend. Achteraf kan ik erom lachen, maar op het moment zelf vroeg ik me wel af hoe glad het ijs was waarop ik me bevond.'

Ook voor iemand die minder preuts is en die zich met een handdoek zou weten te redden, blijft zo'n situatie gênant. Het is al vervelend als je je in aanwezigheid van een ruziënd stel bevindt, laat staan in de positie van Jeanne.

Privacy op afstand, een kwestie van vertrouwen

De kwestie van de privacy speelt het duidelijkst in één woning, maar ook in twee woningen kunnen daar problemen over ontstaan.

Jan ervaart het onverwacht langskomen van Nicole tijdens zijn week van birdnesting als een inbreuk op zijn privacy. 'Ze is heel welkom,' is zijn redenering, 'maar ik vind het wel goed dat zij me van tevoren een seintje geeft. En ik vind het ook niet prettig dat haar vriend hier geregeld spullen achterlaat. Verder hebben we met de wisselingen geen problemen, we zorgen er alle twee voor dat het huis netjes en schoon wordt achtergelaten.'

Ook wonen in twee huizen naast elkaar verschilt nauwelijks van wonen in
één huis. Het respect voor elkaars privacy zal even groot moeten zijn, de
mentale afstand die men van elkaar neemt evenredig. Uiteraard is er meer
fysieke afstand dan in één huis, maar de verleiding is groot om de kinderen
vrij hun gang te laten gaan. Dat kan het gemakkelijkst via de tuin. Maar ook
die tuin kan iemands privacy in het gedrang brengen.

> *Sylvie had tot nog toe geen privacyproblemen ondervonden, tot het zomer*
> *werd en ze in 'hun' gemeenschappelijke tuin verrast werd door onver-*
> *wacht bezoek voor haar ex. Sindsdien hebben ze daar samen een regeling*
> *voor bedacht en die in hun overeenkomst opgenomen.*

Ook kunnen onvoorziene omstandigheden de pas verworven privacy op de
proef stellen.

> *Het terrein waar Mark en Lieve naast elkaar wonen, wordt gemeenschap-*
> *pelijk beheerd. Het nodigt bijna uit om bij elkaar aan te kloppen. Hun wo-*
> *ningen hebben een gemeenschappelijke ingang en in de gang zijn twee*
> *voordeuren naar de eigen woning.*
> *Lieve: 'Toen de muur boven werd opengebroken voor de twee slaapkamers*
> *van de kinderen, heb ik wel even een slikmoment gehad. Het idee dat ie-*
> *mand via een andere weg dan de voordeur je huis kan binnenkomen, deed*
> *wat met mijn gevoel van veiligheid en privacy. We hebben dan ook onmid-*
> *dellijk afgesproken dat we alleen via de voordeur naar elkaars huis zouden*
> *gaan. De kinderen gebruiken af en toe weleens de deur boven. Zodra Levina*
> *en Peter definitief het huis uit zijn, zal de oude muur hersteld worden.'*

Het gevoel van privacy is iets heel persoonlijks. Het gevaar schuilt erin dat
een van de partners ongewild niet het nodige respect voor de ander opbrengt
of dat hij of zij niet aanvoelt dat de ander het begrip heel anders invult.

> *Boris leeft in een vroegere stalling die is omgebouwd tot een niet zo ruime*
> *maar gezellige woning. Eva, zijn ex, woont met de kinderen in het vroege-*
> *re grote huis. Hij is meer een eenling, luistert graag naar muziek en wil*
> *dan liever niet gestoord worden. Inmiddels is hij eraan gewend dat zijn*
> *kinderen onaangekondigd binnenlopen. Dat gebeurt vooral in de zomer,*
> *als iedereen in de tuin rondloopt. Wat hem wel ergert, is dat Eva niet be-*
> *grijpt dat hij het storend vindt als zij plotseling bij hem binnenvalt. En nog*
> *minder als ze de krant of andere dingen bij hem komt weghalen terwijl hij*

weg is. Het gevoel dat zij overal aan kan zitten tijdens zijn afwezigheid voelt hij als een aanval op zijn privacy. 'Ik ontvang haar heel graag om samen iets te eten of iets te bespreken', zegt hij. 'Wat mij ergert, is haar gebrek aan respect voor mijn intimiteit.'

Wie moeite heeft om spontaan de privacy van zijn vroegere partner te respecteren zoals die dat wenst, doet er beter aan een grotere afstand te nemen, of de nodige maatregelen te nemen om niet meer in de verleiding te komen – bijvoorbeeld de sleutels van diens woning afgeven.

We gaan ervan uit dat degenen die kiezen voor een derde weg, vol goede intenties zijn. Maar ook dat is geen garantie. We houden vaak onvoldoende rekening met achterliggende wonden, ontgoochelingen en niet-vervulde verlangens. Ook met de beste bedoelingen kan men moeite hebben met het geluk van de ander. Dat geluk niet zien kan je helpen om te denken dat het niet bestaat. De pijn van de confrontatie vermijden kan zinvol zijn.

Voor sommigen zal een appartement om de hoek of twee straten verder draaglijker zijn dan vlak naast elkaar. Tijdens onze gesprekken met ex-partners die op loopafstand van elkaar wonen om de kinderen makkelijk van de een naar de ander te laten gaan, viel ons op dat de meesten een sleutel van elkaars woning hadden. Daar waren goede redenen voor – soms om de kinderen op te halen om naar school te gaan, soms om klussen te doen of om planten water te geven als de ander met vakantie was. Of gewoon voor noodgevallen.

Dit bracht ons geregeld tot de vraag hoe het dan met de privacy was gesteld, maar in tegenstelling tot wat we vreesden, bleek dit nooit een probleem te zijn. Zodra men de stap naar de onafhankelijkheid had gezet in de vorm van een aparte woning, zagen de ex-partners de andere woning niet meer als hun territorium. Zelfs niet als het de woning betrof waarin ze vroeger samenwoonden.

Sinds Luc en Martine apart zijn gaan wonen, komen ze veel in elkaars woning, de een om Igor op te halen om hem naar school te brengen, de ander om hem 's avonds terug te brengen op de dagen dat hij bij zijn vader verblijft. Martine: 'Sinds we in twee appartementen wonen, respecteren we elkaars privacy maximaal. Het feit dat we een sleutel hebben van elkaars appartement verandert daar niets aan. Als ik bij hem iets moet afgeven of Igor ga afzetten als zijn vader niet thuis is, ga ik niet verder dan de hal. Als Luc op zaterdagochtend hierheen komt om spullen te brengen, weet hij dat ik graag uitslaap en dan zet hij de dingen gewoon bij de deur af en gebruikt hij zijn sleutel niet.'

Het gevoel van privacy heeft deels te maken met de afstand, maar de houding maakt het werkelijke verschil. Eigenaardig genoeg lijkt die houding evenredig met de afstand te evolueren. Wie ervoor kiest om in één woning te wonen, lijkt de definitie van privacy veel minder strikt te hanteren dan wie besluit om apart te wonen. Vermoedelijk heeft het creëren van fysieke afstand, hoe gering ook, meer dan alleen maar een symbolische betekenis. Wie fysiek uit elkaar gaat, lijkt tegelijk ook de mentale ruimte te vergroten.

Hoe groot de fysieke afstand ook is, de kinderen overbruggen die gemakkelijk. Vergeet we niet dat die mentale afstand voor hen niet bestaat. Daardoor is het voor hen moeilijk om hun belevenissen bij de ene ouder voor de andere verborgen te houden. Hun loyaliteit tegenover beide ouders verkleurt daarbij gemakkelijk de werkelijkheid.

Zo vertelde Clara ons dat ze er wel moeite mee heeft dat Karel eigenlijk alles van haar weet, omdat de kinderen alles aan hun vader vertellen. Clara is vast niet de enige die daar last van heeft. Als ouder kun je de kinderen wellicht bijbrengen dat je het fijn vindt dat ze je vertellen wat ze zelf hebben beleefd, maar dat ze het alleen maar over je ex of diens partner moeten hebben als het voor hen iets belangrijks betreft. Dat er tussen jullie verschillen zijn, is logisch, waarom zouden jullie anders gescheiden zijn? Maar die verscheidenheid moeten ze wel respecteren. En dan verwacht je niet dat ze daar voortdurend over communiceren.

Ten slotte heeft het respect voor de privacy alles met vertrouwen te maken. En vertrouwen is gestoeld op eerlijkheid.

In haar boek *Huwelijk 2.0*[25] kiest Pamela Haag voor absolute eerlijkheid. Binnen elke relatie vindt zij eerlijkheid de eerste prioriteit, zelfs vóór trouw. Dit betekent dan wel dat je partner iemand is tegen wie je alles kunt zeggen zonder dat hij of zij je de huid vol scheldt.

Bij de ex-partners met wie wij spraken, waren er die tijdens hun relatie op iemand anders verliefd werden. De meesten van hen hebben dit eerlijk aan hun partner opgebiecht. Dat is geen toeval. De grootst mogelijke eerlijkheid tegenover elkaar is de beste basis voor een succesvolle derde weg.

Privacy is ook nauw verbonden met intimiteit. Vooral ten opzichte van de kinderen is dit heel belangrijk. Zij hebben er soms moeite mee om hun ouders te zien als gewone mensen, met kwaliteiten en gebreken – mensen die fouten kunnen maken, maar ook verliefd kunnen worden. Respect voor privacy betekent ook dat je de ander niet kwetst in zijn intimiteit. Een teder gebaar naar je vriend of vriendin zal een kind nooit storen, een passionele kus misschien wel.

Daarom is het goed om bepaalde leefregels in te stellen. En hoe dichter je bij elkaar leeft, hoe belangrijker die kunnen zijn. Die leefregels moeten ook in beide richtingen gelden. Als jij de gewoonte aanneemt om te kloppen als je hun kamer binnen wilt, dan zullen kinderen dat ook gemakkelijker doen als ze voor jouw slaapkamer staan.

Dit lijken kleine dingen die sommige mensen onbelangrijk zullen vinden. Toch zijn ze dat niet. Privacy en intimiteit ontstaan immers alleen door voortdurend oog te hebben voor elkaars gevoeligheden. Dat kan in feite iedereen. Je hoeft het alleen maar echt te willen.

Tips

- Elkaars privacy bescherm je beter met de juiste houding dan met muren en sloten.
- Houd er altijd rekening mee dat het gevoel en de grenzen voor privacy voor iedereen verschillend zijn.
- Zonder vertrouwen in de ander is privacy niet mogelijk.
- Dat vertrouwen bouw je het best op door eerlijk te zijn.

11

EEN NIEUWE PARTNER OP JE (DERDE) WEG

Ook op de derde weg kun je een nieuwe partner ontmoeten, zoals de meerderheid van wie gescheiden is overkomt. Alleen zal het vervolg op die ontmoeting heel anders zijn, zeker als de band tussen de ex-partners nog verrassend sterk is.

De introductie van een nieuwe partner, soms met kinderen, is een delicaat gebeuren en heeft invloed op de dynamiek van het oorspronkelijke gezin. Die dynamiek werd al verstoord door de scheiding, maar de introductie van een nieuw gezinslid kan die storing nog versterken en het gezinssysteem uit evenwicht brengen. Daarom gaan we ervan uit dat ouders die kiezen voor positief ouderschap na de scheiding, hun kinderen niet met wisselende partners zullen confronteren. Zelfs als men in twee huizen woont, blijven eendagsvliegen beter buiten de deur als de kinderen er zijn.

Een ideaal moment om een nieuwe partner voor te stellen bestaat niet. Slechte momenten zijn er helaas wel. Betrapt worden op een vluchtige kus als de kinderen nog van niets weten, kun je beter vermijden, maar hoeft niet dramatisch te zijn. Te vlug met een nieuwe partner komen als de kinderen er nog niet klaar voor zijn, is erger.

Misschien bestaat er wel zoiets als een ideaal scenario. Wat voor de ex-partner geldt, geldt ook voor de kinderen: beiden moeten de scheiding verwerkt hebben. De een kan daar meer tijd voor nodig hebben dan de ander.

Voor de ex-partner betekent 'de scheiding verwerkt hebben' dat hij of zij genoeg afstand genomen heeft.

Martine: 'Momenteel heb ik er geen moeite meer mee dat Luc volkomen gelukkig is. Als dat met een nieuwe partner is, dan denk ik daar klaar voor te zijn. Wel zou ik het erg vinden als het voor Igor te abrupt gebeurt of als het iemand is die niet het beste met hem voorheeft.
In het belang van Igor vind ik zelfs dat ik met die nieuwe partner een goede relatie dien op te bouwen. Om dat te kunnen moet je natuurlijk wel met zijn tweeën zijn, of in dit geval misschien wel met zijn drieën.'

Voor de kinderen is 'de scheiding verwerkt hebben' eerder het moment waarop ze hebben aanvaard dat er geen kans op terugkeer meer bestaat. Vanaf dan willen ze jou vooral gelukkig zien. En waarom zou dat niet kunnen met een nieuwe man of vrouw in je leven?

Het komt er dus op aan je kinderen van nabij te volgen zodat je zo goed mogelijk weet wanneer ze er klaar voor zijn. Misschien kun je die kandidaat-partner dan eerst de kans geven om tussen andere vrienden en kennissen de vriendschap van je kinderen voor zich te winnen. Tegelijk kom jij er zo achter of hij of zij op een goede manier met jouw kinderen kan omgaan.

Heb je bepaalde afspraken met je ex gemaakt over de introductie van een nieuwe vriend(in), dan dient daar natuurlijk rekening mee gehouden te worden, zodat de weg volledig openligt.

Vergeet ook niet dat hem of haar aanvaarden als vriend(in) één ding is, maar hem of haar in jullie huis opnemen als jouw partner is iets heel anders. Voor dit laatste zien sommigen een periode van een jaar of twee als ideaal. Maar we leven nu eenmaal niet in een ideale wereld en men zal zelden zo lang willen wachten. Gelukkig hoeft dit niet te betekenen dat alle wegen naar living together apart dan afgesloten zijn.

Het verstoorde evenwicht

Het opgroeien en leven binnen een familiesysteem heeft een grote invloed op onze persoonlijke ontwikkeling. In het gezins- of familiesysteem staat iedereen met elkaar in verbinding. Iedereen is van elkaar afhankelijk en beinvloedt elkaar. Elke verandering in één onderdeel heeft invloed op een ander onderdeel en kan het evenwicht verstoren. Een nieuwe persoon die dit systeem binnendringt, is dus een ingrijpende gebeurtenis. De Duitse therapeut Bert Hellinger[26] geeft in dit kader drie basisprincipes:

1. Binnen de familie heeft iedereen zijn eigen plek, logisch dat voor een nieuwkomer een plek moet worden gezocht die de andere verhoudingen niet stoort, hooguit aanvult.
2. Daarbij is er normaal gesproken een evenwicht tussen geven en nemen bij volwassen partners. Bij de introductie van een nieuwe partner zal naar een nieuw evenwicht moeten worden gezocht.
3. Ten slotte bestaat er tussen de kinderen een hiërarchie, meestal bepaald door hun leeftijd. Ze zien die niet graag in het gedrang komen.

Door een ongelukkige timing van scheiding en zwangerschap lagen deze principes bij de kinderen van Noor en Bart overhoop. Er was dus geen sprake van een ideaal scenario, en toch... Door hun respectvolle omgang met elkaar wisten ze de boosheid bij hun kinderen weg te nemen. De positieve houding van Lucy, de nieuwe vriendin van Bart, heeft daar ook toe bijgedragen.

Noor: 'De vraag die bij de kinderen speelde bij de introductie van Lucy was welke plaats zij ging innemen. Werd zij ook een soort moeder? Was zij gelijkwaardig aan hun moeder? Hoe moesten zij haar noemen?
We hebben dit samen opgelost door te vertellen dat kinderen maar één biologische vader en moeder hebben en dat die rol niet verandert door een scheiding. Dat we elkaar daarbij wederzijds respect toonden, was voor hen een belangrijk signaal.
Bart vertelde hen dat hij had gekozen voor een nieuwe partner, Lucie, maar dat dit niets veranderde aan de rol van vader en moeder. De nieuwe vriendin van hun vader konden ze gewoon bij de voornaam noemen.'

Tegenwoordig wordt algauw de voornaam gebruikt. Is dit niet het geval, dan is het geen slecht idee om de kinderen mee te laten kiezen hoe ze de nieuwe partner willen noemen, liefst een benaming die verband houdt met de rol die deze persoon vervult.

Kinderen stellen er vragen over, omdat ze willen weten wat de naam inhoudt. Veel mensen vinden dat 'stiefvader' en vooral 'stiefmoeder' negatief klinken. Steeds meer hebben we het over 'plusouder' of 'bonusouder'. Geen slecht idee: het is degene die 'erbij' komt.

De kennismaking was weliswaar goed verlopen, maar toen de kinderen kort daarna te horen kregen dat Lucie in verwachting was, ging het mis. Nu werden ze echt boos. Ze voelden ook dat dit voor hun moeder een pijnlijke situatie was. Bij Daan ontstond een soort plaatsvervangende boosheid, een soort bescherming voor de pijn die zijn moeder moest voelen.
Door de komst van het halfzusje in het nieuw samengestelde gezin is Daan niet langer de jongste maar de middelste. Het was belangrijk dat zijn vader Daan niet 'buitensloot' als jongste uit zijn eerste gezin. Voor de moeder kwam het erop aan dat zij het nieuwe halfzusje erkende. Dit niet doen zou een verkeerd signaal zijn geweest naar haar kinderen. Daardoor zouden ze met haar niet over hun nieuwe zusje of over leuke situaties met haar durven praten.

Nu, een paar jaar later, lopen de kinderen vrij bij iedere ouder binnen als ze daar zin in hebben. Noor heeft intussen ook een partner, wat iedereen het gevoel geeft dat de familie alleen maar groter is geworden. Op de achttiende verjaardag van Daan was het feest bij zijn vader. Daar waren familie en vrienden van Noor, van Bart en van Lucy. Noor was in haar oude huis hapjes aan het maken. Iedereen vond het bijzonder dat dit zo kon.'

Een verstoring van het evenwicht in familie of gezin is gemakkelijk te vermijden door op zijn minst een paar basisregels in acht te nemen. Voldoende tijd geven is er één van, alleen maar een partner voorstellen als de relatie voor jou echt belangrijk is, is een andere.

Alles kan ook makkelijker verlopen dan we ons voorstellen. Het is zeker nodig om voorzorgsmaatregelen te nemen om de nieuwe prins of prinses op de beste manier het gezin binnen te leiden. Tegelijk moeten we niet verbaasd zijn als dit bij ons kroost veel minder indruk maakt dan we hadden gedacht.

Petra: 'Ik weet nog dat ik verliefd werd. Ik voelde me weer achttien jaar. Ik was totaal de kluts kwijt en de kinderen hadden dat goed in de gaten. We reden op een rotonde en in plaats van de richtingaanwijzer te gebruiken, stak ik mijn hand uit in de auto...
Door mijn spontane actie en omdat ik in de wolken was, voelden de kinderen aan dat ik verliefd was. Bij de "officiële" kennismaking zeiden ze in koor: "Ha, dat wisten we allang..."'

Vrij groot is het aantal kinderen dat zich een paar jaar later niet eens meer herinnert waar en wanneer ze je nieuwe partner leerden kennen.

De kennismaking moet wel erg makkelijk verlopen zijn, want noch Kristel (18) noch Lucas (16) herinnert zich nu hoe hun ouders vijf jaar geleden hun wederzijdse vrienden hebben voorgesteld. Toch lijkt het voor hen nu de normaalste zaak van de wereld dat ze regelmatig met vijf of zes mensen in huis zijn. Sterker: de aanwezigheid van de partners van hun ouders brengt meer leven in huis, vinden ze. En daarbij zien ze dat hun ouders veel gelukkiger zijn dan vroeger.

Voor de ouders is het goed om te weten dat kinderen afhankelijk van hun leeftijd verschillende gevoelens ontwikkelen tegenover de nieuwe volwassene in hun omgeving. Zo zullen peuters en kleuters zich in een veilige en vertrouwde omgeving vlug hechten aan de nieuwe partner. Belangrijk is wel dat de ouder zo veel mogelijk zelf voor de kinderen blijft zorgen. Vaste rituelen kun je beter aanhouden tot er een affectieve band is ontstaan tussen het kind en de nieuwe partner.

Zijn de kinderen wat ouder, dan kunnen ze algauw het idee hebben dat ze liefde of aandacht verliezen. De nieuwe partner houdt zich dan het best even op de achtergrond. Hoe meer ruimte je voor het kind laat, hoe vlugger het zich aan de nieuwe partner zal hechten.

Weer iets oudere kinderen kunnen zich gemakkelijk schamen voor hun verliefde ouder. Soms gaan ze op zoek naar een schuldige voor de scheiding van hun ouders. Voorkom dat ze hun plusouder de schuld gaan geven. Neem daarom de kinderen serieus en ga na wat zij vinden van jullie manier van samenleven. Probeer erachter te komen waarover zij zich zorgen maken.

Met pubers en oudere jongeren zit het wel goed. Zij hebben immers de neiging de vertrekkende ouder te veroordelen en willen dan ook eerder niets met een nieuwe partner te maken hebben. Maar aangezien er bij living together apart geen vertrekkende ouder is, accepteren ze een nieuwe partner meestal gemakkelijker.

Met een nieuwe partner onder één dak

Als de nieuwe partner erbij komt wonen, wordt de ex-partner wel van heel nabij met hem of haar geconfronteerd. Als ex-partners elkaar een gelukkig leven toewensen, staan ze open voor een nieuwe liefde in het leven van de ander. In elk geval in theorie. Maar als het zover is, kan het best even wennen zijn. Het wordt ineens heel duidelijk dat er geen weg terug meer is.

De kinderen van Kurt hadden de nieuwe vriend van hun moeder zonder problemen aanvaard. Voor Kurt zelf was het in het begin wel moeilijk. 'Waarom Bruno wél en ik niet?' vroeg hij zich af.
'Eigenlijk duurde dit tot ik doorhad dat ik Katrien niet meer kon bieden wat zij wenste. Onze wegen waren uit elkaar gegroeid en zodra ik inzag dat onze relatie toch niet meer zoals vroeger kon zijn, heb ik het verleden losgelaten en ben ik een individuelere weg opgegaan.'
Ervan uitgaande dat het geluk van de ander even belangrijk is als ons eigen geluk, had ik het gevoel dat Bruno Katrien gelukkig kon maken en dat hij onze kinderen zeker niet ongelukkig zou maken, integendeel.'

In het 'één huis'-model zul je je nieuwe partner eerst aan je ex-partner voorstellen en dan pas aan de kinderen. Dit is niet alleen een kwestie van respect, maar wellicht verwacht je ex-partner dat ook. Maar vooral is je ex-partner je beste ambassadeur om je nieuwe partner bij de kinderen te introduceren.

Als jullie de nieuwe partner samen introduceren, dan vermijden jullie dat de kinderen uit loyaliteit gekke dingen gaan doen. Het zal hen geruststellen dat ze nooit hoeven te kiezen, omdat de nieuwe partner door jullie beiden aanvaard is.

Is er geen echte introductie nodig omdat de nieuwe partner al langer als vriend in huis kwam, dan wordt zijn of haar nieuwe status toch ook het best door beide ouders aangegeven. Dat hun 'andere' ouder er geen moeite mee heeft, zal het voor de kinderen veel gemakkelijker maken.

We kunnen ons trouwens moeilijk voorstellen dat ouders die samen in één huis verder leven deze aankondiging níét samen zouden doen. In onze gesprekken stelden we vast dat de meesten van hen samen de hoogte bepalen waarop de lat voor een kandidaat-plusouder moet liggen. Logisch dus dat ze ook samen de volgende stappen zetten.

Als je met je vroegere en huidige partner jullie wederzijdse verwachtingen grondig hebt bekeken (zie volgend hoofdstuk), dan zal de plaats van iedereen binnen het 'verruimde gezin' vrij duidelijk zijn. Vanzelfsprekend zullen ook de kinderen van jou willen weten wat de komst van die nieuwe partner voor hen zal betekenen. Maak hierover zo vlug mogelijk duidelijke afspraken.

Het hoeft nauwelijks gezegd te worden dat die nieuwe 'speler' het best in zijn of haar rol kan groeien. Begin liefst klein om behoedzaam die nieuwe plaats in te nemen. Houd vast aan bestaande rituelen, zodat er voor de kinderen zo weinig mogelijk verandert. Als jij als ouder elke avond een verhaaltje voorleest op bed en dan een kwartiertje blijft kletsen, verander dat dan niet opeens. Kinderen mogen vooral niet het gevoel krijgen dat je er nu minder voor hen zult zijn. Het zijn misschien ook de momenten waarop je kind het gemakkelijkst vertelt hoe hij of zij over de nieuwe situatie denkt.

Stel intimiteit in het bijzijn van de kinderen nog even uit. Ze zien toch wel dat je verliefd bent. Bewaar het zoenen, omhelzen of voeren van erotisch getinte telefoongesprekken voor momenten dat je alleen bent. Zelfs voor je begripvolle partner kan dit storend zijn.

Merk je dat het niet zo goed klikt tussen je kinderen en je nieuwe partner, neem dan wat gas terug. Forceren heeft meestal een averechts effect. Vermijd in elk geval in eerste gesprekken 'zware' onderwerpen. Houd het luchtig en tast af.

Het is goed mogelijk dat je nieuwe partner ook kinderen heeft. Ook die kennismaking kun je best voorzichtig opbouwen: eerst vertellen, pas later voorstellen. De kennismaking kan het best op neutraal terrein gebeuren: een dierentuin, een park, een speeltuin, een film of een pannenkoekenhuis. Kom liefst pas in 'hun' huis wanneer ze er zelf om vragen.

Het kan ook dat de kinderen van de ene partner er klaar voor zijn en de andere kinderen niet. Dan kun je beter nog even wachten. Dat kan best lastig zijn, want misschien wil je graag de kinderen ontmoeten die een belangrijk onderdeel van het leven van je partner zijn. Toch is het beter niets te forceren voor je eigen bestwil.

Met kinderen van je partner kan het huis ook vlug te klein worden. Bedenk dat jouw kinderen die bedenking ook zullen hebben. Ze zullen dan bang worden dat je nu weleens hun huis zou kunnen verlaten. Probeer die vrees op te vangen door hen tijdig te vertellen hoe jullie dat gaan oplossen.

Met een nieuwe partner apart

Zowel bij birdnesting als wanneer hun ouders in twee woningen gaan wonen, is de grens voor de kinderen duidelijk: hun ouders zijn uit elkaar en er zal veel moeten gebeuren voordat dit nog goed kan komen.

BIRDNESTING

Bij birdnesting heb je een uitstekende kans om je nieuwe vriend(in) beter te leren kennen zonder er anderen bij te betrekken. Je kinderloze week leent zich daar uitstekend voor. Je kunt beter buiten het blikveld van je ex-partner en kinderen blijven tot de tijd rijp is. Die tijd komt goed van pas om erachter te komen in hoeverre je nieuwe partner mee wil op de derde weg die jullie als ouders hebben gekozen.

Bij birdnesting maken de ouders vaak de afspraak om nieuwe partners buiten het 'ouderlijke huis' te houden. Zeker bij tijdelijk birdnesting lijkt ons dat een verstandige keuze. Gun de kinderen de tijd om de scheiding rustig te verwerken.

Het vogelnestmodel betekent ook dat de kinderen gewend zijn om jou als ouder voor hen alleen te hebben. Met een nieuwe geliefde zullen ze je aandacht moeten delen. Ze zullen zich ook gaan afvragen hoe lang hun woonsituatie nog gehandhaafd zal blijven, en vooral of de omgang met jou niet zal verwateren.

Heb je het geluk dat je ex-partner en je kinderen nog tijdens de periode van birdnesting klaar zijn voor een nieuwe partner, dan krijgt je nieuwe vriend(in) stap voor stap de tijd om bevriend te raken met hen. En wat minstens zo belangrijk is: zij krijgen de kans om je nieuwe partner een plaats te geven in hun leven.

GESCHEIDEN WONEN

Het introduceren van een nieuwe partner als je in elkaars buurt woont en als ouders apart samenleeft, sluit aan bij het klassieke patroon. Toch is er een fundamenteel verschil.

In de praktijk is er in de klassieke context hooguit een 'gedoogbeleid' ten opzichte van de nieuwe partner. Vaak zullen de kinderen als eersten de nieuwe vrouw of man van hun vader of moeder leren kennen. De ex-partner komt vaak later aan de beurt – soms zelfs bij toeval, bijvoorbeeld bij het brengen of halen van de kinderen. Dit ligt helemaal in de lijn om elkaar zo volledig mogelijk te vergeten.

Van ouders die voor de derde weg kozen, mag je verwachten dat ze hun nieuwe vriend(in) eerst aan hun vroegere partner voorstellen. Als deze intussen de nodige afstand heeft genomen, zal dit de belangrijkste waarborg zijn voor een vlotte introductie van de nieuwe partner bij de kinderen. En tegelijk biedt dat het beste perspectief op je eigen toekomst. De kans op een respectvolle omgang tussen de oude en de nieuwe partner is dan veel groter. En laat dat nu net het grootste struikelblok zijn voor een nieuw samengesteld gezin.

Wellicht maakt het ook verschil of jij de eerste of de tweede bent die een partner voorstelt. Als je de eerste bent, loop je de kans dat de kinderen het zielig vinden voor de 'overblijvende' ouder. Tegelijk komen ze tot het besef dat er echt geen weg terug meer is. Ben je de tweede, dan is de kans op een positieve reactie groter, omdat ze graag willen dat jij weer gelukkig bent. Hoe dan ook heb je de reacties van de kinderen nooit helemaal in de hand.

Sina wachtte rustig af tot haar relatie vaste vorm had gekregen voordat ze haar vriend aan haar kinderen voorstelde. Ze had hem in december leren kennen en wachtte tot de zomervakantie. Emanuelle (10) reageerde erg negatief. Ze aanvaardde de komst van Kristof helemaal niet. Op Peggy (5) maakte het nieuws weinig indruk.

Een tijd later kwam Kristof bij het gezin inwonen en kort daarop trouwde hij met Sina. Emanuelle bleef dwarsliggen en maakte het hun erg moeilijk. Sina probeerde de patstelling te ontmijnen door haar te zeggen dat ze zich niet verplicht moest voelen om haar plusvader aardig te vinden, maar dat ze wel respect kon tonen. Gelukkig had Tom, de ex-partner van Sina, geen enkele moeite met het accepteren van Sina's vriend.

'Ik heb wel een periode van aanpassing meegemaakt,' zegt hij, 'maar uiteindelijk was ik meer gerustgesteld dan jaloers omdat ik zag hoe zijn aanwezigheid weer evenwicht bracht in het leven van Sina. Daar varen de kinderen ook goed bij.'

Uiteindelijk was het de goede verstandhouding tussen de twee mannen die de kentering bij Emanuelle teweegbracht.

'Ik kon moeilijk zeggen wat me dwarszat,' zei ze later, 'maar het feit dat mijn moeder en Kristof alles hadden besloten zonder mij te vragen of ik het aankon of niet, kon ik niet aanvaarden.'

Dit voorbeeld laat zien dat met een goede introductie de kous niet af hoeft te zijn. De omgang tussen de plusouder en de kinderen van diens partner is een proces van lange adem waar veel boeken over zijn geschreven. Laten we ons hier beperken tot de essentie. De fysieke aanwezigheid van de nieuwe partner aanvaarden is één zaak, hem of haar ook toestaan een rol van betekenis te laten spelen en gezag uit te oefenen is een heel andere kwestie.

Ouders die samen ouder blijven, eisen meestal het ouderschap volledig op. Behalve wanneer daar duidelijk overeenstemming over is, zal er heel weinig ruimte zijn voor een derde, ook al is de liefde nog zo groot. Minder geschikt dus voor een stiefouder die graag zijn of haar normen gerespecteerd ziet.

Maar voor wie flexibel is en zich bescheiden opstelt tegenover de kinderen, hoeft dat geen probleem te zijn, zeker als hij of zij gemakkelijk afstand kan nemen en/of als hij of zij er ook de voordelen van ziet dat de opvoeding van de kinderen van iemand anders beperkt blijft tot de ouders.

Aan potentiële plusouders dus de raad: ken vooral jezelf. Toets telkens weer je verwachtingen aan die van je nieuwe partner en zeker ook aan die van zijn of haar (ex-)vrouw of (ex-)man.

Tips

- Bespreek tijdig met je (ex-)partner welke ruimte er is voor een nieuwe partner in jullie gezinssysteem.
- Introduceer nieuwe partners niet zolang de kans op een duurzame relatie onvoldoende aanwezig is.
- De aanvaarding van je nieuwe partner door je ex zal voor een groot deel diens relatie met je kinderen bepalen.
- Onderzoek grondig met je nieuwe partner of deze in jullie gezinssysteem kan functioneren en ook bereid is dit te doen.

12

DÉ TE VERMIJDEN VALKUIL: VERSCHILLENDE VERWACHTINGEN

Weinig mensen kiezen bewust voor alleen-zijn, en zeker niet voor het alleen blijven. Dat blijkt uit het onderzoek *Nieuwe feiten over relaties en gezinnen* van het Centraal Bureau voor de Statistiek in Nederland.[27] In een wereld vol exen is 'herpartnering' erg belangrijk. De helft van de mensen die uit elkaar gaan, heeft binnen enkele jaren een nieuwe partner. Vijf jaar na de scheiding woont meer dan 60 procent weer samen, soms weer met de ex-partner.

Heel jammer is dat het in meer dan de helft van de gevallen weer mis gaat: het gezin valt weer uit elkaar. Met alle nare gevolgen van dien voor de kinderen, die weer een relatie zien ontsporen. Vaak ligt de reden van de mislukking in de verkeerde verwachtingen. Niet alleen zijn die vaak torenhoog en dus niet te bereiken, vooral zijn ze vanaf het begin onvoldoende op elkaar afgestemd.

In de klassieke nieuw samengestelde gezinnen moet deze afstemming met zijn tweeën gebeuren, bij living together apart liefst met zijn drieën. Dat maakt de zaken niet gemakkelijker, en dus is het heel belangrijk om van tevoren duidelijk met elkaar over jullie verwachtingen te praten. Want willen of niet, de derde weg bewandel je niet met zijn tweeën, maar eerder met zijn drieën of vieren.

Om dit soort gesprekken met exen te kunnen voeren, moet er voldoende afstand zijn. Is die er (nog) niet, neem dan rustig de tijd om na te gaan hoe het gesteld is met de verwachtingen van jezelf tegenover je nieuwe partner en omgekeerd.

Het is onmogelijk dat we hier alle vragen bespreken die in jouw concrete situatie moeten worden gesteld. Laten we proberen je op weg te helpen.

Kernvragen voor jezelf en je nieuwe partner

Je start met een voorsprong als je een duidelijk idee hebt wat je van een toekomstige partner verwacht voordat je tot over je oren verliefd wordt. Want ook al ben je al wat ouder en wijzer, je hormonen kunnen je best van slag brengen, waardoor je de wereld door een roze bril gaat zien.

Je leeftijdsfase bepaalt voor een deel je verwachtingen. Ook je vorige ervaringen zullen een rol spelen, net als de manier waarop je op dit moment leeft en de mate waarin je die leefwijze al dan niet wilt aanpassen.

WAT HEB JE TE BIEDEN?

Voordat we het over verwachtingen hebben, moet je eerst nagaan wat je zelf te bieden hebt. En om dat te kunnen uitmaken moeten je beslissingen duidelijk zijn en vaststaan. Zo niet, dan zullen nieuwe relaties een hoge risicofactor hebben.

Sabine en Hendrik waren welgesteld. Hendrik had een royaal inkomen, maar wel vooral omdat hij hard werkte. Hij was vaak weg of kwam 's avonds laat thuis. Sabine voelde zich steeds minder voldaan in haar huwelijk. Zonder grote ruzies of conflicten kwamen ze samen tot het besluit dat ze beter uit elkaar konden gaan.

Ze vonden het de beste oplossing voor hun vier kinderen dat ze naast elkaar gingen wonen. Ze zorgden ervoor dat de kamers van de kinderen vanaf de eerste verdieping van beide woningen bereikbaar waren. De tuin was gezamenlijk. Vier jaar woonden ze daar. Ze zagen elkaar als de kinderen gingen slapen. Ze dronken geregeld samen een glas wijn. Vaak was de nieuwe vriendin van Hendrik daar ook bij. 'Mooi, die tijd', vindt Sabine.
Het verdriet rond de dood van een neefje en vooral van Sabines zus dreef hen bij elkaar terug. Ze verhuisden naar een boerderij, maar vrij snel vervielen ze weer in hun oude patronen. Na twee jaar gingen ze definitief uit elkaar. Hendrik bleef in de boerderij, Sabine in het tuinhuis. Weer twee jaar later besloot ze wat verderop te gaan wonen.
Hendrik heeft in de zes jaar dat hij alleen leefde meerdere relaties gehad. Niet iedereen begreep hoe hun verhouding ten opzichte van elkaar was. Dat leidde tot jaloezie en onbegrip. Misschien was Hendrik ook wel altijd wat van Sabine blijven houden?

We begrijpen best dat ongelukkige omstandigheden hen weer bij elkaar brachten, maar daardoor was er onvoldoende stabiliteit in hun vernieuwde relatie. Hoe kun je dan een duidelijke boodschap brengen aan je kinderen en aan een nieuwe partner? Het enige dat je te bieden hebt, is onzekerheid. Daar is geen enkele relatie tegen bestand. Het heeft dan ook weinig zin het over wederzijdse verwachtingen te hebben.

Ruim veertig jaar ben je bezig met het opbouwen van je leven, je carrière, een gezin stichten, kinderen krijgen en hen opvoeden. Daarna verschuiven ambities vaak naar meer genieten van het leven en samen oud worden. Je wilt in verbinding met iemand zijn, iemand die precies weet wat jij bedoelt, iemand die van je houdt.

Vaak kiezen mannen rond die leeftijd voor een jongere vrouw. De belangrijkste vraag, die ze meestal niet stellen, ligt echter voor de hand: heeft die vrouw nog een kinderwens? En hoe zit het met jou, zie je het nog zitten om vader te worden als het je al moeite genoeg kost om je pubers onder controle te houden? En passen de compromissen die je moet sluiten dan wel in jullie derde weg?

HOE MOET JE NIEUWE PARTNER VAN JE KINDEREN HOUDEN?

Dit is een lastige vraag voor ieder ouder en nieuwkomer. Als de nieuwkomer zelf (nog) geen kinderen heeft, dan is de kans groot dat hij of zij overdreven wil moederen of de verwennende vader wil spelen.

Niet alleen kan je ex-partner daar niet van gediend zijn, ook de kinderen kunnen in opstand komen omdat ze geen tweede vader of moeder hoeven. Zijn er aan beide kanten kinderen, dan kan de ouder verwachten dat je evenveel van zijn of haar kinderen houdt als van je eigen kinderen, terwijl jij weet dat je daar niet toe in staat zult zijn. Jou lijkt het trouwens voldoende dat hij of zij gewoon aardig is tegen jouw kinderen, meer hoeft echt niet.

Samen onder één dak?

Kozen jullie ervoor om met de kinderen onder één dak verder te leven, dan hebben jullie er hopelijk aan gedacht wat er zou gebeuren als er een nieuwe partner zou opdagen. Wil je deze afspraken koste wat het kost handhaven of voel je er meer voor om de afgesproken oplossing voor de nieuwe liefde los te laten? Zelfs als het plan goed in elkaar zat, kunnen er scheuren in komen omdat de realiteit anders is dan de voorstelling die je er eerder van had.

MOET HET WEL ECHT 'HELEMAAL SAMEN'?

Een nieuwe vriend of vriendin in jullie huis brengen terwijl het evenwicht met je vroegere partner misschien nog broos is, lijkt niet vanzelfsprekend. De drang van de prille liefde die de geliefde liefst permanent bij zich wil hebben, kan groot zijn, maar het evenwicht in je gezin is zeker zo belangrijk. Wil je dus wel echt die stap zetten? Zijn er geen betere alternatieven, tenminste voorlopig?

En zit je nieuwe partner er wel op te wachten om bij jullie in te trekken? Misschien zegt die wel te gemakkelijk ja, wetend dat een nee voor jou een grote desillusie zou zijn. Bekijk het dus van alle kanten. Wik en weeg samen alle voor- en nadelen af voordat je de volgende stappen zet.

Wellicht is deze vraag tegelijk een vraag naar jouw toekomst. Als je nu de stap zet om samen te gaan wonen, zien jullie dat dan als een overgang of meteen tot het moment dat de kinderen het huis uit gaan? Misschien weten jullie het zelf niet goed en moet de tijd maar uitkomst brengen. Wellicht is het dan een beter idee na te gaan hoe je nieuwe partner daar echt over denkt en voor hoe lang die zich daartoe wilt verbinden. Of misschien is een proefperiode of een tijd geduld oefenen nog beter.

Slechts vier op de twintig gezinnen die we ondervroegen, kozen ervoor om samen met de kinderen in één huis te blijven wonen. De manier waarop nieuwe partners in het gezin werden ingepast, was telkens verschillend. De verwachtingen van elk nieuw stel moesten zich steeds aan de omstandigheden aanpassen, of werden niet ingelost. Verschillende oorzaken lagen aan de basis daarvan.

DE WOONRUIMTE

We zagen eerder al dat het voor Katrien en Kurt een gelukkig toeval is dat haar nieuwe vriend alleen maar tijdens de weekends aanwezig kan zijn. Permanent met drie volwassenen en twee kinderen samenleven in hun huis zou heel moeilijk zijn. En dan hebben we het nog niet over de bijna-volwassen kinderen van Bruno die tot nu toe niet betrokken werden in het gezin.

Beiden beseffen dat het voor Kurt een heel moeilijke opgave is om op zijn beurt een vaste partner te vinden. Vooral omdat die nieuwe partner met hun solide uitgangspunt moet kunnen leven. Veel onderhandelingsruimte is er niet. En materiële ruimte al helemaal niet.

Kurt en Katrien hebben telkens de nodige veranderingen aan hun woning aangebracht. Maar uiteraard zijn er grenzen. Om op langere termijn met twee nieuwe partners te kunnen leven zouden ze over een woning moeten beschikken met twee volledig onafhankelijke wooneenheden.

In die zin is het huis van Laura en Wim wél geschikt. Wim zegt van zichzelf dat hij eigenlijk graag alleen is. Buiten zijn werk houdt hij erg van de rust, die voor hem belangrijker is dan veel andere dingen. Natuurlijk speelt de nabijheid van zijn dochter en van Laura daarbij een positieve rol.

Laura van haar kant heeft er bewust voor gekozen niet te gemakkelijk in een nieuwe relatie te stappen. De wijze waarop ze grotendeels als 'gezin' samenleven zonder partners te zijn, zorgt ervoor dat geen van beiden zich eenzaam voelt.

Bij hen is het niet de materiële ruimte die hun levenswijze bepaalt, maar het is wel een bewuste keuze om hun gekozen weg niet te laten doorkruisen door een nieuwe vaste partner. Ook al gunt hun dochter, die intussen volwassen is, hun dit van harte.

Sylvie en Joris zitten bijna in hetzelfde schuitje. Sylvie ondervond hoe haar leefwijze een nieuwe relatie bemoeilijkte. Samen met Joris leeft ze nog steeds in hetzelfde huis, met als enige uitwijkmogelijkheid hun eigen slaapkamer. Haar nieuwe relatie speelde zich daardoor hoofdzakelijk op andere plekken en op haar werk af. Ook de enkele relaties van Joris bleven buitenshuis.

De verwachtingen van de nieuwe partners van Sylvie en Joris reiken gewoonlijk verder dan wat zij kunnen bieden. Niet verwonderlijk, maar wel vervelend. Ze hebben daarom allebei hun persoonlijke leven 'on hold' gezet, vermoedelijk tot de tijd dat hun kinderen op eigen benen zullen staan.

Hans en Anne zijn eigenlijk de enigen die als ex-partners volledig hun eigen leven kunnen leiden. Bij hen vallen de verwachtingen van hen en van hun nieuwe partners grotendeels samen. Maar het gezamenlijke huis is dan ook eerder alleen voor de kinderen een vaste woning en voor de anderen een 'ontmoetingsplaats'.

Zij genieten van de luxe dat ze ieder een partner hebben die zelf over een woning beschikt, zodat de ouderlijke woning de spil is waar de hele 'familie' om draait. De woningen van de partners zijn de vluchtheuvels vanaf waar ze geregeld afstand kunnen nemen. Daardoor krijgen ze voldoende gelegenheid om hun persoonlijke relatie de nodige diepgang te geven.

Een minimum aan bewegingsruimte is dus noodzakelijk om in één woning apart te kunnen samenleven. 'Apart' moet hier heel letterlijk worden genomen, want iedereen moet voldoende privacy hebben. Anders is het niet zinvol om het over andere verwachtingen te hebben.

Voordat een nieuwe partner echt in huis komt wonen, moeten enkele verwachtingen duidelijk zijn uitgesproken en beantwoord. Onderhandel hierover beslist met zijn drieën, of met zijn vieren.

Intussen kunnen er spontaan al bepaalde gewoontes zijn ontstaan omdat de nieuwkomer al een tijdlang in beeld is. Toch moet je hieruit niet afleiden dat alles zichzelf wel zal oplossen. Duidelijke afspraken maken hier de beste vrienden. Laten we een paar valkuilen bekijken waarbij het serieus fout kan gaan.

Huishoudelijke taken. De huishoudelijke taken zullen herverdeeld moeten worden. Hoe zijn ze nu verdeeld? Lukt het om ze te herverdelen, zodat de nieuwe partner geen gast wordt, maar een volwaardig lid van het gezin? Tegelijk hoeven niet alle taken gelijkwaardig te worden verdeeld over drie of vier volwassenen, vooral niet als de een wél kinderen heeft en de ander niet. Wordt de nieuwe partner ook betrokken bij de taken ten opzichte van de kinderen? Hoe ver gaat zijn bevoegdheid? Zijn gezag? Met dat laatste moet je heel voorzichtig omspringen. En bespreek liefst heel duidelijk met de kinderen of ze dit accepteren.

Volgorde binnenkomst. Ben je de eerste 'nieuwkomer' in het gezin, of ben je 'hekkensluiter'? Dat klinkt misschien onaardig, maar zo is het niet bedoeld. De eerste kan zich een derde wiel aan de wagen voelen en moet baanbrekend werk verrichten. Het is heel spannend hoe de ex-partner er in de praktijk mee om zal gaan. Soms vinden de kinderen het zielig voor de ouder die alleen blijft en laten ze je links liggen. De 'vierde' zijn kan ook knap ingewikkeld zijn. Zie dan maar eens je eigen stek te vinden. Toch kun je ook heel welkom zijn, omdat het plaatje nu weer compleet is. Er is weer meer evenwicht.

Spelregels in huis. Dat kan gaan over normen en waarden, maar ook over de plaats waar de schoenen worden neergezet. Was het altijd nogal chaotisch in huis en is de nieuwkomer meer een geordend type, dan kan het flink botsen. Maar het kan ook prima samengaan, mits elkaars gewoontes gerespecteerd worden. Dat geldt ook voor het gebruik van elkaars spullen. Vermijd dat zo veel mogelijk, maar als het toch moet, houd dan rekening met de zorg die de ander aan zijn spullen besteedt. En met diens gevoeligheden.

Vergeet ook niet dat er in een gezin veel meer onuitgesproken leefregels zijn dan je op het eerste gezicht zou denken. Televisiekijken is er zo een, net als de gewoonten aan tafel. Bij sommigen wordt het een met het ander gecombineerd. Het is moeilijker dan je denkt om daarmee om te gaan als je daar een hekel aan hebt.

Financiële aspecten. Dit is niet het gemakkelijkste onderwerp om over te praten, maar het zou heel fout zijn dit niet te doen. Wordt de nieuwe partner een volwaardig lid of komt hij of zij maar een paar dagen per week? Wordt er een bijdrage in de huur verwacht? Misschien is dat niet onlogisch als er door de komst aanpassingen moeten worden gedaan. Worden de kosten van verwarming en elektriciteit voortaan door twee of door drie gedeeld? Of door vier als ook rekening wordt gehouden met de aanwezigheid van de kinderen?

Onduidelijke afspraken over financiën en ieders bijdrage leiden vaak tot heftige discussies. Maak onderscheid tussen het potje voor de kinderen en de rest. Steeds vaker zien we dat gescheiden ouders kiezen voor een gezamenlijke rekening voor de kinderen. Als jullie dat nog niet deden, is het misschien een goed idee om dat in te voeren nu er een nieuwe partner bij komt.

Die nieuwe partner kan zelf ook kinderen hebben. Als deze zoals bij Kurt en Katrien buiten de gezamenlijke woning kunnen blijven, is er geen probleem. Kan dat niet, dan is het wellicht beter naar andere oplossingen te zoeken. Ten slotte bestaan er ook nog latrelaties. Misschien is dat wel te verkiezen boven het al te moeilijk te maken voor jezelf.

Tot slot moet iemand die voor één woning heeft gekozen, weten dat hij of zij bijzonder hoge verwachtingen stelt aan de nieuwe partner. Om het samen eens te worden, moet er aan beide kanten heel wat water in de liefdeswijn worden gegoten.

Een muur en een heg maken het verschil

In één huis is het vaak moeilijk om plaats te vinden voor één, laat staan voor twee nieuwe partners. Een tweede huis maakt het verschil, ook al staan die huizen vlak naast elkaar en zijn de kinderkamers vanuit beide huizen toegankelijk.

Toen Mark destijds Penelope had leren kennen, met wie hij een nieuw leven was begonnen, was hij verhuisd – dieper het land in, op een uur rijden van Lieve en de kinderen. Om het weekend gingen ze naar hun vader.
'De wisselingen waren moeilijke momenten', zegt Mark hierover. 'Toen kreeg Peter ook moeilijkheden op school wegens pestgedrag. Ik had het gevoel meer nodig te zijn dan wat ik op dat moment kon bieden. Toen toevallig het huis naast Lieve vrijkwam, was dit een unieke kans.

Penelope was op het idee gekomen. Zodra we daar woonden, kostte het haar wel wat moeite om haar draai te vinden. We hebben de tuinen gescheiden door een heg. Dat gaf haar meer een gevoel van privacy.'

Lieve en Penelope hebben geen strijd of jaloersheid gekend. Ze zijn heel pragmatisch ingesteld en staan open voor elkaar. Lieve is sinds een halfjaar een relatie aan het opbouwen. Bij het vinden van een nieuwe partner merkt ze dat die zich flink moet aanpassen aan de bestaande situatie. Zolang de kinderen thuis wonen, zal ze niet verhuizen. Ze heeft intussen ervaren dat niet iedere man openstaat voor hun manier van apart samenleven.

Toch zijn een muur en een heg hier duidelijk voldoende om de twee gezinnen zich volledig te laten ontplooien. De drie betrokken ouders zijn bij hun kinderen en onder elkaar zijn ze (bijna) doodgewone, goede buren. Alleen voor een nieuwkomer is het even wennen.

Als je voor een derde weg kiest waarbij je ex-partner om de hoek of wat verder woont, dan komen jij en je nieuwe partner dichter in de buurt van een gewoon nieuw samengesteld gezin. Vergeet dan zeker niet dat ook dan het grondig aftoetsen van al jullie wederzijdse verwachtingen de beste waarborg voor jullie toekomst is.

Verwachtingen bij birdnesting

Birdnesting lijkt een ideale periode om een nieuwe relatie op te bouwen, vooral als jullie deze vorm voor een bepaalde periode, bijvoorbeeld twee jaar, afspreken. De ex-partners hebben dan de tijd om tot rust te komen en de kinderen om aan de scheiding te wennen.

Die vaste periode kun je van tevoren vastleggen, zoals tot het einde van een schooljaar, of kan afhangen van een veranderlijke maar zekere gebeurtenis zoals de afwerking van een huis dat men aan het bouwen is. In beide gevallen weet een nieuwe partner waaraan hij of zij zich moet houden.

Dan ook kunnen plannen voor de toekomst worden gemaakt. Ook al is er gedurende die periode sprake van living together apart, ze zijn perfect in staat om hun verwachtingen aan hun vriend(in) mede te delen. Tegelijk kunnen ze bij het bepalen van hun derde weg rekening houden met de verwachtingen van hun nieuwe partner.

Het voordeel dat birdnesting biedt, is dat je onderscheid kunt maken tussen de week dat jij alleen bent en de week dat je als ouder bij de kinderen bent. Je hoeft je kinderen dan niet zo snel te belasten met een nieuwe relatie. In de tijd zonder hen heb je immers alle ruimte om je eigen weg te vinden en te onderzoeken of de relatie past.

Is de overeenkomst van de ouders van onbepaalde duur, dan zal het veel moeilijker zijn voor de ouders in kwestie om hun verwachtingen correct te formuleren. Tegelijk is het moeilijk om een duidelijk antwoord te geven op de verwachtingen van de nieuwe vriend(in).

Een akkoord van bepaalde duur maar voor lange tijd is ook niet eenvoudig, omdat het gedurende die (te) lange tijd belastend kan zijn, zowel voor de ouder als voor de nieuwe partner.

Zoals we zagen, besloten Jan en Nicole hun kinderen om de beurt in het ouderlijk huis op te voeden tot ze volwassen zouden zijn. Jan had als eerste een nieuwe vriendin. Nicole kreeg pas later een relatie met Henk. Zijn introductie in hun leven was onmiddellijk positief. Omdat Nicole het moeilijk had met alleen-zijn en emotioneel leed onder de scheiding, waren de kinderen zelfs blij dat ze een nieuwe partner had.

Toch ervaren Nicole en Jan dat hun sociale contacten tijdens de week dat ze in het huis wonen bijna stilliggen. In de tijd dat ze als gezin samenleefden, kwamen er weleens mensen spontaan over de vloer, of werden er etentjes georganiseerd. Nu is dat een grote uitzondering. Alsof mensen bang zijn of het na al die jaren nog steeds 'vreemd' vinden om in het huis te zijn. Maar misschien ligt het ook wel aan hen, omdat ze denken dat ze die tijd uitsluitend aan de kinderen moeten besteden.

Bovendien beseffen ze dat de buitenwereld niet kan volgen wie wanneer in het huis woont. En zelf verleggen ze die contacten vrijwel automatisch naar de week dat ze bij hun partner wonen.

Jan geeft misschien wel terecht aan dat het dankzij heel wat begrip van hun partners is dat hun relaties standhouden.

Hier zijn we bij een van de zwakste schakels van dit systeem als het op lange termijn wordt toegepast. Soms heb je de indruk dat je maar de helft van de tijd echt leeft. Als de kinderen al vrij groot zijn, is het wat beter te overbruggen. Je partner weet dan ook dat de wachttijd niet onoverkomelijk is, en jij geniet van een vrij volwassen omgang met je kinderen. Maar als de kinderen nog klein zijn, is het anders. Je moet ervan uitgaan dat je nieuwe partner wel andere verwachtingen kan hebben en concretere afspraken wil. Ook als hij of zij de regeling in het begin aanvaardt, is het onzeker of hij of zij dit volhoudt.

Ook voor jou kan het op den duur zwaarder worden. In de week dat je alleen bij de kinderen bent, kun je best behoefte hebben aan contact met een volwassene. De nieuwe partner aan tafel uitnodigen, een avondje film kijken of een uitstapje maken kan dan de oplossing zijn. Maar hoe moet dat als jullie de afspraak hebben om het ouderlijke huis partnervrij te houden?

Maak ook hierover dus liever afspraken die lange tijd mee kunnen. Zo kun je best zeggen dat je nooit een partner in de gezamenlijke woning zult uitnodigen als het niet om een definitieve keuze gaat en dat je een vaste nieuwe partner eerst aan je ex-partner zult voorstellen. Het heeft immers geen zin iemand uit te sluiten met wie je denkt je leven een nieuwe richting te geven. Die zullen je kinderen vroeg of laat toch moeten leren kennen en aanvaarden.

Aan birdnesting hangt ook een financieel prijskaartje. Als je dit niet als een overgang, maar als een langdurig model wilt gebruiken, zal je diep in je portemonnee moeten tasten. Je zult dus meer moeten rekenen op de financiële inbreng van je nieuwe partner. Of misschien woon je in je kinderloze week wel bij hem of haar in? Ook dat is tijdelijk best te doen, maar op termijn kan het wrijvingen veroorzaken. Zorg ook hier voor goede afspraken. Niets is pijnlijker dan ten onder gaan aan financieel getouwtrek.

Twee verwachtingen met een 'apart' karakter

Of je nu bij elkaar woont, vlak naast elkaar, om de hoek of verderop, twee verwachtingen zullen bij living together apart altijd een bijzonder karakter hebben. Daar gaan we dus even op in.

WELKE PLUSOUDERROL VOOR JE NIEUWE PARTNER?

Na een traditionele scheiding ervaren veel alleenstaande ouders opvoedstress. Ze hebben het gevoel alsof ze er alleen voor staan. In de nieuwe partner zoeken ze dan vaak een sparringpartner die de opvoeding van de kinderen met hen oppikt. Daardoor krijgt deze laatste een behoorlijke rol toebedeeld.

Apart samenblijven als ouders houdt in dat de opvoeding van de kinderen tussen de ouders wordt gedeeld. De nieuwe partner wordt dan wel nummer één als intieme partner, maar staat achteraan in de rij wat de opvoedkundige rol betreft. Daarover heb je wellicht al afspraken gemaakt met je partner.

Bespreek dus grondig de rol die je van hem of haar verwacht in je vernieuwde gezin. Hij of zij kan daar weleens heel anders over denken zolang hij of zij niet weet hoe ver jullie 'samenwerking' precies gaat.

Blijft de vraag of die nieuwe partner bereid is een opvoedingsstijl* te hanteren die naadloos aansluit bij degene die jij en je ex tot nog toe toepasten.

Liefst wil je wellicht dat aan de manier waarop je tot nu toe met de kinderen en je ex omging niets verandert. Het is erg belangrijk dat een nieuwe partner dit heel goed beseft. Is hij of zij ruimdenkend genoeg, dan hoeft er wellicht ook niets te veranderen. Toch kun je er niet omheen dat dit soms te veel gevraagd is. Met je vroegere gezin op vakantie gaan zal bijvoorbeeld ook voor een ruimdenkende partner niet altijd prettig zijn.

Als dit aan het begin van je relatie ter sprake komt – wat echt nodig is – dan komt het erop aan dat je eerlijk je mening geeft. Wek vooral niet de indruk dat je aan verwachtingen zult beantwoorden die je later niet kunt waarmaken. Je kunt hooguit een middenweg zoeken. Wat die vakanties betreft, kunnen jullie de eerste jaren misschien in elkaars buurt op vakantie gaan. Dan kan je nieuwe partner mee en kunnen de kinderen makkelijk van de ene naar de andere ouder. Wellicht kunnen jullie ook af en toe samen iets eten. Na een paar jaar is jullie onderlinge relatie misschien wel zo geëvolueerd dat jullie gewoon samen naar dezelfde plek met vakantie kunnen gaan. Of misschien is intussen het vertrouwen van je partner zo sterk gegroeid dat die er geen moeite meer mee heeft dat je ook eens met je vroegere gezin op reis gaat. Met wat goede wil kunnen onderlinge relaties snel evolueren.

Wat ertegenover staat voor wie erbij komt

Wie in het verruimde gezin zijn draai kan vinden, is een belangrijke toegevoegde waarde. En als de nieuwe partner zich veilig kan voelen in het systeem en er een vertrouwensband is opgebouwd, kan hij of zij ook een band krijgen met de ex-partner. Zo wordt er in beide huizen een sfeer gecreëerd waarin iedere volwassene en ieder kind zich thuis en veilig voelt.

Maar er is veel meer. Hoewel je rol als plusouder heel beperkt kan zijn, zullen de meeste klassieke problemen en conflicten je bespaard blijven. Bij feesten en belangrijke bijeenkomsten zul je algauw de plaats innemen die je toekomt. Ook al laat je het contact met de school helemaal aan de ouders over, op het schoolfeest zul je naast de ouders aanschuiven. De kans dat de kinderen je er graag bij zullen hebben als ze iets leuks gaan doen, is groot.

Hoe meer de verhouding tussen ouder en plusouder gerespecteerd wordt, hoe beter een relatie mogelijk is waarin veel plaats is voor vriendschap en liefde, een relatie die zorgt voor een warm, veilig nest voor de kinderen. Daar vinden ze voldoende geborgenheid, steun en aanmoediging om zichzelf te zijn, zich met volle energie te ontwikkelen en met stevige wortels in hun eigen leven te staan.

Geduld en begrip zijn belangrijk bij de vorming van een stiefgezin. Van tevoren wederzijdse verwachtingen uitspreken is noodzakelijk. Veel deskundigen waarschuwen ervoor dat je niet te snel bij elkaar moet gaan wonen. Een goed plusgezin vormen lijkt op een fusie. In een fusieproces zijn communicatie en inlevingsvermogen van groot belang. Dat geldt ook voor nieuw samengestelde gezinnen, zeker als die samen de derde weg willen inslaan.

Tips

- De tijd die je met je nieuwe partner besteedt aan het onderzoeken van jullie verwachtingen, win je later dubbel en dwars terug.
- Durf met je nieuwe partner te kiezen voor een vorm van samenleven die het best in de situatie past.
- Je kunt moeilijk te veel afspraken maken en hoe nauwer of frequenter jullie met elkaar 'samenleven', hoe talrijker ze behoren te zijn.
- Zorg voor een rol voor de plusouder ten opzichte van de kinderen, waar iedereen zich goed bij kan voelen.

Achter in dit boek (zie 'Meer weten', p. 217) vind je waar je meer informatie kunt vinden om na te gaan of jouw verwachtingen voldoende beantwoorden aan die van je nieuwe partner.

13

EN ALS JE PARTNER HOMO OF LESBISCH BLIJKT TE ZIJN?

Dertig gezinnen of personen wilden spontaan hun belevenissen in het kader van hun derde weg met ons delen. Tot onze verbazing zaten hierbij drie gezinnen bij wie een homoseksuele geaardheid een belangrijke rol speelde bij de scheiding. Toeval wellicht, hoewel sommigen ervan uitgaan dat de kans dat iemand homoseksueel blijkt te zijn bijna één op tien zou zijn.

Dat dit een aparte omstandigheid in het scheidingsproces was, leek ons vanzelfsprekend, en dat is de reden waarom we er een apart hoofdstuk aan besteden. De gesprekken bevestigden ons vermoeden: elk verhaal had zijn eigen dynamiek en dimensie.

De verstrengeling van de scheiding met de ervaring van de eigen seksualiteit bracht een berg emoties aan de oppervlakte. Alleen door tijd en geduld konden die verwerkt worden. Die tijd en dat geduld waren nodig om met zichzelf in het reine te komen en de juiste beslissingen te nemen.

De gesprekken gaven ons telkens een warm gevoel, omdat in alle oplossingen het wederzijdse respect zo'n bijzondere rol had gespeeld. Dit uitte zich in het model waarvoor zij kozen, maar ook in de positieve sfeer die je tussen de volwassenen en de kinderen voelde.

Een ondraaglijk geheim

Bijna tien jaar geleden vertelde Paul zijn vrouw Berenice dat hij zich sterk aangetrokken voelde tot een man. Enige tijd later begon hij een relatie met die man. Hij voelde zich schuldig tegenover zijn vrouw en zijn kinderen.

> 'Voor mij was die duistere periode van onzekerheid heel lastig om dragen', zegt Berenice. 'Paul had enorm met mij te doen en was bijzonder attent. Gelukkig zijn we in therapie gegaan. Langzaam werd duidelijk: zijn ware aard was homoseksueel.

Vanaf dat moment zochten we samen naar de beste oplossing voor de kinderen. Samenblijven en ieder onze eigen weg gaan leek ons de beste uitweg. Tegelijk verzekerde ik Paul ervan dat ik nooit zou praten over wat hij me had toevertrouwd, niet in een eventuele procedure noch in andere omstandigheden. Het was aan hem, vond ik, om te beslissen of hij uit de kast wilde komen en wanneer.

Ik ben ervan overtuigd dat dit tussen ons had kunnen werken. Buiten een paar harde woordenwisselingen in het begin maakten we geen ruzie, lieten we de kinderen niet blijken dat er iets verkeerd ging, en bleven we op heel veel vlakken van alles met elkaar delen.

Wel voelde ik steken in mijn hart als ik hem bijvoorbeeld heel lief en gevoelig met zijn vriend hoorde bellen, terwijl dát nou net was wat ik zo sterk miste.

Wat ons de das omdeed, was een externe factor. Als Paul 's avonds wegging, was ik bij de kinderen. Omdat hij door zijn beroep 's avonds altijd kan worden opgeroepen, moest er altijd een babysit komen als ik op stap ging. Vrij vlug kreeg ik de naam dat ik te weinig om mijn gezin gaf, dat ik meer behoefte had om alleen uit te gaan terwijl mijn plaats eigenlijk thuis bij mijn man en kinderen was.

Deze beschuldigingen waren onterecht maar logisch. Niemand wist dat Paul evenveel uitging. En door de zwijgplicht die ik mezelf had opgelegd, wist ook niemand hoe de vork precies in de steel zat. Na twee jaar waren die verdenkingen voor mij ondraaglijk geworden. Ongeveer tegelijk had Paul een vaste partner gevonden met wie hij graag wou samenwonen.

Aan het begin van de grote vakantie vertelden we aan de kinderen dat we gingen scheiden en dat hun vader homofiel was.'

'Dat laatste vond ik niet zo belangrijk', zegt James (nu 18). 'Ik was alleen bang dat ze mij daar op school mee zouden pesten, maar uiteindelijk viel dat best mee.'

Vooral voor de naderende scheiding waren James en Annemie (nu 15) bang: 'We waren er allebei van overtuigd dat een scheiding betekende dat we papa of mama niet veel meer zouden zien.'

'We hebben hun direct gezegd dat onze scheiding voor hen geen enkel verschil zou maken,' zegt Berenice, 'dat we allebei evenveel en even goed voor hen zouden blijven zorgen en dat we nog heel veel voor hen samen zouden doen. We bevestigden dit door onmiddellijk met hen op reis te gaan.

Toen het schooljaar weer begon, spraken we af dat ze 's middags elke doordeweekse dag bij hun vader zouden gaan eten. Dat doen ze nu nog twee keer per week. Daarnaast zijn ze negen dagen bij mij en vijf bij hun vader.

*Met de jaren is onze manier van omgaan naar een andere vorm van
vriendschap geëvolueerd. Zo letten we op elkaars woning als de ander op
vakantie is. We hebben allebei een sleutel van elkaars huis, maar gebruiken die met respect voor elkaars privacy. Alles wat op school gebeurt, volgen we samen van heel nabij. Verjaardagen en andere feesten van de kinderen vieren we samen.'*
*Intussen hebben Berenice en Paul al verschillende jaren een vaste partner
met wie de kinderen het heel goed kunnen vinden.*

Dit verhaal getuigt van volstrekte eerlijkheid en een grote loyauteit tegenover elkaar. Hij stelt haar vrijwel onmiddellijk op de hoogte van zijn onverwachte ervaring en zij veroordeelt zichzelf tot een ondankbare zwijgplicht.
Haar loyale houding tegenover haar man zal niet veranderen, ook niet als
ze de zwarte piet krijgt toegeschoven bij de teloorgang van hun relatie.

Hun verhaal vroeg ook om een vergelijking met heteroseksuele buitenechtelijke relaties. Het schuldgevoel bij de overspelige partner lijkt daar
vaak minder groot. Misschien gaat hij of zij daardoor ook minder snel tot
bekentenissen over. Ook is de impact van de mededeling op de benadeelde
partner anders. De eerste schok is misschien even groot, maar de ontredde-
ring is niet definitief. Je weet dat het tij kan keren.

Bij een homoseksuele relatie is er eerst nog de vage hoop dat het misschien niet definitief is. Misschien is hij of zij wel biseksueel? Er is toch dat
verleden samen, misschien is er ook nog een toekomst. Maar als die hoop
ijdel blijkt te zijn, dan is het zinloos om zich er verder tegen te verzetten en
daar koos Berenice voor. Toch is de manier waarop ze dit deed, ook toen ze
volledig in de wind kwam te staan, heel lovenswaardig.

Die wind waaide vooral vanuit de kant van de familie, zowel die van Berenice als die van Paul. Pauls vader was erg zwijgzaam van karakter, en bleef dat nu
ook. Zijn moeder was dat veel minder. Zij had het gedrag van Berenice tijdens
de twee donkere jaren gehekeld. Zij had ook een aantal keren op de kinderen
gepast en dacht dus te weten wat er aan de hand was. Toen ze later geconfronteerd werd met de homoseksualiteit van haar zoon, brak haar dat op.

Het hele voorval toont nog maar eens aan hoe gevaarlijk het is om een
oordeel te vormen over het wel en het wee van een stel, ook al ben je vader,
moeder, broer of zus, zelfs al ben je de beste vriend of de hartsvriendin. Wie
verstandig is, velt nooit een oordeel voordat alle kaarten door de spelers zelf
op tafel worden gelegd, en dan nog zijn niet altijd beide verhalen gelijk.

Berenice heeft het nog moeilijk als ze aan die twee 'hondsjaren' terug-
denkt, maar betreurt uiteindelijk niet dat ze erdoorheen moest. Ze is ervan

overtuigd dat ze er daardoor heel zeker van werden dat ze de juiste beslissing namen. Daarmee was haar scheiding wellicht al verwerkt voordat ze was begonnen.

En ook voor de kinderen was het een goede zaak. Intussen waren ze twee jaar ouder en waren Berenice en Paul veel beter in staat de schok die de aankondiging van de scheiding bij hen teweegbracht op te vangen. Als ouders waren ze intussen sterker geworden en beter in staat om boven de emotionele toestanden te gaan staan die veel scheidingen belasten.

Hun wederzijdse begrip tijdens de moeilijkste fase van de scheiding hielp hen ook om hun beste weg te vinden. Alles is nu stabiel. Beiden hebben al een jarenlange relatie. De kinderen kunnen het erg goed vinden met hun twee plusvaders. Met zijn allen kunnen ze er af en toe echt een feestje van maken. Het feit dat de twee nieuwe partners geen kinderen hebben, vergemakkelijkt hun 'verbond', dat gerust vriendschap kan heten. James en Annemie kunnen dit alleen maar beamen.

Vision Quest brengt raad

'Bijna tien jaar na ons huwelijk begon er tussen ons een afstand te groeien', vertelt Anne. 'Voor iedereen die ons kende, waren we een perfect stel. Hans was volgens velen – vooral vriendinnen – een 'ideale' echtgenoot, heel erg gericht op het huishouden. Het ontbreken van gedeelde intimiteit, noch in gesprekken noch in aanrakingen, deed ons echter langzaam de das om. Ik wou het opentrekken, wou erover praten. Hans trok zich steeds meer terug. Jaren gingen voorbij zonder dat we hierin een stap verder kwamen. Ik voelde me steeds meer wegzinken, ongelukkig want machteloos.'

'Ik vond het zeker moeilijk om over gevoelens te praten en nog meer om ze te uiten', geeft Hans toe. 'Ik had dat thuis nooit geleerd en had niet in de gaten wat Anne van mij verwachtte.'

'Om mijn eenzaamheid te doorbreken schreef ik me in voor een tangocursus', gaat Anne verder. 'Binnen die groep ontstonden er gesprekken met iemand die mij confronteerde met onze leefwijze en met de inhoud van mijn relatie met Hans. Die gesprekken deden mij goed, ze trokken me uit het moeras waarin ik me voelde. We begonnen elkaar ook te ontmoeten buiten de tangolessen om. Het bleef niet bij ontmoetingen alleen, maar ik wou het ook niet zien als een relatie. Ik wist voor mezelf dat ik zeker niet wou scheiden, niet van mijn gezin, niet van Hans. Ik hield ook niet van dat stiekeme gedoe. Toen ik het aan Hans vertelde, was dit zo confronterend voor hem dat we eindelijk samen naar een therapeut gingen. We wilden allebei een nieuwe start maken, maar we vulden dat ieder anders in. Hans wou dat we weer een stel werden, ik wou dat niet meer, maar ik wou wel dat we samenbleven.'

'Ik had het daar heel moeilijk mee', zegt Hans. 'Ik wist dat ze al heel wat jaren ongelukkig was in onze relatie. Ik kon dus wel begrijpen dat er iemand anders in haar leven kwam. Ik voelde me niet jaloers, wat ik zelfs een beetje vreemd vond. Maar ik vond dat ze dan keuzes moest maken. Op een bepaald moment overwoog ik om hier in de buurt naar een woning te zoeken. In elk geval wou ik dicht bij de kinderen blijven.

Met de therapeute ontdekte ik dat ik vastzat, maar waaraan wist ik niet. Ze stelde me voor naar een mannelijke therapeut te gaan die met mannengroepen werkte. Die kreeg mij helemaal in beweging: fysiek, geestelijk en emotioneel.'

Een jaar later raadde de therapeut Hans aan deel te nemen aan een Vision Quest. Dat is een zoektocht naar het middelpunt van de ziel. Daarvoor volg je een negendaags programma in een ongerept natuurgebied. Tijdens die Vision Quest kreeg Hans het inzicht dat hij zich aangetrokken voelde tot mannen.

'Het duurde een poos voordat hij me dat durfde te zeggen,' weet Anne, 'maar voor mij was het de bevestiging van een vermoeden dat ik allang had. Mijn hemel klaarde op. Een ongelooflijke opluchting.'

Symbolisch besloten ze om ieder een eigen kamer in huis te hebben en alleen te slapen. Samen besloten ze hun kinderen en vrienden van alles op de hoogte te brengen. Lucas (8) kon het redelijk goed plaatsen, maar had weinig behoefte om erover te praten. Kristel (6) had veel verdriet en was bang dat haar ouders toch uit elkaar zouden gaan. Door erover te praten met vriendinnen en met haar ouders groeide haar vertrouwen.

Meteen ging alles veel beter: Hans kon de aanwezigheid van Annes vriend veel beter verdragen. Hij vroeg zich wel af of hij wel een gepaste man zou vinden in een wereld die hem onbekend was, maar dat viel mee. Vrij vlug had hij een vriend. Het werd een dubbele 'coup de foudre'.

'Voor mij was dat een heel bijzondere ervaring,' zegt Hans, 'plotseling besefte ik wat Anne al die jaren had moeten missen. Ik begreep nu veel beter waarom ze op iemand anders verliefd werd.'

Beide mannen konden rustig aan huis komen. Twee totaal verschillende temperamenten. De geaardheid van hun vader had de kinderen wel verrast en geraakt, maar daar waren ze vlug overheen. Ook bij vrienden of op school ondervonden ze er nauwelijks last van. Dat hun moeder een relatie had, was een zwaardere klap, niet vanwege de relatie, wel omdat dit in hun ogen een grotere bedreiging vormde voor hun gezin.

Dat gezin heeft nu een heel aparte vorm gekregen. Geleidelijk ontstond er een tijdsschema waarbij Anne en Hans de weekdagen doorbrengen in het ouderlijke huis. Ze brengen allebei samen tijd door met de kinderen, met hun lief en de kinderen, met de kinderen alleen, maar ook met hun lief alleen. Het gebeurt dat ze met zijn zessen aan tafel zitten of samen een kop koffie drinken bij de 'aflossing'. Vorig jaar vierden ze met zijn allen kerstavond omdat Anne op dat moment niet welkom was bij haar schoonfamilie.

De familie is trouwens hun grootste zorg. Annes moeder had het erg moeilijk met de relatie die ze was begonnen. 'Ik wil Hans niet kwijt', had ze gezegd. Dat ze samen bleven wonen, vond ze een goede zaak. Maar de angst bleef. Zou dit wel stabiel zijn? Nu, zoveel jaren later, ligt dat anders.

Toen de ouders van Hans hoorden dat Anne iemand anders had en ze toch samen zouden blijven, bleven ze hopen dat het allemaal wel weer goed zou komen. Toen ze later met de homofilie van hun zoon geconfronteerd werden, maakte de hoop plaats voor wanhoop. Ze reageerden heel emotioneel. 'Met die man kom jij hier nooit binnen', hadden ze gezegd. Vooral Hans' vader was heel beslist. Hij wou het hele gebeuren het liefst negeren.

Die houding bereikte een dieptepunt met Kerstmis vorig jaar. Traditioneel vierden ze samen met de familie kerstavond bij de ouders van Hans. De zus van Hans en haar man vonden dat Anne daar niet meer bij hoorde. De vader gaf hun gelijk. Hans en de kinderen vonden dat het alleen maar zin had als ze samen konden gaan. Mama niet, niemand niet, was hun besluit. Tien dagen later kreeg de vader van Hans een hartaanval en overleed hij. Het was zijn laatste kerst geweest.

Wat opvalt, is het gemak waarmee beide nieuwe partners hun beperkte rol hebben aanvaard. Ze zien het wel als water bij de wijn, maar vinden tegelijk hun manier van omgaan met elkaar een uitdaging die hun leven boeiend maakt. Alleen de vriend van Anne vraagt zich soms af hoe het in de toekomst moet. Volgens Anne en Hans zal alles zichzelf wel uitwijzen als de kinderen helemaal zelfstandig worden. En die tijd is niet meer zo ver weg.

Vanwege de kinderen

Het verhaal van Kris en Françoise kwam deels al eerder aan bod: hoe Kris zijn homoseksualiteit ontdekte, zijn jarenlange onzekerheid en strijd met zichzelf, hun gezamenlijke strijd om met dit nieuw gegeven om te gaan, en hun uiteindelijke beslissing om naar de buitenwereld toe een gewoon gezin te blijven.

Vanwege de kinderen hielden ze hun gezin uiterlijk intact, tot Gella de schijnwereld die ze met de beste bedoelingen hadden opgebouwd, ontdekte.

'Ik begon met een enorm schuldgevoel', herinnert Kris zich. 'Gedurende bijna een jaar van innerlijke strijd slaagden we erin ons partnerschap te herdefiniëren. Ik had vrij vlug twee kortstondige relaties met een man gehad waar Françoise van wist, maar die voor de kinderen en de buitenwereld verborgen bleven.'

'Afstand nemen was voor mij heel moeilijk', erkent Françoise. 'In het algemeen was onze relatie zo goed dat het moeilijk was te aanvaarden dat het fysieke onze geestelijke verstandhouding niet meer kon vervolledigen. Rationeel zag ik na een tijd best in dat er geen terugkeer mogelijk was, maar voordat je dat ook emotioneel kunt verwerken, gaat er wel een hele tijd overheen. Tegelijk vond ik dat ik moest aanvaarden dat Kris geen schuld had aan wat er met hem gebeurde en er net zoveel moeite mee had als ik. Of nog meer.'

'Voor mij lag het natuurlijk anders,' zegt Kris, 'maar niet gemakkelijker. Weliswaar was fysieke afstandelijkheid voor mij logischer, maar ik vond het wel moeilijk om een mentale afstand op te bouwen. De opbouw van deze afstand deed pijn zolang ik me schuldig voelde.'

Eigenlijk leefden Françoise en Kris heel wat jaren in een uitzonderlijke living together apart-situatie. Uitzonderlijk, omdat de ware toedracht alleen bij hen bekend was. Uitzonderlijk ook omdat ze verder als broer en zus het echtelijke bed bleven delen terwijl ze voor elkaar een 'gedoogbeleid' hanteerden. Françoise wist dat Kris af en toe een vriend had, maar nooit voor lang. Hij zegt dat hij een relatie met iemand in wie hij echt zou kunnen geloven uit de weg ging uit angst dat dit het leven met zijn gezin had kunnen bedreigen. Een keuze tussen beide had hij niet willen maken.

Wel was hij verrast toen Françoise plotseling een vriend had. Anders dan bij Kris hield deze relatie veel langer stand. Ongewild zorgde het voor meer evenwicht. Zij zou het uiteindelijk zijn die Kris erop wees dat het misschien ook voor hem wel beter was om een vaste partner te hebben. Hun langzame en ook wel aparte evolutie had hen er rijp voor gemaakt om elkaar het beste te gunnen.

Die lange periode van innerlijke strijd voor Kris was aan de kinderen niet ongemerkt voorbijgegaan, zeker niet aan Edgar.

'Ik weet wel dat papa vaak boos en agressief was', zegt hij. 'Dat lag wel-licht ook aan mij omdat onze karakters niet bleken te klikken. Toen papa mij al huilend vertelde hoe de situatie in elkaar zat, had ik iets van "so what?". Het kon mij echt niet schelen dat mijn vader op mannen viel. Wat mij wel kon schelen, was dat hij zo vaak gespannen thuiskwam en dat ik me daardoor slecht voelde.

Ik heb mama erover aangesproken, maar veel gebeurde er niet. Ik ben toen naar papa's psycholoog gegaan. Ik ben daar in tranen uitgebarsten. Voor het eerst hoorde zij mijn kant van het verhaal. Ze had geen idee dat de situ-atie thuis vaak gespannen was en dat dit zo zwaar op mij woog. Zij zag in dat dit niet langer kon duren en heeft het mama verteld. Pas toen had ik eindelijk weer rust en veranderde alles.

Al bij al is dit slechts een relatief korte periode geweest. Toch zijn het zaken die je bijblijven omdat de goede ervaringen vaak logisch lijken. Ik besef dit en heb niet te klagen. Al onze zomer- en winterreizen bijvoorbeeld waren fantastisch. Daarbij heb ik papa nooit als negatief ervaren.'

Kris en Françoise zijn zeven jaar geleden uit elkaar gegaan. Of beter gezegd: Kris is dicht bij zijn werk gaan wonen, een heel eind van het ouderlijk nest van-daan. Intussen hebben ze allebei een vaste relatie. Ook Gella heeft een vaste partner gevonden en Edgar zit goed in zijn vel, zowel op persoonlijk als op stu-dievlak. Achteromkijkend vind Kris zijn schuldgevoel de grootste last die hij te dragen had, bij Françoise was het 'hun geheim' dat het zwaarst woog.

Toen ze uiteindelijk hun vrienden en kennissen uitnodigden en hun al-les vertelden, vielen die zowat van hun stoel. Voor hen maakte het nauwe-lijks wat uit. Heel anders was de reactie van hun ouders. Françoises vader kan Kris niet begrijpen. Hij vindt dat hij er maar voor had moeten zorgen dat het niet was gebeurd. De moeder van Kris kan het gewoon niet aan. Toen ze het hoorde, dreigde ze met zelfmoord. Nu nog blijft ze haar zoon intimideren door te beweren dat ze elke avond huilend naar bed gaat. Zijn vader praat er niet over. Hij had het liever niet geweten.

Het is de enige dissonant in een verder heel gelukkig verruimd gezin. Het is of alle grenzen zijn uitgevaagd en ze als vrienden onder elkaar kun-nen feesten en op reis gaan. Ze vierden laatst nog kerstavond in hun ver-ruimde familiekring en er worden plannen gemaakt om 'met heel de ben-de' samen op skivakantie te gaan.

'We zijn er gekomen,' besluit Kris, 'maar over rozen is ons pad niet gegaan. Wat ik zeker weet, is dat onze beide kinderen ons waarderen met onze

kwaliteiten en zwakheden. Er bestaat geen opleiding om een goede ouder of goede partner te zijn. De ervaring van het leven heeft ons gezin gebracht waar het nu staat, en aan het eind van de rit durf ik zeggen: "We hebben het er nog niet zo slecht vanaf gebracht."'

Hoe boeiend deze ontmoetingen ook waren, toch bleven we met een belangrijke vraag zitten: was het toeval dat we drie reacties ontvingen met een homofiele inslag en geen enkele met een lesbische? Wil iemand die ontdekt dat ze lesbisch is een soortgelijke oplossing, of toch anders?

Gelukkig vonden we een authentiek verhaal in het boek *Reconcilable differences* van Cate Cochran.[28] Het hielp ons om ook een tip van die sluier op te lichten.

Met drie vouwen in één huis

Kathleen en Phil waren dertien jaar bij elkaar en hadden drie kinderen toen hun huwelijk het begaf.

Tijdens een training voor stellen in nood voelde Kathleen zich voor het eerst gecharmeerd door de aandacht van een vrouw. Een jeugdvriendin die al achttien jaar heimelijk verliefd op haar was, wordt een tijd later de openbaring. 'Ik was geen lesbienne die zichzelf plotseling ontdekt,' zegt ze erover, 'maar een vrouw die haar seksuele energie terugvindt.'

Phil had vlug gezien dat het zo niet verder kon. Hij stelde zelf voor een klein gedeelte van het huis voor zichzelf te nemen, zodat Kathleen en de kinderen in de rest van het huis konden wonen. Drie maanden later trok Jane bij Kathleen in.

De oudste kinderen (11 en 9) hadden meer problemen met de nieuwe situatie dan Maggy (6), de jongste. Maar na verloop van tijd kwam alles in orde. Ze zagen in dat ze er veel beter aan toe waren dan veel kinderen wier ouders helemaal gescheiden leefden. Ze aten nog samen, de boodschappen en andere taken werden verdeeld en ze gingen samen op vakantie.

Na twee jaar verhuisde Phil toch naar een huisje in de buurt. Die verhuizing was meer symbolisch dan reëel. Ze aten nog samen en de meeste avonden bracht hij met hen door.

Daar kwam verandering in toen Sue in zijn leven verscheen. Hij legde haar duidelijk uit hoe hun familie functioneerde. Sue aanvaardde de uitdaging.

Dat was nu net wat we ons afvroegen: zal een derde vrouw in huis – ook al kunnen we hier moeilijk nog van één huis spreken – niet te veel van het goede zijn? En onze vrees bleek niet helemaal ongegrond.

Kathleen, die zo ongeveer de leiding over de huishouding had, voelde zich bedreigd door de komst van Sue. Ze vreesde dat hun broze evenwicht erdoor zou wankelen. Haar vrees uitte zich in de onbenulligste dingen. Zo bracht tijdens een gezamenlijk uitstapje een banaal toeval haar bloed aan het koken. Zij had gezorgd voor alles wat bij de picknick hoorde. Omdat alles onder de stoel van Sue lag, begon zij het eten uit te delen. 'Net of zij het was die het had klaargemaakt', zo voelde het voor Kathleen. Later zag ze in dat ze dom was geweest, maar intussen had de crisis die op die gedachte volgde Sue erg van haar stuk gebracht.

Dit en enkele andere incidenten maakten dat hun gedragscode stilaan veranderde. Vanaf toen liepen ze niet meer onaangekondigd elkaars woning binnen, zeker de volwassenen niet. De intimiteit die er voorheen tussen iedereen bestond, verbleekte.

We mogen uit dit ene geval zeker geen algemene conclusies trekken. Toch vrees ik dat de rol van de huishouding in samengestelde gezinnen niet mag worden onderschat, zeker niet voor wie met twee gezinnen in één huis wil gaan wonen. De ondraaglijke aantrekkingskracht van de huishouding is soms heel groot.

Het is zeker zo dat de vrouw vaak vanzelf zachtjes in de rol van de huishouding wordt geduwd. Maar terecht of ten onrechte voelen veel vrouwen zich nog altijd verantwoordelijk voor die huishouding, en vaak voelen zij zich ook het best in staat om te bepalen hoe die huishouding moet worden gevoerd. Veel mannen zullen daar geen moeite mee hebben. Met verschillende vrouwen in huis kan dat echter anders zijn. Misschien kan het helpen je af te vragen of de lasten van de huishouding opwegen tegen de lust om aan het roer te staan.

Hoe dan ook, het vernieuwde gezin van Kathleen en Phil heeft het met alle zeven mensen vijftien jaar volgehouden. Nu de kinderen het huis uit zijn, is het ouderlijke huis verkocht en wonen Sue en Phil in een ander deel van de stad. Met nostalgie kijken ze terug op de afgelopen periode. Dat ze uiteindelijk uit elkaar gingen, zien ze als een verlies.

'En toch heb ik er een goed gevoel bij', besluit Kathleen. 'Ik heb de geruststellende zekerheid dat er in de wereld zes personen zijn die heel oprecht van mij houden, en dat is een ongelooflijk geschenk.'

Tips

- Heb wederzijds begrip voor pijn en onzekerheid waar de ander mee te maken krijgt. Dat niemand daar schuld aan heeft, kan helpen.
- Maak plaats voor een andere dynamiek en rolverdeling in jullie relatie door in te bouwen dat nieuwe partners een rol zullen spelen.
- Laat de seksuele geaardheid van je (ex-)partner geen rol spelen in jouw loyaliteit tegenover hem of haar als ouder.
- Ga ervan uit dat voor jullie kinderen de boodschap van een scheiding veel ingrijpender is dan de coming-out over jouw seksuele geaardheid.

14

LIVING TOGETHER APART, SOMS MOEILIJK OF ONMOGELIJK

De derde weg kan moeilijker uitpakken dan gedacht, soms té moeilijk, en soms zal het onmogelijk zijn. Het enige dat je dan kunt doen, is niet alle schepen achter je verbranden.

Zo kan de andere een muur optrekken waar je tegen blijft op botsen. Of het gebrek aan opvoedkundige kwaliteiten van een van de partners kan de derde weg bemoeilijken of in de weg staan. Of misschien zijn er persoonlijke problemen die de uitoefening van het ouderschap al dan niet tijdelijk onmogelijk maken. Dit hoeft echter niet te beletten om ook in pijnlijke of zeer moeilijke omstandigheden het belang van de kinderen in het oog te houden.

En niet alleen de ouders en plusouders kunnen het lastig hebben met een gekozen samenlevingsvorm, ook kinderen kunnen zich ertegen afzetten. Wat dan?

We zullen er nooit in slagen een oplossing te vinden voor elke hypothese, maar we leerden wel van ouders, kinderen en professionals dat in elke situatie een bepaalde houding bijdraagt tot het openhouden van de toegang tot een derde weg.

Sloop de muur

Het is vaak onbegrijpelijk hoe mensen die jaren samenleefden plotseling vreemden voor elkaar kunnen lijken. De enige communicatie tussen hen verloopt ineens alleen nog via de kinderen. Zelfs e-mails blijven onbeantwoord, ontmoetingen en gesprekken worden systematisch vermeden. Kortom, ouders worden onzichtbare medemensen voor elkaar en van de kinderen wordt het onmogelijke gevraagd: om de beurt moeten ze één helft van zichzelf negeren, namelijk de ouder bij wie ze op dat moment niet zijn.

Wat is daar precies gebeurd? Zelfs de ouders die het betreft, zullen het antwoord vaak schuldig blijven en geen van beiden kan wellicht nog precies zeggen hoe, wanneer en waarom die koude oorlog begon.

Voor een ouder kan het nog pijnlijker zijn als hij of zij alles in het werk stelt om te overleggen, te communiceren, terwijl de ander een muur optrekt om haar of zijn eigen belang te beschermen. Of gewoon om de andere te tarten.

We herinneren ons hoe Bert en Bea vanwege hun drie zonen vol goede wil aan birdnesting begonnen. Vier maanden later zag Bea dit niet meer zitten en stelde ze voor dat de kinderen om de week zouden verhuizen naar de andere ouder. Om de rust te bewaren ging Bert op het voorstel in. Vlug realiseerde hij zich dat er vanaf dat moment geen sprake meer was van het samen opvoeden van de kinderen.

Bert ging toen noodgedwongen vanuit zijn standpunt naar de toekomst kijken. Omdat hij die toekomst in functie van de kinderen bleef zien, besloot hij een woning in de nabijheid van het huis van Bea te huren. Logisch wellicht vanuit zijn standpunt, maar het ging algauw van kwaad tot erger. Bea weigerde inmiddels elke vorm van communicatie en schermde zich volledig af, zeker toen Bert Kaat leerde kennen. Ook de kinderen zagen hun moeder vanaf dat moment als slachtoffer. Bert had dit wel in de hand gewerkt door te zeggen dat hij de volledige verantwoordelijkheid en zelfs de schuld van de scheiding op zich wou nemen.

Het leidde geleidelijk tot waar hij vandaag staat: aan de zijlijn. Hij moet zich tevredenstellen met een verblijf van zijn zonen gedurende één weekend om de veertien dagen. En zonder een spontaan bezoekje daartussenin. Omdat die beslissing mede door zijn zonen (17, 15, 12) werd genomen, vecht hij die niet aan. Ze blijven ondanks hun besluit altijd welkom. Hij kan hun alleen maar zeggen dat hij grenzeloos veel van hen houdt.

Dat Bert de schuld van de scheiding op zich wilde nemen was een vergiftigd geschenk. Hij kreeg daardoor niet de dankbaarheid terug waarop hij hoopte.

Het ging al mis vanaf het begin, toen Bea een deadline noemde waarop hij uit het gezamenlijke huis moest vertrekken. Op dat moment scheidden hun wegen letterlijk, ook voor de kinderen. Vanuit de stukgelopen partnerrelatie gezien kan dit logisch lijken, maar voor het ouderschap had dit spijtige gevolgen. Ook het leven van de kinderen werd daardoor opgesplitst.

Of een andere aanpak van Bert tot een beter resultaat zou hebben geleid, valt moeilijk te zeggen. Wel zien we dat dankzij zijn blijvende positieve houding het conflict niet uit de hand is gelopen en de kinderen niet voor een loyaliteitsconflict werden gesteld.

De uitkomst is verre van ideaal, maar tot op vandaag blijft de derde weg open. Er is geen onomkeerbare schade, en Bert blijft bereid om vanaf elk moment samen met zijn huidige vriendin voor gedeeld ouderschap te gaan.

VLUCHTEN OF VECHTEN?

Je kunt natuurlijk zeggen dat Bert vlucht in plaats van te vechten. Dat klopt, maar is vechten een betere weg?

Als ouders ervoor kiezen om te vechten in plaats van te vluchten, dan bestaat het risico dat de situatie helemaal uit de hand loopt.

Kris en Valerie, al jaren gescheiden, hebben een dochter, Anja (12), en een zoon, Gert (9). Toen Valerie destijds te horen kreeg dat haar man iemand anders had leren kennen, had ze hem onmiddellijk het huis uitgezet. Kris was toen, noodgedwongen, bij zijn vriendin gaan inwonen.

Hoewel hun ouders daardoor op aanzienlijke afstand van elkaar wonen, verblijven Gert en Anja telkens afwisselend een week bij de ene en bij de andere ouder. De communicatie tussen Kris en Valerie verloopt via de kinderen of via advocaten.

Vorig jaar werd hun koude oorlog aangewakkerd toen Valerie besloot de kinderen midden in hun zomerkamp op te halen omdat haar verblijfsperiode begon. Anja, die het naar haar zin had, weigerde echter mee te gaan met haar moeder. De situatie liep uit de hand. Gedurende zes weken zag Valerie haar dochter niet, waardoor ze zich tot de jeugdrechter wendde.

Voor Kris was dit de spreekwoordelijke druppel: na jaren van pogingen tot overleg en toegevingen ging hij deze keer het gevecht aan en hij zou onder geen enkel beding toegeven.

Noch de jeugdrechter noch maanden van bemiddeling konden baten. Ze bleven telkens op dezelfde steen botsen: de wijze waarop de scheiding jaren geleden verliep en hun geschonden belangen.

Die patstelling vindt haar oorsprong in het feit dat Kris destijds een einde maakte aan de partnerrelatie. Valerie neemt hem dat nog altijd erg kwalijk. Er werden procedures gevoerd, en toen uiteindelijk werd besloten dat ze evenveel voor de kinderen zouden zorgen, was dit de 'doodsteek' voor Valerie. Zij zou niet meewerken aan de regeling, want anders zou niet duidelijk zijn dat dit helemaal geen goede regeling was.

De strijd tussen Kris en Valerie toont aan dat vechten en blijven vechten nooit de oplossing kan zijn. Hun gevecht gaat om macht, en speelt zich af over de hoofden van de kinderen heen. Kris en Valerie kunnen op zich goede ouders zijn, maar samen maken ze er een zootje van voor de kinderen. De jeugdrechter moet dan uiteindelijk beslissen of de kinderen op kamp kunnen of niet, maar het is zeer de vraag of ze er nog zorgeloos zullen van genieten.

DE MUUR SLOPEN DOOR DIALOOG

Als vluchten niet helpt, en vechten nog minder, wat blijft er dan over? Moeten we de derde weg dan helemaal vergeten?

Misschien ligt de oplossing wel in het hebben van oog voor het belang dat door die muur wordt beschermd, en in het opbrengen van de moed om er niet te hard tegenaan te beuken.

Dat vergt een enorme toegeving en is zeker niet vanzelfsprekend. Uitzoeken waar het precies misging en het eigen aandeel daarin durven zien, kan helpen om in te zien waarom de ander zich zo gedraagt. Vervolgens blijf je zoeken naar toenadering, hoe moeilijk dit ook kan zijn voor iemand met eigen wonden en belangen.

Klinkt dit te moeilijk? Keren we even terug naar Bea en Bert. Stel dat Bert zijn vrouw had betrokken bij het zoeken naar een appartement toen zij aangaf dat hij de gezinswoning moest verlaten. Stel dat hij de tijd dat ze nog samenwoonden had gebruikt om in plaats van de schuld op zich te nemen na te gaan of er geen mogelijkheden waren om die schuld af te betalen. Wellicht kon hij dit doen door spontaan een ruimere verblijfsregeling voor haar in te stellen dan voor hem. Wellicht zou zij het dan minder erg hebben gevonden dat de kinderen eens onverwacht bij hem langsgingen. Van haar kant schijnt zij niet te beseffen dat ook Bert verdriet heeft en onzeker is over zijn toekomst. Dat hij eigenlijk in de eerste plaats gewoon wil zoeken naar een oplossing die goed is voor de jongens. Geen van beiden deelde zijn gevoelens op dat moment met de ander. Toch had juist dat tot een oplossing kunnen leiden.

Bij Kris en Katrien had het heel anders kunnen lopen als Kris niet onmiddellijk uit het huis was gezet en daardoor geen andere optie zag dan in te trekken bij zijn nieuwe vriendin. Wat als beiden op dat ogenblik hun onderliggende gevoelens oprecht hadden getoond? Of als ze desnoods met externe hulp een poging hadden gedaan om eerst met elkaar te praten? Kris begreep wel dat Katrien boos en gekwetst was, maar dat gaf haar toch niet het recht om de kinderen van hem af te nemen, en het dak boven zijn hoofd? Eigenlijk verplichtte ze hem bijna om bij zijn vriendin in te trekken en te vechten voor de kinderen.

Over wie hier als partner in de fout gaat, kun je een mening hebben, hoewel je daarvoor het hele verhaal zou moeten kennen. Maar als ouder gaan ze hier beiden serieus in de fout.

Iedereen kent situaties waarin we vastlopen in eigen gevoelens en overtuigingen door gebrek aan begrip voor het standpunt van de ander. Als je living together apart een kans wilt geven, kun je beter de strijdbijl begraven en niet op de vlucht slaan, maar blijven staan om in de eerste plaats naar elkaar te luisteren, dan te overleggen en ten slotte te zoeken naar een oplossing die iedereen verder helpt.

Dat leerden we trouwens uit het verhaal van Clara en Karel, waarbij Clara weigerde te vertrekken zolang er geen goede regeling was. Had zij in een vlaag van woede besloten om te vertrekken om het juridische pad op te gaan, dan was alles heel anders gelopen. Met een vechtscheiding als voorspelbaar gevolg.

DE ONZICHTBARE MUUR

Ook een minder uitgesproken tegenstelling tussen de ouders kan de derde weg flink in de weg staan. Er wordt niet gevochten, schijnbaar gaat men zelfs 'gewoon' met elkaar om, maar heel subtiel wordt het gezag of het opvoedingspatroon van de andere ondermijnd. Vaak spelen de kinderen dat absurde spel mee, omdat ze er voordeel uit weten te halen. Als ze weten dat papa het toch nooit goed vindt wat mama zegt of doet en omgekeerd, dan is het een koud kunstje om dat naar hun hand te zetten.

Lotte (14), dochter van Tom en Marijke, woont samen met haar zusje Lore (11) de ene week bij Marijke, de andere week bij Tom. Zij laveren tussen een opvoeding van creatief samen bezig zijn bij een wat alternatieve moeder en een erg comfortabel en gemakkelijk leven bij vader.
Ze zijn beiden goede ouders en erg begaan met Lotte en Lore. Maar Marijke en Tom hebben het niet echt voor elkaar, of beter: er is een onderhuidse strijd over wie het bij het rechte eind heeft wat de opvoeding betreft. Eigenlijk gaat het erom wie de betere ouder is. Bij elke gelegenheid die zich voordoet, laten ze dat ook blijken.
Vooral Lotte voelt dat goed aan, en weet dat naarmate ze ouder wordt ook in haar voordeel uit te spelen. Wanneer Lotte ruzie heeft met haar moeder, sms't ze haar vader uitgebreid met de boodschap dat ze naar hem toe wil. Tom, die het altijd opneemt voor zijn dochters, spoort haar aan om assertief

te zijn. Marijke, hoewel nog steeds boos op Lotte, verlegt daardoor haar woede naar Tom, want hoe durft hij zich ermee te bemoeien terwijl hij niet eens de helft van het verhaal kent. Lotte wint het op die manier altijd van haar moeder dankzij haar vader.

De stille strijd tussen de beide ouders, die meer te maken heeft met een onderlinge rivaliteit, staat hier het samen opvoeden in de weg. Waren deze ouders samen gebleven, dan zouden ze verplicht zijn geweest een deel van elkaars opvoedkundige patroon te aanvaarden. Nu ze gescheiden zijn, gaan ze zonder achterom te kijken hun eigen weg, ten koste van de kinderen.

Eén ouder wil of kan geen volwaardige ouder zijn

Wat als een van beide ouders niet voor de kinderen kán zorgen of wegzinkt in zijn eigen problemen? Dit is op te lossen voor zover die ouder zelf beseft dat hij of zij minder geschikt is om voor de kinderen te zorgen. Als er goede afspraken worden gemaakt, kan de een de ander dan gemakkelijk af en toe te hulp komen, ook in de week dat kinderen bij de andere ouder verblijven.

Het is eigen aan de derde weg dat je de ouderrol samen blijft invullen, maar helemaal gelijk hoeft dat niet te zijn. Het is ook niet nodig dat je álle taken van de ouderrol op je neemt. Eigenlijk is dat een groot voordeel als je er handig mee weet om te gaan.

Sylvie en Joris leven met Loïc en Julie samen onder één dak met de kinderkamers als scheiding tussen hun afzonderlijke wooneenheden. Toch hebben de kinderen een mama- en een papaweek, die op zondagavond ingaat. Dan wordt er tijd genomen om samen te zijn en brengen ze de kinderen samen ook naar bed.

Tijdens de week bij de ene ouder zijn de kinderen altijd welkom bij de andere. Daardoor zijn bepaalde rollenpatronen van vroeger blijven bestaan: mama kan bijvoorbeeld meer geduld opbrengen bij de huiswerkbegeleiding van Loïc. Ze doet dit ook tijdens de week dat Joris voor de kinderen zorgt.

Doorslaggevend om voor één huis te kiezen was dat ze beiden hun kinderen de wekelijkse verhuizing niet wilden aandoen. Helpen met huiswerk nam Sylvie er graag permanent bij, omdat ze er niet zoveel vertrouwen in had dat Joris de zorg, opvoeding en verantwoordelijkheid voor de kinderen alleen zou aankunnen. Nu kijkt zij steeds met een half oog mee, en dat geeft haar een veilig gevoel.

Dit zou natuurlijk nooit lukken als Joris dwars zou liggen. Maar dat doet hij niet omdat hij aanvaardt dat Sylvie dit gewoon beter doet en de kinderen daarbij gebaat zijn.

Hun derde weg biedt Joris de kans om zijn oudertaak parttime op zich te nemen, en Sylvie om de lacunes in ouderlijke verantwoordelijkheid aan te vullen die Joris volgens haar gedeeltelijk mist.

Veel erger en moeilijker oplosbaar is het als een ouder helemaal niet in staat is om de ouderrol op zich te nemen, of dit niet wil. Kan de andere ouder er dan voor zorgen dat zijn of haar (ex-)partner toch bij de kinderen betrokken blijft? Het is de moeite ons die vraag te stellen omdat we weten dat kinderen zo ontzettend loyaal zijn naar hun ouders, zelfs al hebben ze geen goede herinneringen aan hen.

Rita, een alleenstaande moeder van drie kinderen, koos er in elk geval voor om te vechten voor het behoud van hun vader in het leven van haar kinderen. En dat in een zeer uitzichtloze situatie.

Rita is tot vandaag de dag getrouwd met Luc, de vader van Sandra, Kim en Flore. Zo'n zeven jaar geleden, tijdens haar laatste zwangerschap, liep de relatie helemaal fout. Rita merkte al enige tijd onrustwekkende veranderingen bij haar man. Hij sloot zich geheel af voor zijn gezin, was bijna altijd buitenshuis en gaf onnoemelijk veel geld uit.

Hij was ook geregeld verbaal en fysiek agressief. Uiteindelijk voelde ze zich verplicht een klacht neer te leggen en werd Luc veroordeeld wegens huishoudelijk geweld. Hij had een gok- en alcoholverslaving, en leed aan een psychose. Als klap op de vuurpijl was hij extreem ongevoelig ten aanzien van de kinderen, die hij soms mede in gevaar bracht.

Nadat zij tijdelijk in een opvangtehuis en bij vrienden had gewoond, kende de rechter Rita het recht toe om in de gezinswoning te wonen. Aan Luc werd de toegang tot deze woning ontzegd. Wel kreeg hij recht op contact met zijn kinderen om de veertien dagen. Hij was daar toen niet toe in staat. Als het van hem had afgehangen, waren er helemaal geen ontmoetingen meer geweest. Maar Rita, tegen de adviezen van hulpverleners, haar advocaat en haar omgeving in, dacht er anders over. Zij was ervan overtuigd dat het ontzeggen van contact meer kwaad dan goed deed bij de kinderen. Ze bood Luc daarom de mogelijkheid om op zijn 'goede momenten' bij haar thuis contact te hebben met de kinderen.

Na zowat twee jaar in hun buurt verbleven te hebben, trok hij naar de kust. Dit was meer dan honderd kilometer bij hen vandaan. Het deed Rita's hoop verdwijnen dat hij gaandeweg zijn vaderrol weer op zich zou nemen. De contacten tussen vader en de kinderen zijn door de afstand en door hun leeftijd wel beperkter geworden. Maar tijdens schoolvakanties gaat Rita af en toe samen met hen voor enkele dagen naar zee.

Contacten tussen Luc en zijn kinderen zonder Rita zijn er niet meer. Wellicht kan hij dat niet aan. Toch wist Rita te voorkomen dat hun vader een zwarte vlek werd in het leven van zijn kinderen.

Rita vindt dat dit de beste optie was in de slechtst mogelijke omstandigheden. Ze wil haar kinderen leren positief om te gaan met problemen, ook als het probleem haar man is – en hún vader.

Het verhaal van Rita staat mijlenver van de negentien andere gesprekken die we voerden. Toch ontdekken we in haar aanpak de krachtlijnen van de derde weg – een moeder op zoek naar een opening om hun vader in het leven van haar kinderen te behouden.

GRENZEN

We kunnen onze bewondering voor de wijze waarop Rita zichzelf wegcijferde en de uitdaging aanging moeilijk verstoppen. Maar we bevinden ons daarbij zeker in een schemerzone. Haar inspanningen loonden, maar voor hetzelfde geld was het misgegaan. Het spreekt voor zich dat in geen geval de veiligheid of het welzijn van de kinderen in gevaar mag komen.

Daarom zijn er duidelijke grenzen. Als kinderen slachtoffer van geweld of misbruik of andere strafrechtelijke feiten waren, kan er geen sprake zijn van een derde weg. De veiligheid van de kinderen staat dan helemaal voorop. Meestal moet dan professionele hulp worden gezocht en is begeleiding bij contacten noodzakelijk.

Buiten die grenzen zijn kinderen altijd gebaat bij het behoud van hun relatie met beide ouders, zelfs als deze relatie erg beperkt is. Of zoals Ludo Driesen[29] het stelt in zijn boek *Ik wil mama én papa, allebei!*: 'De loyaliteit van kinderen ten aanzien van hun ouders is grenzeloos.'

Hij vertelt het verhaal van een meisje dat slachtoffer was van incest door haar vader, en van een meisje van wie de vader tien jaar lang niet naar haar omkeek. Beiden hielden of herstelden toch beiden het contact met hun vader. Driesen omschrijft loyaliteit als volgt: 'Loyaliteit is een complex gevoel. We kunnen het omschrijven als een gecombineerd gevoel van verbondenheid en trouw. Als je je loyaal voelt tegenover een persoon, voel je betrokkenheid bij, aanhankelijkheid aan en genegenheid voor die persoon. Het geeft je een gevoel van verbondenheid.

Tegelijkertijd wil je verantwoordelijkheid voor die persoon opnemen, rekening houden met zijn verwachtingen, voor hem opkomen en zijn belangen verdedigen. Het geeft je een gevoel van trouw.'

Driesen verwijst daarmee naar de bekende theorie van Ivan Nagy volgens welke loyaliteit tussen ouders en kinderen zelfs existentieel is: een fundament van het menselijke bestaan zelf waaraan geen mens ontkomt en die elke vorm van fysieke en geografische scheiding overwint.

In alle omstandigheden zijn kinderen dus gebaat bij het contact met beide ouders, behalve als hun veiligheid in het gedrang komt.

Zoals we vanaf het begin zeiden, is living together apart geen wondermiddel dat zomaar in ieders bereik ligt. Aan wat voorafgaat, kun je een heel lijstje karaktereigenschappen toevoegen die een harmonieuze relatie in de weg staan.

Iemand die driftig en agressief van aard is, zal door de scheiding niet ineens veranderen. Wie ziekelijk jaloers is, op het paranoïde af, zal je liever stalken dan je een nieuw leven gunnen. En wie als ouder nooit enig verantwoordelijkheidsgevoel had, zal nu niet veranderen in een gewetensvolle vader of moeder.

In al die gevallen zal de verdere omgang met de kinderen meestal erg moeilijk liggen. Noodgedwongen zal het dan eerder een kwestie zijn van kiezen voor de minst slechte oplossing. Trap daarbij niet in de val die het kwaad met kwaad wil bestrijden. Daardoor kun je het voor de kinderen en voor jezelf alleen maar slechter maken. Wat je wel kunt proberen, is – terugdenkend aan het voorbeeld dat Rita ons gaf – alles in het werk stellen om jouw kinderen, voor zover mogelijk, hun twee ouders te laten behouden.

Tips

- De loyaliteit van een kind aan de ouders is meestal grenzeloos. Knip zelf de draad dus nooit door.
- Als enige vorm van living together apart niet kan, forceer het dan niet, maar blijf wel loyaal naar de ander als vader of als moeder.
- Vechten, vluchten of het eigen grote gelijk inzetten loont niet, de mogelijkheid tot contact openhouden is de beste keuze.
- Edelmoedigheid is lovenswaardig, maar stel toch grenzen. De veiligheid van de kinderen mag nooit in het gedrang komen.

15

HOE VIND JE JOUW DERDE WEG?

Het vinden van de passende weg om samen voor de kinderen te zorgen en als partners gescheiden door het leven te gaan, is een langzaam evoluerend proces, geen eenmalige vondst. Maar de keuze om in die richting te zoeken maak je al vanaf de aanloop naar de scheiding.

Allerlei omstandigheden bepalen wat de beste aanpak voor elk afzonderlijk gezin zal zijn. Daarom kan er geen ideaal scenario worden gegeven. We weiden ook niet uit over de beste manier om je scheiding aan te pakken, daar bestaat voldoende literatuur over. We bekijken alleen een aantal momenten die bij de zoektocht naar een model van living together apart beslissend kunnen zijn en die je kunnen helpen om de beste keuzes te maken.

Steek je kop niet in het zand

Een scheiding komt nooit uit de lucht vallen, de aankondiging vaak wel. In de meeste gevallen is een van de partners veel beter op de scheiding voorbereid dan de andere. Toch zijn de omstandigheden waarin ze leven voor beiden dezelfde. Het kan natuurlijk toeval zijn, bijvoorbeeld als een van beiden al maanden of jaren een goed verborgen dubbelleven leidt. Maar vooral is het een kwestie van niet zien, of niet willen zien.

In de tijd die aan een scheiding voorafgaat, zijn er meestal voldoende signalen die aangeven dat het flink fout loopt met een relatie. Waarschijnlijk de meest gehoorde klacht is: 'We zijn helemaal uit elkaar gegroeid.' De uitdrukking alleen al toont aan dat dit een kwestie van maanden is, of van jaren. Het is dan moeilijk aan te nemen dat een van beiden dat niet in de gaten zou hebben gehad.

Niet iedereen komt op het idee van Kurt en Katrien om jaarlijks bij een etentje eens door te nemen hoe ze tegen hun relatie aankijken. Maar ook al doe je dat niet al vanaf het begin, je kunt je die gewoonte alsnog eigen maken als je onraad ruikt. Misschien is het dan een goed idee om de scheidingssignalen wederzijds op tafel te brengen en te bespreken.

Dan zal meteen duidelijk worden hoe groot de kloof tussen jullie geworden is. Is die voor beiden overbrugbaar, dan kunnen jullie verder, op eigen kracht of met de hulp van een relatietherapeut. Misschien krijgen jullie opnieuw de geest. Gebeurt dit niet, dan ben je tenminste beter bewust van de ernst van de toestand. Komt het dan later tot een scheiding, dan ben je er beslist beter op voorbereid.

En laat nu juist die betere voorbereiding een voorname troef zijn om je bij de aankondiging van een scheiding geen hoopje ellende te voelen. Misschien komen jullie een tijd later zelfs samen tot het besluit dat het beter is er een punt achter te zetten. De winst daarbij is dat de emoties veel minder hoog zullen oplaaien en dat je veel betere beslissingen voor de toekomst zult kunnen nemen.

Overwin je emoties

Wie door zijn partner toch met de boodschap van de scheiding wordt 'overvallen', komt in een smeltkroes van emoties terecht waarbij het nemen van moeilijke beslissingen bijna een onmogelijke zaak wordt.

Vaak is de angst voor de toekomst de grote boosdoener. Je valt in een put, je ziet niet in hoe je er alleen uit zult komen, je voelt je onzeker over je toekomst. Je wilt je aan hem of haar vastklampen, maar dat lukt niet. De kans is groot dat je dan domme dingen doet om jezelf te bevestigen.

Of misschien overheerst de woede. Je voelt je bedrogen of in de steek gelaten. Je voelt je in de hoek gezet ondanks alles wat je voor hem of voor haar hebt gedaan. Je wilt terugslaan.

Bedenk dan twee dingen. Allereerst: die shock gaat over, daar moet je alleen wat tijd voor nemen. Je moet je weer bewust worden van je persoonlijke kwaliteiten en mogelijkheden. Maar de voornaamste reden om weer met je voeten op de aarde te komen zijn de kinderen.

Hoe beter je met je emoties omgaat, hoe beter je op een doeltreffende manier over jullie toekomstige ouderschap kunt onderhandelen. Als je kwaad of onzeker bent, doe daar dan iets aan. Misschien zijn er wel goede vrienden in de buurt die je kunnen helpen. Let er dan wel op dat goede vrienden niet dienen om je gelijk te geven. Daar gaat het trouwens niet om. Het komt erop aan weer in jezelf te gaan geloven of in te zien dat je met vergelding alles alleen maar slechter maakt, voor jezelf én voor de kinderen.

Om escalatie te voorkomen kun je het best met je partner afspreken om óf over jullie toekomstige ouderschap te praten óf over jullie gevoelens als exen, maar nooit over allebei tegelijk. Als je niet ingaat op verwijten of uitdagingen maar vasthoudt aan het gesprek over de kinderen, is de kans groot dat je (ex-)partner je voorbeeld zal volgen.

En wees ervan overtuigd dat je verstand het beste gereedschap blijft om je hart te repareren.

Hulp zoeken als het nodig is

Recent onderzoek in Vlaanderen gaf aan dat hulp van de huisarts het meest wordt ingeroepen bij relationele problemen. Hij is natuurlijk wel een vertrouwenspersoon, maar toch niet meest geschikt om naartoe te gaan. Meestal zal hij je doorverwijzen. Je kunt beter zelf inzicht krijgen in de hulpmogelijkheden die er bestaan.

Allereerst kunnen therapeuten hulp bieden. Zij kunnen je prima helpen zowel om zelf uit het dal te komen, als om er samen met je partner uit te komen zolang er uitzicht is op een ommekeer. Vaak slagen ze erin om je meer inzicht bij te brengen en de oorzaken van het vastlopen bloot te leggen, maar zelden om een gebroken relatie te lijmen. Bovendien is het vaak lastig om je partner ervan te overtuigen samen in therapie te gaan.

Maar ook als je partner er weinig of niets voor voelt, kan het jou prima helpen, vooral als je in de put zit omdat de aankondiging van de scheiding jouw toekomstbeeld vernielde en je zelfbeeld ernstig aantastte. Met passende hulp zul je beter leren omgaan met je emoties en veel sterker zijn om op een zelfverzekerde maar correcte manier te onderhandelen.

Bemiddelaars kunnen helpen om tegenstellingen te overbruggen. Het feit dat ze volkomen onpartijdig zijn en de hele situatie niet emotioneel maar afstandelijk kunnen bekijken, kan jullie verder helpen. Ze zijn er trouwens ook om jullie te herinneren aan zaken waar jullie niet aan denken of om jullie te wijzen op mogelijkheden waar jullie geen weet van hebben. Geruststellend is dat de beslissing uiteindelijk bij jullie ligt.

Bij advocaten ligt dit anders. Een minderheid van de advocaten spreekt verzoenende taal. Dat is ook niet hun eerste rol. Helaas denken velen echter zwart-wit, waarbij wit jouw 'grote gelijk' is – en tegelijk hun grote winst. Uit verschillende getuigenissen bleek dat advocaten een derde weg meestal als kansloos omschrijven en hun cliënt liever de loopgraven in sturen.

Hoe dan ook, kies de hulpverlener zorgvuldig. Bedenk goed wat jouw vraag is en of de hulpverlener van jouw keuze je daar het gepaste antwoord op kan geven.

Valkuilen vermijden

De valkuil bij uitstek in deze periode van spanning en emoties is wegglijden in oeverloze ruzies. En ruzies zijn funest voor living together apart. Ze helemaal voorkomen kun je wellicht niet, ze vermijden in het bijzijn van de kinderen kan wel.

Het kan helpen om je voor te stellen hoe jullie kind die ruzies beleeft. Sommige kinderen kunnen zich er makkelijker overheen zetten dan anderen, maar de meesten zijn ontredderd en kruipen weg om ergens te gaan huilen. Of ze proberen te verzoenen of kiezen partij voor de een of voor de ander. Denk er vooral aan dat ze zich ook zelf schuldig gaan voelen.

Aanhoudende ruzies beangstigen het kind voor zijn toekomst. Jullie zullen immers van elkaar af zijn, maar jullie kind moet met jullie beiden verder. Dus kan het beter zo weinig mogelijk kwaad over jullie beiden horen.

Ook kan het helpen om jullie verleden als ouders los te laten. Besprekingen over de toekomst lopen vaak vast in discussies over het verleden. Dat is niet zinvol. De kans is groot dat de argumenten tegen de andere ouder zijn ingegeven door de emoties van het moment. Bovendien verandert de betrokkenheid van een ouder vrij vaak na de scheiding. Soms in ongunstige, maar even vaak in gunstige zin.

En misschien kan het voorstel om op de een of andere manier de derde weg in te slaan wel het sterkste argument zijn om veel geruzie te vermijden. Stel dat jij degene bent die de meeste moeite heeft met de scheiding, omdat je die niet zag aankomen of omdat je die niet wilt. Als jouw partner voet bij stuk houdt, zal jouw verzet niet baten. Waarom zou je dan niet voorstellen akkoord te gaan op voorwaarde dat de beste oplossing voor de kinderen wordt gevonden? Het is altijd moeilijk voor een ouder om niet op zo'n voorstel in te gaan.

Terug naar een vlotte communicatie

Als je erin bent geslaagd je emoties te beheersen en de ruzies onder controle te krijgen, dan is een essentiële stap gezet. Daardoor wordt het immers mogelijk dat je niet alles halsoverkop moet regelen en kan de tijd zijn raadgevende werk doen. Daarbij moet je er niet van uitgaan dat verdere gesprekken nu meteen rimpelloos zullen verlopen.

Het kan helpen als je je toespitst op de kwaliteiten die je (ex-)partner als ouder ongetwijfeld heeft, en vermijdt over het negatieve uit het verleden te praten. Begin er dus niet over hoe weinig hij zich met de kinderen bezighield, of hoe zij nooit geïnteresseerd was in de schoolresultaten. Geen enkele ouder verdraagt zo'n aanval, waarop onvermijdelijk verzet zal volgen.

Om de communicatie echt goed op gang te brengen en daardoor het beste resultaat te kunnen halen, moet je juist heel goed rekening houden met de gevoelens van de ander. Er zullen al veel gekwetste gevoelens zijn, voeg er dus zeker niet meer aan toe.

Het kan helpen om vaste momenten af te spreken om bepaalde kwesties te bespreken. Dat voorkomt dat je onverwacht in discussies verzeilt waar je op dat moment niet op ingesteld bent. Spreek af dat jullie je aan het thema houden.

Heb je kritiek op de ander, probeer die dan op een positieve manier te verwoorden. Een wens klinkt heel anders dan een verwijt. Je kunt zelfs beginnen met eerst op een tekortkoming van jezelf te wijzen.

En zoals bij alle communicatie is ook hier goed luisteren naar wat de ander te zeggen heeft de belangrijkste boodschap.

Op zoek naar het beste model

Als de voorgaande stappen met succes zijn gezet, ben je klaar om het model te kiezen waarmee je het best je doel kunt bereiken. We gaan ervan uit dat jullie het ouderschap in de toekomst op de best mogelijke manier willen delen. Dan dringt zich een keuze op voor de manier waarop jullie dat willen. Hierbij kan het nuttig zijn om bewust uit te gaan van een tijdelijke oplossing als test of als stap in een verdere evolutie.

Wie ervoor kiest om voor die tijdelijke oplossing in één woning te blijven, moet weten dat hij kiest voor de moeilijkste oplossing. De kans dat jullie in het oude patroon vervallen, is immers bijzonder groot. Wel kan een goede materiële scheiding dat deels voorkomen, maar de vraag is of dit de kosten rechtvaardigt die daarvoor nodig zijn. Voor deze oplossing pleit dat de overgang voor de kinderen dan heel beperkt is. Wellicht is dit het best geschikt voor wie in harmonie uit elkaar weet te gaan.

Een behoorlijk alternatief is birdnesting. De ouders ondervinden dan wat het betekent om in twee huizen te wonen en de kinderen behouden hun eigen vertrouwde omgeving, school en vriendenkring.

Maar voor wie wat tijd kan nemen, is het goed om ook rekening te houden met een visie op de toekomst. Aangezien de kans groot is dat ten minste een van jullie in een nieuwe relatie zal stappen, is het zinvol daar rekening mee te houden. Blijft die tijdelijke oplossing dan hanteerbaar? Zo niet, wat gaat dat jullie kosten?

Beslissen jullie samen dat het beter is dat een van jullie blijft en de ander vertrekt, onderzoek dan hoe jullie op de beste wijze verder samen ouder kunnen zijn. Houd daarbij rekening met jullie werk, werktijden, afstand tussen elkaar, verwachtingen van jullie en van de kinderen. Een mooi voorbeeld van zo'n regeling zagen we bij Martine en Luc nadat ze hun gemeenschappelijke huis hadden verkocht en ze een paar straten van elkaar gingen wonen.

Goede afspraken maken goede vrienden

Je kunt je natuurlijk afvragen of een ouderschapsplan wel nodig is voor ouders die bij hun scheiding met de beste bedoelingen van start gaan om hun kinderen verder samen op te voeden. In Nederland is die vraag overbodig, aangezien het een wettelijke verplichting is. In België is dat nog niet het geval, maar er gaan steeds meer stemmen op om daar wat aan te doen.

Ook zijn wij van mening dat het op zich een heel goede zaak is om bij elke vorm van living together apart zo'n plan op te maken, zeker als de ouders in twee woningen gaan wonen en de scheiding dus een concretere vorm aanneemt. Hun feitelijke toestand is dan nauwelijks anders dan bij alle andere gescheiden ouders. De praktische regelingen die moeten worden getroffen zijn dat evenmin.

Maar ook voor wie het bij één huis houdt, is zo'n plan een stevig houvast. Wellicht zullen enkele taakverdelingen behouden blijven, maar de kans is groot dat andere zaken anders moeten worden aangepakt. Het zal dus nodig zijn om bepaalde accenten anders te leggen. Zo zal het bepalen van één opvoedingslijn voor de kinderen in één huis nauwelijks aandacht vragen, omdat het gewoon spontaan zal gebeuren. Ook voor beslissingen over school of opleiding zal er nauwelijks wat veranderen in vergelijking met vroeger. Maar des te ingewikkelder kan het zijn om alle financiële implicaties in goede banen te leiden.

En goede rekeningen doen dat ook

In de meeste scheidingen zijn de grootste struikelblokken de kinderen en het geld. In heel wat situaties raken die twee met elkaar verstrengeld en worden de kinderen het wisselgeld of omgekeerd. Gelukkig mogen we ervan uitgaan dat voor degenen die voor een derde weg kiezen, deze verwerpelijke ruilhandel uitgesloten is. Dan blijft over... het geld.

En inderdaad, onderzoek leert ons dat de meeste verdere ruzies hierover gaan. Het komt er dus op aan een zeer evenwichtige verdeling van de financiële middelen en lasten uit te dokteren. Liefst zo eenvoudig en transparant mogelijk, maar ook flexibel voor als het nodig is. Want kinderen groeien en de kosten groeien met hen mee.

In één huis zorgt een nieuwe partner voor de noodzaak van een andere verdeling. In twee huizen kun je het probleem anders bekijken. Van ouders die zich inzetten om samen voor hun kinderen te blijven zorgen, mag je verwachten dat ze ook willen dat hun kinderen in de beide huizen van een soortgelijk comfort genieten. Binnen redelijke grenzen zullen zij hun zuiver financiële voordeel in balans brengen met het welzijn van de kinderen.

En ook hier zal de regeling niet altijd voor eeuwig zijn. Denk hierbij aan het verhaal van Katrien, die stelt dat haar enige zorg financieel is. Dat ze parttime ging werken om voor de kinderen te zorgen toen ze nog partners waren, is nu geen probleem. Ze wonen immers nog in één huis. Maar als een nieuwe relatie Kurt zou dwingen het huis te verlaten, dan zou haar dat weleens duur kunnen komen te staan.

Een hele klus dus om enerzijds voldoende zekerheden in te bouwen en anderzijds toch voldoende flexibel te blijven om op mogelijke veranderingen in te spelen.

De rol van een nieuwe partner

Dit onderwerp kun je het best pas aansnijden als al het voorgaande vaste vorm heeft gekregen. Toch kun je hier al over nadenken als je de vorm van de derde weg bespreekt die jullie willen bewandelen. De keuze van de woning zal immers bepalend zijn voor de rol die de nieuwe partner kan of zal innemen.

Uit onderzoek blijkt dat in klassieke nieuw samengestelde gezinnen de medeopvoedende rol van de plusouder vaak belangrijker is dan de rol van de niet-inwonende ouder. Dat is duidelijk niet de bedoeling van ouders die kiezen voor living together apart.

Het zal er dus op aankomen om de rol voor een toekomstige plusouder bij benadering vast te leggen. Bij benadering, omdat het best mogelijk is dat men zich die mogelijke 'stiefvrouw' of 'stiefman' op het moment van de scheiding heel anders voorstelt dan die in werkelijkheid zal zijn. De huidige benadering zal vermoedelijk niet in haar of zijn voordeel spelen.

Gelukkig is het, als het zover is, gemakkelijker positief bij te stellen dan negatief. Intussen hebben beide partners een duidelijk uitgangspunt voor het geval ze een nieuwe partner ontmoeten. Tegelijk weten ze ook dat het akkoord dat ze zo minutieus en succesvol hebben opgebouwd, gevaar loopt als ze zich niet aan de afgesproken regels houden. Ook dan moet je het kind niet met het badwater weggooien en kun je beter op zoek gaan naar een andere 'beste' oplossing.

In één huis zal er bijzonder weinig ruimte zijn voor de inbreng van de plusouder over gezag over en opvoeding van de kinderen. Ouders die in één woning willen blijven, doen er goed aan toch in zekere mate rekening te houden met de verwachtingen van een plusouder. Deze laatste moet voor zichzelf uitmaken of hij met deze (heel) bescheiden rol kan leven.

Trots op jullie derde weg

Tijdens onze gesprekken was het verheugend vast te stellen hoeveel mensen er trots op waren dat ze deze keuze hadden durven maken. Trots ook om te zien hoe ze erin geslaagd waren door hun scheiding het leven voor iedereen beter te maken, ook voor de kinderen. En trots omdat ze de kritiek en zelfs de afkeuring van buitenaf hadden overwonnen. Ze hadden doorgezet en gewonnen.

Die trots is ook terecht. Meestal moesten er heel wat inspanningen worden geleverd om zover te komen. Tegen de stroom in gaan is altijd moeilijker dan meezwemmen. Maar zien hoe hun kinderen hun inzet voor hen waarderen, is zeker een hart onder de riem.

Die trots mogen ze dan ook gerust op hun kinderen overbrengen. Sommigen lopen er nog wat onwennig bij. Ze vinden het wel fijn dat hun ouders voor hen die oplossing vonden, ze voelen zich even gelukkig als andere kinderen, maar dit naar buiten brengen is een andere zaak. Met dit boek willen wij hen steunen. Ze mogen terecht trots zijn op hun ouders. Het was geen gemakkelijke oplossing waar ze voor kozen. Ze kozen voor de weg die volgens hen het meest geschikt was om te bereiken wat ze het belangrijkst vonden in hun leven: het welzijn van hun kinderen.

Tips

Begin gerust aan living together apart als:

- jullie beiden oprecht van de kinderen houden, jullie de zorg voor hen willen blijven delen en jullie aanvaarden dat een kind recht heeft op zijn beide ouders;
- jullie bereid zijn om negatieve gevoelens tegenover de (ex-)partner opzij te schuiven in het belang van de kinderen;

- jullie bereid zijn jezelf soms op de tweede plaats te zetten, goede af-spraken te maken en die ook na te komen;
- jullie erop vertrouwen dat de (ex-)partner, net als jij, bereid is om een goede ouder voor de kinderen te zijn, ook al gaat er eens iets mis.

Achter in dit boek (zie 'Meer weten', p. 217) lees je hoe je kunt nagaan of jouw verwachtingen van de derde weg voldoende overeenstemmen met die van je (ex-)partner.

16

LIVING TOGETHER APART, GEWIKT EN GEWOGEN

Om te evalueren is het logisch om te beginnen bij degenen om wie het allemaal te doen is: de kinderen. Natuurlijk zou het fijn zijn als we konden beschikken over degelijk onderzoek om afdoende conclusies te kunnen trekken. Jammer genoeg bestaat dat niet. Niet bij ons, en vermoedelijk ook niet elders.

Wel bestaat er onderzoek naar aspecten die aan de basis liggen van elke vorm van living together apart. Dit onderzoek geeft goede aanwijzingen voor de invloed van deze leefwijze op de kinderen.

Recent onderzoek van de Universiteit Antwerpen[30] in samenwerking met de Vlaamse regering zocht een antwoord op de vraag: wat kunnen ouders doen om de negatieve gevolgen van een echtscheiding voor kinderen te verlichten? Om die vraag te kunnen beantwoorden gingen de onderzoekers uit van het welbevinden van het kind.

Wat we uit onderzoek kunnen afleiden

OVER RUZIES GESPROKEN...

'Kinderen die minder dan één keer per maand ruzies van hun ouders meemaken, scoren maar één punt minder goed op de schaal van welbevinden dan kinderen in intacte gezinnen; degenen die één keer per maand of vaker ruzies meemaken, scoren zes punten minder goed.'

Het rapport gaat er terecht van uit dat gescheiden ouders zonder enig conflict heel zeldzaam zijn. Maar een beperkt aantal conflicten in de beginfase is op zich geen probleem. Van belang is dat de conflicten snel minder worden en worden opgelost. Dan leert het kind ook goede conflict oplossende strategieën.

Wat vooral zwaar weegt op het welbevinden van de kinderen, zijn onopgeloste en terugkerende ruzies over bepaalde zaken. Dit veroorzaakt bij hen veel stress, wat hen belet om zich goed te voelen.

Uit alles blijkt dat living together apart niet verenigbaar is met terugkerende ruzies. Het vinden van die weg op zich is een toonbeeld van een doeltreffende conflict oplossende strategie.

... EN OVER OUDERS DIE (NOG) SAMEN SPREKEN

'Kinderen die hun gescheiden ouders minstens één keer per maand met elkaar zien spreken, scoren drie punten hoger dan degenen die hun ouders dat nooit zien doen.'

Die bevinding spreekt voor zich. Het is alleen jammer dat het onderzoek slechts 'samen spreken' onderzocht. Voor wie de derde weg volgt, is samen spreken logisch, en niet één keer per maand, maar telkens als het nodig of nuttig is. Dit vormt immers de basis van de betrokkenheid van de ouders, die essentieel is voor het welbevinden van het kind.

Bovendien houdt living together apart, zelfs in zijn eenvoudigste belevenis, zo veel meer in dan alleen maar samen spreken. De positieve ervaring voor het kind moet dus ook veel groter zijn. Net als de impact op zijn welbevinden.

... EN OVER EEN DEMOCRATISCHE LEVENSSTIJL EN BETROKKENHEID

De gemiddelde levenstevredenheid scoort het hoogst in gezinnen met een democratische levensstijl (8,5), en het laagst bij niet-betrokken ouders (7,1)

Het is vast geen toeval dat alle gezinnen die wij bezochten er een milde tot zeer democratische levensstijl op nahouden. Dat ligt immers in het verlengde van hun gemaakte keuze.

En op het gebied van betrokkenheid scoren ouders die deze kindvriendelijke keuze maken zeker minstens even goed als ouders in intacte gezinnen. Het is immers hun gezamenlijke betrokkenheid bij de kinderen die hen ertoe aanzet zichzelf eerder op de tweede plaats te zetten.

Er zijn dus genoeg argumenten om te besluiten dat de derde weg beslist een van de beste manieren is om de negatieve invloeden van een scheiding op de kinderen te beperken, of zelfs tot nul te herleiden. En toch zijn er onderzoekers en therapeuten die er bezwaren in zien. Zo horen we een waarschuwend geluid van de Nederlandse onderzoeker Ed Spruijt:

'In 1998 is de scheidingswet in Nederland veranderd. Voor dat jaar werd de moeder meestal voogd en vader toeziende voogd. Moeder had de macht. Maar vanaf 1998 geldt: je scheidt als partners, maar niet als ouders. Daarbij zegt de wet uitdrukkelijk dat het ouderlijk gezag na de scheiding

gezamenlijk blijft. Het idee van een soort halve scheiding is een mooie ge-
dachte, maar wat blijkt uit onderzoek: de ouderlijke ruzies nemen toe, net
als de problemen voor kinderen, vaders en moeders. De grote meerderheid
blijkt niet of slecht in staat dat gezamenlijk ouderlijk gezag vorm te geven.
In 2009 is de wet opnieuw veranderd: nog meer gezamenlijk (gelijkwaar-
dig ouderschap en een verplicht ouderschapsplan) en liefst de kinderen 50-
50. Gelukkig kwam dat laatste er niet door. Wat laat voorlopig onderzoek
zien: nog meer ruzies en het gaat niet beter. De derde weg en de verzoening
liggen nog ver weg. Je scheidt als partners, maar niet als ouders? Een ide-
aal zoals vroeger: wat God verbonden heeft kan de mens niet scheiden...
Kinderen willen niet dat ouders scheiden. Gelukkige ouders zijn niet no-
dig, stabiele tevreden ouders zijn voor kinderen genoeg. Maar de meeste
ouders willen meer: blijvend gelukkig in de liefde en veel tijd met opge-
wekte kinderen.
Laat scheidingsgezinde ouders eerst maar eens gebruikmaken van het "rela-
tieondersteunend aanbod". Een paar verplichte bezinningsgesprekken kun-
nen geen kwaad. En als het dan toch moet: scheid kindvriendelijk, maar
wees wel reëel. Living together apart is ongetwijfeld voor een deel van de ge-
scheiden ouders een goede oplossing. Maar geef (jongere) kinderen nooit de
valse hoop dat het wel weer goed komt.'

Sommige onderzoekers verwijzen voor hun bevindingen vaak naar onderzoek uit de jaren tachtig en negentig. Dat onderzoek toonde aan dat de gezinssituatie voor kinderen in een nieuw gezin zo duidelijk mogelijk moest
zijn. Sindsdien is er echter veel veranderd. Denk maar aan het co-ouderschap. Zeker als alle partners in twee nieuw samengestelde gezinnen bilocatie* toepassen, is de standvastigheid en duidelijkheid soms ver te zoeken. Dan scoort living together apart meestal veel beter.

Sommige therapeuten zien vooral gevaar in de heimelijke wens van
kinderen van gescheiden ouders om hun ouders weer samen te zien komen. Wij constateerden dat die wens inderdaad voorkomt, maar niet meer
of heviger dan in gezinnen met een klassiek scheidingspatroon, integendeel. Als ouders meer samen ouder blijven, ervaren de kinderen hen veel
minder als 'gescheiden'. Zodra ze zich hebben aangepast aan de nieuwe
leefwijze, hebben ze veel minder redenen om naar een hereniging te verlangen. Zo'n hereniging zou trouwens alleen maar slaan op een gebied dat
hen het minst interesseert: de ware aard van de relatie tussen hun ouders.

Vanwege het feit dat living together apart een creatieve keuze is, zijn de
ouders verplicht om hun kinderen nauwkeurig uit te leggen hoe de vork

precies in de steel zit. Hoogstens in twee van de onderzochte families kwam er ooit een vraag naar een mogelijke hereniging. De open cultuur in deze gezinnen werkt het stellen van zulke vragen ook in de hand en dat is een duidelijk pluspunt. Het antwoord was dan ook even duidelijk, en ook het waarom. Waarna de vraag voor eens en voor altijd verdween.

Wat de betrokkenen er zelf over denken

Maar liever dan zelf allerlei conclusies te trekken laten we de betrokkenen zelf aan het woord – de ouders, maar ook zo veel mogelijk de kinderen. Zo kun je zelf conclusies trekken.

KURT EN KATRIEN

Katrien: 'Als we alles over konden doen, zouden we beslist voor dezelfde oplossing kiezen. Alleen zou ik me in het begin wellicht minder inzetten om alles zo goed mogelijk voor iedereen te willen doen. Daardoor dreigde ik in psychische problemen terecht te komen.

Mijn zwakste punt is eerder financieel. Om de kinderen zelf te kunnen opvoeden ben ik parttime gaan werken. Daardoor zijn onze inkomens ongelijk, wat nu geen probleem is, maar wat er altijd een kan worden.'

'Ik zou hetzelfde doen', stelt Kurt. 'Alleen zou ik wel graag een vaste nieuwe partner willen, al ben ik er niet helemaal uit hoe die in onze huidige leefwijze kan passen. Zeker niet ten koste van de kinderen.'

Liesje: 'Ik voel weinig verschil met kinderen van ouders die niet gescheiden zijn. Ik weet wel dat het anders is, jullie kussen niet meer.

En Jan? Die ervaar ik niet zozeer als "de vriend van mama", maar eerder als een vriend van het gezin, een soort peetoom of zo.'

Joris: 'Ik merk wel een verschil, maar het is moeilijk uit te leggen. Wel raar, als je 's morgens je vader en moeder wilt wekken, moet je eerst naar het ene bed en dan naar het andere.'

HANS EN ANNE

'Ik kan me in onze huidige manier van leven best vinden', zegt Anne. 'Soms willen ik en mijn partner elkaar wel wat meer zien, maar dat voedt ons verlangen naar elkaar. En binnenkort zijn de kinderen helemaal zelfstandig. Zij hebben een heel brede kijk op relaties gekregen en zien vooral dat er, met respect voor elkaar, veel mogelijk is.'

'Als we het over nu hebben, dan is er volgens mij weinig wat beter kan', vult Hans aan. 'Alleen hebben we soms wat last met de intimiteit. Als we hier samen zijn, is het niet altijd gemakkelijk om de gepaste grens te trekken in onze omgang met onze vriend. Een grote steun voor ons is dat onze partners onze manier van leven respecteren. Ook al moeten ze wat water bij de wijn doen.'

Kristel en Lucas zien in hun atypisch gezin niets dan voordelen. 'We zijn gelukkig dat ons gezin er nog is', zeggen ze. 'Ons leven is niet versnipperd en we moeten niet kiezen tussen onze ouders. Ook wat school en vrienden betreft, hoefden we nooit keuzes te maken. En als we zien hoe gelukkig onze ouders zijn, maakt ons dat ook gelukkig.'

MARTINE EN LUC

Martine: 'Ik denk dat wij samen de beste weg voor ons hebben gevonden. Igor is er gelukkig bij en dat is het voornaamste. Wat ons betreft, zijn we tot rust gekomen door niet meer samen te leven. En we vinden elkaar perfect als ouders.

Hoe ver Luc afstand van mij heeft genomen, weet ik niet precies. Misschien werk ik de onzekerheid wel wat in de hand door te zeggen dat ik geen nieuwe relatie op het oog heb. Vermoedelijk zeg ik dat vanwege de slechte ervaring uit mijn jeugd die ik niet herhaald wil zien voor Igor. Diep vanbinnen weet ik wel dat de kans dat ik weer verliefd word er toch altijd in zit.

Onze huidige leefwijze zullen we wellicht nog aanpassen, maar op dit ogenblik zie ik deze manier van leven als een stevige basis om verder op te bouwen. Met wederzijds respect en een open en goede communicatie, zowel onderling als naar Igor toe, moet dit zeker lukken. Nu nog een beetje begrip van de buitenwereld zodat we ons niet altijd moeten verantwoorden, en we zijn er helemaal.'

PAUL EN BERENICE

Paul: 'Volgens mij hebben we van alle scheidingsscenario's het minst slechte gekozen en ik denk dat we daar trots op mogen zijn. Ondanks de vele moeilijke scheidingsmomenten hebben we altijd het belang van de kinderen vooropgesteld. Als ik zie hoe ze momenteel in het leven staan, dan denk ik dat we het best goed hebben gedaan.'

'We kunnen ons afvragen of die twee jaren van twijfel wel nodig waren,' vult Berenice aan, 'maar intussen hadden we de scheiding verwerkt, stonden we veel minder emotioneel tegenover elkaar en waren onze kinderen twee jaar ouder. Dat onze huidige partners ons steunen en bijdragen aan onze onderlinge verstandhouding is zeker een belangrijk pluspunt.'

'Omdat we zeven jaar geleden nog zo jong waren, waren die twee jaar voor ons zeker een voordeel', beamen Paul en Annemie. 'Sindsdien zijn we helemaal aan onze manier van leven gewend geraakt en zouden we met weinig mensen willen ruilen. We hebben onze ouders eigenlijk nooit gemist. Ze waren er altijd als we hen nodig hadden, en zelfs veel vaker.'

BERT EN BEA

Kaat, de huidige vriendin van Bert: 'De derde weg? Ik blijf nadenken over een regeling waarbij ex-partners en hun kinderen zich het meest comfortabel voelen. Tot nu toe vind ik die niet. Dat birdnesting van Bert en Bea was geen succes, want de kinderen koesterden de hoop dat het weer goed zou komen.'

Bert: 'Ik vind het jammer dat het birdnesting niet meer kansen heeft gekregen en dat we er niet in geslaagd zijn om goed met elkaar om te gaan in het belang van de kinderen.

Mocht ik het over kunnen doen, dan zou ik niet meer zoveel uit schuldgevoel handelen. Ik zou er meer bij stilstaan dat mijn beslissing om te scheiden hard aankwam, hoewel onze relatie niet goed meer zat.

Misschien maakte ik ook fouten, maar ik vind het heel jammer dat Bea nooit uit haar slachtofferrol is gestapt. Ik heb vruchteloos naar een derde weg gezocht. Kaat wou mij daarin volgen, maar het zijn vooral de twee ouders die de keuze moeten maken.'

KRIS EN FRANÇOISE

Kris: 'Sinds acht jaar heb ik een eigen stek en woon ik samen met mijn huidige partner. Maar ik voel me hier bij mijn gezin nog altijd even thuis. Ik blijf hier vaak logeren, ook als de vriend van mijn vrouw hier is. Ik heb me eerlijk gezegd nooit eerder in mijn leven zo gelukkig gevoeld. Alleen de relatie met mijn ouders zou beter kunnen.'

'Ik ben gelukkig dat we alles op deze manier geregeld hebben,' zegt Françoise, 'maar ik kan me voorstellen dat het anders had gekund. Veel vlugger misschien en wellicht zouden we dan nu een even goed gevoel hebben. Wie zal het zeggen?'

Gella: 'Ik kan alleen maar zeggen dat ik mij op dit ogenblik top gelukkig voel zoals alles gelopen is, en vooral zoals het nu is.'

Edgar: 'Wat drijft er boven? Dat ik al met al niet zoveel last heb ondervonden van de hele situatie. De band met mijn vader was bij de scheiding misschien wat slechter. Maar ik heb een vrij zorgeloze jeugd gehad, vooral als ik het vergelijk met vele anderen.'

LAURA EN WIM

Laura: 'Iedereen die we kenden, was positief over onze ongewone gezinssituatie, maar zelf sprak ik er minder over omdat het altijd veel uitleg vergde
om alles voldoende te verduidelijken.

Maar ik ben trots op onze manier van samenleven. We zijn er beiden van
overtuigd dat we onze dochter een stabiel gezinsleven hebben geboden. Ik
heb er vaak met haar over gepraat. Er zijn genoeg voorbeelden in onze omgeving waar het niet zo goed is gegaan. Ik zou het iedereen aanbevelen.'

Wim is het roerend met Laura eens. En Marthe besluit: 'Ik heb altijd het
gevoel gehad dat wat er ook gebeurde, er altijd genoeg plaats voor mij zou
zijn. Ook toen mama en papa afzonderlijk woonden, had ik daar weinig last
van. Alleen het verhuizen was toen minder leuk. Toen mama weer in "mijn
huis" kwam wonen, vond ik dat een luxe.

Als papa of mama iemand zou leren kennen met wie ik het moeilijk zou
hebben, zou dat niet tof zijn. Maar voor de rest wil ik alleen maar dat zij gelukkig zijn, zoals ze mij gelukkig hebben gemaakt.'

GREET EN WOUT

Greet: 'De wijze waarop onze dochter onze scheiding beleefde, heeft alles te
maken met de manier waarop wij in die jaren (de jaren zeventig) leefden. In
onze leefgemeenschap leefde ze wel in een gezin, maar met een sterke verbondenheid met heel wat andere mensen.

Toen ik een vriend had, was dat voor haar een bezoeker zoals vele anderen. Als kinderen minder exclusief worden opgevoed door hun ouders, zijn
ze minder gevoelig voor de evolutie van het ouderpaar.

Voor Myriam gingen de scheiding en de introductie van nieuwe partners vrijwel onopgemerkt voorbij. Ik vind het prettig dat we door onze
"vriendschappelijke scheiding" al onze vrienden konden behouden. Nu,
zoveel jaren later, woont Wout ver van mij vandaan, maar onze vriend-
schapsband is intact.

Om de maand eten we samen met de vrienden van toen. Hen samen uitnodigen is nog voordelig ook. Onze ouders vinden het nog steeds spijtig
dat de breuk er kwam. Wout is bij mijn moeder nog heel welkom en ik bij
zijn ouders. Myriam is met heel die situatie opgegroeid en kan het zich
moeilijk anders voorstellen.'

MIEKE EN FRITS

Mieke: 'Ik ben best tevreden met de dingen zoals ze nu lopen. In een ideale wereld zou ik helemaal met mijn vriend samenleven en niet half, maar ik vind dat het nu ook goed werkt.

Zouden we het over kunnen doen, dan zou ik meer op langere termijn denken. De harmonie die we bereikten is mijn geluk. Nooit ruzies meer, ook niet als we een verschil van mening hebben. We geven niet af op elkaar. Onze normen en waarden over de opvoeding liggen op één lijn. Het geluk van Kristof staat bij ons beiden op één.

We lieten ons nooit meezuigen door de anderen. Ik zie helaas andere toestanden in mijn omgeving. Prima om naar anderen te luisteren, maar je moet vooral doen wat jij vindt dat het best past in jouw situatie.

Ik koester het waardevolle uit ons verleden. Je hebt van elkaar gehouden en veel gedeeld. Waarom zou je dat allemaal overboord gooien? Zo hebben we allebei een heel goede band met elkaars familie. Wel moet je elkaar ruimte en vooral tijd gunnen om elkaar op een andere manier te leren begrijpen.'

ANIS EN PETRA

Petra: 'Wij accepteren beiden dat het gaat zoals het gaat. Zonder achterover te leunen, ons bewust van het feit dat er nieuwe ontwikkelingen kunnen komen. Verwachtingen naar elkaar loslaten en eigen verantwoordelijkheid nemen helpen daarbij.

Toen we tegen de kinderen zeiden dat we gingen scheiden, waren ze helemaal opgelucht toen ze hoorden dat ze in hun huis konden blijven wonen en wij zouden wisselen. Het behoud van hun vriendjes en vertrouwde omgeving gaf hun blijkbaar een veilig gevoel.

Verrassend was dat Rama (12) zich plotseling als de man in huis wilde gedragen. Zijn plaats in het familiesysteem veranderde. Dat werd gevoed door anderen die zeiden: "Jij bent nu de man in huis en je moet goed voor mama zorgen." Ik heb vaak moeten herhalen dat we hier allemaal voor elkaar zijn en dat mama en papa samen verder voor hen zorgen, en verantwoordelijk zijn.'

Anis: 'Het is belangrijk elkaar het geluk te gunnen. Als je dat doet, zorg je voor het geluk van je kinderen en voor je eigen geluk.'

MARK EN LIEVE

Mark: 'Als kind heb ik veel eenheid in ons gezin ervaren. Dat warme gevoel wou ik mijn kinderen doorgeven. Toen ik met Penelope kinderen kreeg, leek het me fijn dat Levina en Peter daar ook aan konden deelnemen.'

Lieve: 'We zijn als ouders samengebleven en dat gaat goed. Alleen als Mark en ik er anders over denken, vallen we terug in ons oude patroon.'

Penelope: 'Zowel Lieve als ik zit niet boven op onze eigen kinderen. We zijn gewoon twee gezinnen die deeltjes van hun weg samen afleggen. Daarbij zijn we ook goede buren en erg pragmatisch ingesteld. Concurrentie kennen we niet.'

Mark: 'Zoals we het samen kunnen doen is het een geschenk voor de kinderen. Kinderen kunnen niet scheiden van hun ouders. Kinderen kunnen alleen vanuit een eenheid leven. En daar hebben wij een oplossing voor gevonden.

Wel kan het moeilijk zijn dit toe te passen op het moment van de scheiding. Voordat je zo dicht bij elkaar gaat wonen, moet je klaar zijn met je vorige relatie. Als je dan respectvol met elkaar kunt omgaan, loopt alles (bijna) vanzelf.'

INGE EN PEPIJN

Inge: 'Eric was pas tweeënhalf bij de scheiding. Hij weet niet anders dan dat papa en mama in twee huizen wonen. Dat wil niet zeggen dat hij geen andere voorbeelden ziet en hij heeft er ook wel naar gevraagd. We hebben hem toen alle twee gezegd dat zijn papa en mama veel van elkaar houden, maar zonder verliefd te zijn op elkaar. Dat we daarom niet samen in één huis wonen. Hij begreep dat vlug. Hij vindt het heel leuk als we samen met vakantie gaan, maar als we weer thuiskomen, is voor hem de situatie ook weer heel normaal.

Moeilijker is het blijkbaar voor een nieuwe partner. Bij Pepijn ging het daardoor mis met twee vriendinnen. Zijn huidige vriendin waardeert het wat wij doen voor de kinderen. Heel fijn.

Als we het over zouden doen, dan zie ik niet wat we anders zouden doen. We bieden Eric een goede, stevige basis. En het feit dat we het elkaar gunnen om gelukkig te zijn, lijkt ons een goed voorbeeld voor hem. Daarbij delen we samen onze liefde voor Eric. Mooi toch?'

ANNA EN GILBERT

Anna: 'Ik ben blij met hoe we de dingen hebben geregeld. Mijn leven is voor het grootste deel afgestemd op Mia, maar dat vind ik best zo. Ik heb wel een vriend, maar die speelt in haar leven een beperkte rol.

Mia zelf was bij de scheiding te klein om te beseffen wat er gebeurde. Omdat haar vader door zijn beroep door de week veel afwezig is, vindt ze het fijn dat ze tijdens het weekend naar hem toe kan.

Last hadden we vooral van "de anderen", maar als ik zie hoe vrolijk Mia door het leven gaat, dan heeft dat nauwelijks iets te betekenen.

Ik zou het niet anders willen: het belang van je kind vooropzetten en elkaar respecteren. En dat dan ook laten zien aan je kind.'

Mia: 'Ik ben heel blij dat ik zoveel dingen met papa kan doen. Ik vind dat alle kinderen dat zouden moeten kunnen. Iedereen moet zijn papa en mama kunnen zien en ik vind het fijn dat mama en papa ook naar mij luisteren.'

NOOR EN BART

Noor: 'Op het moment zelf realiseer je je dat niet. Nu, achteraf, realiseren we ons wel dat het bijzonder is wat we doen. Dat maken we op uit de reacties van anderen.'

Bart: 'We hadden twee jaar geleden niet kunnen dromen dat we nu zover zouden staan. Het is een groeimodel geworden. We zijn ook wel trots op onze jongens als we zien hoe die met de scheiding zijn omgegaan.'

Lucy: 'Mijn relatie met Bart en de komst van Kiki waren niet goed getimed. Daar zou ik veel langer de tijd voor hebben willen nemen, zodat iedereen er beter aan had kunnen wennen.'

Daan: 'Ik vind dat ouders ervoor moeten zorgen dat ze contact met elkaar houden. Dat werkt bij mijn vader en moeder goed en ik hoor weleens vervelende verhalen van anderen. Kinderen die hun vader bijna niet meer zien, of hun vader en moeder wonen te ver bij elkaar vandaan. Ouders moeten rekening houden met hun kinderen.'

Noor: 'Als ouders zich volwassen gedragen en niet het slachtoffer spelen of zich gedragen als een drammerig kind, dan lukt dat wel.'

RITA EN LUC

'Ik heb, ondanks vele obstakels, de weloverwogen keuze gemaakt om bij alles wat ik doe het belang van mijn kinderen te waarborgen. Dat ik steeds de band met hun vader wilde behouden, geeft mij een goed gevoel.

Ik denk dat ik op die manier mijn kinderen heb geleerd om positief om te gaan met problemen en begrip op te brengen voor de moeilijkheden van hun vader. Flore vindt het leuk om een "vakantiepapa" te hebben. Kim vindt het beter zo, liever dan permanent met haar spullen te moeten sleuren.

Het is wel triest te moeten vaststellen hoe weinig steun je krijgt vanuit de omgeving. Zelfs de maatschappij, in de vorm van hulpverleners, bestempelt zo iemand vlug als misdadig. Herhaaldelijk probeerden ze mij van hem af te keren. Ook mijn familie liet niets meer van zich horen en leek de ernst van zijn toestand niet te snappen. Gelukkig kreeg ik veel steun van mijn vriendinnen.

Ikzelf heb geen nieuwe relatie. Ook dat begrijpt men soms niet. Ik sluit dit niet uit, maar mijn verantwoordelijkheid als ouder heeft voorrang.'

SABINE EN HENDRIK

Sabine en Hendrik hebben hun eigen weg gekozen en zich niet laten beïnvloeden door anderen. De eerste vier jaar na de scheiding waren een prachtige periode, toen ze dicht bij elkaar woonden in gekoppelde huizen. De sterke familiebanden zijn gebleven.

Doordat ze dicht bij elkaar woonden, waren de lijntjes kort. Spontane ontmoetingen aan de keukentafel, speciale momenten waar iedereen bij betrokken was, zorgden voor de familiesfeer. De rol van levenspartner veranderde in die van goede vriend en maatje.

Sabine: 'Er werd nooit negatief over de ander gesproken, alleen met respect. Dat je zo met elkaar omgaat, is onze kinderen van jongs af aan ingepeperd.

Ons voorbeeld vinden we ook terug in de relaties van onze kinderen. Renske had een langdurige relatie gehad met Boris. Boris was ons vijfde kind geworden en hoorde erbij. Na het verbreken van de relatie zijn Boris en Renske gewoon vrienden gebleven.'

JAN EN NICOLE

Jan en Nicole zijn beiden trots op hun keuze van langdurig birdnesting. Jan zegt zelfs dat hij vechtscheidingen steeds minder kan aanvaarden. Hij ziet geen excuus om ze te rechtvaardigen.

Nicole: 'Hoewel het voor mij een zegen was en is dat ik geen afscheid moest nemen van "ons thuis", blijft het moeilijk om de woning en de kinderen op vrijdag achter te laten. Het duurde ook een tijdje voordat ik inzag dat het niet de partnerbreuk was die mij zwaar viel, maar het gemis aan de gezelligheid van ons gezin.'

Voor Louise en Victor liggen de echte nadelen van deze regeling bij hun ouders, zij zijn heel tevreden, zeggen ze.

'Voor ons mogen papa en mama best eens meer weggaan als ze bij ons zijn. Ze kunnen ons nog minder missen dan toen we samen waren.' Victor vindt het wel jammer dat hij zich zo weinig herinnert van dat vroegere gezinsleven.

Jan en Nicole vinden tolerant blijven tegenover elkaar vanwege de kinderen alleen maar een voordeel. Het maakt de ouderrelatie makkelijker, net als je eigen leven, en het geeft je vooral dat heerlijke gevoel samen ouder te blijven.

SYLVIE EN JORIS

'Ik besef dat wij een bijzondere regeling hebben, waarbij het voor mij doorslaggevend was dat de kinderen niet wekelijks zouden moeten verhuizen. Vooral mijn achtergrond als gezinssociologe had me geleerd hoeveel stress de wekelijkse verhuizing bij vele kinderen veroorzaakt.

Tegelijk geeft onze regeling mij vertrouwen in de zorg, opvoeding en verantwoordelijkheid voor de kinderen. Joris kan af en toe weleens een steek laten vallen. Hij weet dat van zichzelf ook. Nu houd ik altijd een oogje in het zeil en ben ik er ook voor de kinderen tijdens de papa-week, als het nodig is.

Toch is het niet louter een "hoeraverhaal". Zo had Julie het erg moeilijk met een vriend van mij. Wellicht hebben we haar hereningsverlangen te veel gevoed door niet duidelijk genoeg te stellen dat onze relatie definitief ten einde was.

Met het beëindigen van de partnerrelatie en het behouden van onze ouderrelatie hadden we geen moeite. Je moet het alleen durven zien als een nieuwe kans. Daardoor kan een nieuwe band ontstaan rond eenzelfde doel: de kinderen.'

CLARA EN KAREL

Clara: 'Voor mij was de derde weg er een van wachten, geduld en respect voor Karel en zijn gevoelens. Scheiden is een geleidelijk proces. Het is zinloos knopen door te hakken als je daar niet allebei klaar voor bent.

Nu we intussen niet meer samenleven en toch een goede ouderband hebben, zie ik opnieuw de kwaliteiten van Karel. Hoewel het hele proces lang duurde en gepaard ging met conflicten, ben ik heel blij dat we altijd in de eerste plaats aan de kinderen zijn blijven denken.'

Karel: 'Aan de ene kant duurde het proces lang en was het zwaar. Anderzijds weet ik ook wel dat vooral ik lange tijd niet wilde meewerken aan de scheiding. Achteraf gezien bood die tijd ons misschien juist de kans om ons evenwicht terug te vinden.

Nu ben ik erg tevreden als ik zie hoe het loopt. En ja, ik neem nu meer zorgen voor de kinderen op me. Als ik opnieuw kon beginnen, zou ik alleen de mededeling aan de kinderen tijdiger en beter doen.'

DORIEN EN ANTON

Axel: 'Na de scheiding van mama en papa zaten we lang in een emotionele periode. Nu kan ik niets anders dan positieve dingen zeggen: ze zijn samen mama en papa, maar dan in twee aparte huizen met elk een eigen vriend en vriendin, een eigen leven.

Natuurlijk had ik mijn ouders liever samen gezien. Maar had ik vroeger geweten dat het zo zou worden, dan zou ik er geen drama van hebben gemaakt. En als ik eerlijk mag zijn mama, Amélie en papa ook niet, denk ik.'

Een groot voordeel is dat je met je moeder over je vader kunt praten en omgekeerd. Als je het even moeilijk hebt, heb je altijd steun aan beide ouders.

Dorien: 'Als ik dat nu van Axel hoor, wordt mijn hart warm. We hebben veel geworsteld en dieptepunten gekend. Dat we niet steeds het goede voorbeeld waren, betreur ik, maar wellicht was dat nodig om op dit punt te komen.

De scheiding was pijnlijk en emotioneel, had ik maar geweten dat we op een dag op dit punt zouden komen! Axel heeft gelijk: ik zou er geen drama van hebben gemaakt als ik dit had geweten. In elke storm hebben we telkens de situatie overschouwd en overwonnen. Daarbij stond het geluk van Axel en Amélie altijd centraal. Uiteindelijk maakte het bijna alles opnieuw mogelijk.'

BESLUIT

Het zou fout zijn te denken dat de mensen die door hun getuigenis aan de basis staan van dit boek op de een of andere manier 'speciaal' of uitzonderlijk zouden zijn. Het zijn gewoon mensen zoals jij en ik die net als veel anderen aan het einde van hun huwelijk of relatie een oplossing moesten zoeken voor hun kinderen. Ook deze mensen hebben ontgoochelingen gekend, zich soms bedrogen of in de steek gelaten gevoeld. Ook zij maakten momenten van twijfel mee waarop ze niet wisten hoe het nu verder moest met hun leven. Maar het zijn wel mensen die hun emoties onder controle wisten te houden. Daardoor waren ze in staat zich aan de nieuwe situatie aan te passen en tegelijk het goede uit het verleden te behouden. Bijna allemaal slaagden ze erin om niet alleen hun eigen leven weer op het spoor te zetten, maar er ook voor te zorgen dat iedereen er beter van werd door hun scheiding.

We waren blij verrast te zien hoe mensen uit de verschillende lagen van de maatschappij zich spontaan aanboden. Je hoeft dus niet speciaal intelligent of bekwaam te zijn of een bepaalde status te hebben, gezond verstand en een creatieve geest volstaan. Uiteraard verschilt elke situatie wezenlijk van een andere. Juist daarom is het zo boeiend om te zien hoe deze mensen vanuit totaal verschillende uitgangspunten tot vernieuwende oplossingen kwamen. Bijna allemaal slaagden ze erin om ondanks hun scheiding op de een of andere manier samen volwaardige ouders te blijven.

Geen weg van rozen alleen

De derde weg loopt niet alleen over rozen. Zoals bij elke verandering in het leven zijn er ook doornen. En aangezien de veranderingen fundamenteel zijn, zullen de hinderpalen die je moet overwinnen navenant zijn. Maar ze zijn niet groter dan bij degene die na zijn scheiding de klassieke weg neemt en zich zo ver mogelijk van zijn ex-partner verwijderd houdt.

Wie meteen kiest voor een nieuw samengesteld gezin, heeft het ook niet makkelijk. Niet alleen zal hij of zij de kinderen in dat nieuwe gezin moeten inpassen, hij of zij zal ook een *modus vivendi* moeten vinden met de vroegere partner. En ook die kan op zijn of haar beurt een nieuwe partner met kinderen hebben.

Beide wegen zijn aan elkaar gewaagd wat de te nemen hindernissen betreft. Het voordeel van living together apart is dat je op zoek gaat naar een harmoniemodel waarop je wilt bouwen, terwijl anderen meestal in een conflictsituatie verzeild raken. Wel worden hierbij mogelijke problemen eerder naar buiten verlegd. Van een nieuwe partner aan één of beide zijden wordt veel begrip verwacht. De wederzijdse verwachtingen vooraf onderzoeken is dan ook een must.

Beste keuze

Ons uitgangspunt blijft overeind: de beste derde weg is voor iedereen verschillend. Toch kunnen we niet onder bepaalde conclusies uit. Als je ervoor kiest om in één woning samen te blijven, dan verpand je een deel van jezelf. We kunnen alleen maar bewondering hebben voor ouders die op die extreme manier samen ouders willen blijven, maar daarvoor moeten ze wel een deel van zichzelf prijsgeven.

Een van hen zei ons: 'Soms voelde ik me als een non op mijn kamer.' Anderen zien niet goed hoe ze een 'fulltime' nieuwe partner zouden kunnen integreren in hun huis, en bij weer anderen laat de nieuwe partner het afweten. Waar het bijzonder goed werkte, was in het gezamenlijke huis 'verruimd' met de woningen van de nieuwe partners.

Voor wie fulltime ouder wil blijven én voor zichzelf een nieuw leven wil, is een tweede woning in de nabijheid wellicht een betere oplossing. De grootte van de afstand kan het best worden gemeten aan de hand van de gevoelens van de kwetsbaarste partner. De een zal zich perfect gelukkig voelen in een twee-onder-een-kapwoning, een ander kan beter om de hoek of een paar straten verder gaan wonen, maar niet té ver, zodat de kinderen zich echt thuis voelen in beide gezinnen.

Geen verwarring, maar duidelijkheid

Ongetwijfeld biedt één huis theoretisch meer kans dat de kinderen op hereniging hopen, met twee huizen is de scheiding zichtbaarder. Toch hebben we dat in de praktijk bij de kinderen uit de gezinnen waarmee we praatten niet ondervonden.

Om een duidelijke boodschap aan de kinderen te geven is de eerste vereiste dat de partnerrelatie voor de ouders zelf heel duidelijk is. De derde weg mag nooit een alibi zijn voor partners die zelf nog geen ondubbelzinnige punt achter hun relatie hebben gezet. Dit geldt ook voor wie andere wegen bewandelt, maar bij living together apart dient daar wel extra op te worden gelet.

Belangrijk is dat kinderen weten wat hun ouders voor hen betekenen en dat ze erop kunnen vertrouwen dat dit in de toekomst zo zal blijven. De kinderen zullen zich zelden bekommeren om de juridische kant van de zaak.

Wij ondervonden dat de meeste kinderen niet wakker liggen van het soort band tussen hun ouders. Dat ze met respect met elkaar omgaan, liefst op een vriendelijke manier, is voor hen de hoofdzaak. Het probleem ligt eerder in de afschrikwekkende klank van het woord 'scheiding' omdat ze daar allerlei nadelige gevolgen voor henzelf aan vastknopen. Die zijn hun door de maatschappij en hun omgeving ingepeperd. Maar juist die negatieve gevolgen zullen voor hen veel minder erg zijn.

Het komt er dus op aan het begrip scheiding duidelijk te koppelen aan de concrete gevolgen die de scheiding voor hen zal hebben. Wie zijn kinderen goed volgt, zal later gelegenheid genoeg krijgen om uit te leggen 'hoe gescheiden' men precies is. Bij oudere kinderen ligt het natuurlijk anders dan bij jongere, maar de koppeling van de dubbele boodschap is essentieel.

Vooruitzien is een kunst die loont

Veel meer dan bij andere gezinsvormen komt het erop aan afstand te nemen om de toekomst beter te zien. Niet voor niets drongen we er herhaaldelijk op aan om de nodige tijd te nemen. Geduld om eerst weer in evenwicht te komen en dan een langetermijnvisie te ontwikkelen kan je niet alleen desillusies besparen, maar ook veel geld. Wie te vlug besluit dat het met een aantal aanpassingen wel in één huis verder kan, investeert. Maar als dat later toch niet haalbaar blijkt, moet er opnieuw geïnvesteerd worden. Daarbij bestaat de kans dat de eerder uitgevoerde aanpassingen weer ongedaan moeten worden gemaakt.

Daarom kan het beter zijn in goed overleg te bouwen aan een toekomstig model dat de tand des tijds beter kan doorstaan. Je kunt er zelfs een project van maken dat op termijn een win-winsituatie oplevert. Denk maar aan het stel dat een lening aanging om een groot huis tot vier appartementen om te bouwen. Daarmee hadden ze ieder hun eigen thuis in de nabijheid van hun kinderen. En met de huur van de twee andere appartementen betaalden ze de lening af.

Flexibiliteit en veerkracht

Alles voorzien is onmogelijk. Wie hier zijn uiterste best voor doet, heeft echter een voorsprong. Maar er is nooit de zekerheid dat de ingeslagen weg nooit hoeft te worden herzien. Wat we wél kunnen, is trouw blijven aan ons principe. Daardoor winnen we het vertrouwen van onze kinderen en geven we hun de geruststelling dat je er, wat er ook gebeurt, als vader en als moeder altijd samen voor hen zult zijn.

Van mensen die de derde weg inslaan, wordt verwacht dat ze flexibel zijn. Anderen moeten dat wellicht ook, maar bij living together apart ligt het bijna in de natuur van hun beslissing. Hun keuze is immers bepaald door hun kinderen. Maar kinderen blijven geen kinderen. Als laatste bij hun volwassenheid zal een nieuwe aanpassing noodzakelijk zijn. Met verbazing hoorden we dat dit sommigen een dubbel gevoel gaf. Enerzijds beleefden ze voor het eerst een totale vrijheid, maar tegelijk was er de nostalgie om iets kostbaars wat definitief voorbij was. Dat is vergelijkbaar met het gevoel van een ouder in een intact gezin waar het laatste kind de deur uitgaat. Er is zeker bevrijding, maar misschien nog meer verlies.

Flexibel zijn veronderstelt dat je over voldoende veerkracht beschikt. In plaats van je te laten afschrikken door een tegenslag kun je er juist kracht uit putten om een wending aan je weg te geven. Leven is opnieuw beginnen. Goed samenleven is een nooit aflatende hernieuwing.

Stroomopwaarts tot de bron

Een strohalm drijft mee met de snelheid van de stroom en verdwijnt vroeg of laat in zee. Wie de moed heeft om tegen de stroom in te zwemmen, komt uiteindelijk bij de bron, het doel dat hij of zij zich heeft gesteld.

De derde weg vereist die moed. Wie vindt dat hij zich het best kan gedragen zoals iedereen, leidt of lijdt een leven dat niet aan zijn verwachtingen voldoet. Alle mensen uit dit boek kozen hun eigen weg en zijn er gelukkig mee dat ze de volharding hadden om te staan waar ze nu staan. 'Wat je niet kapotmaakt, versterkt je', zei Nietzsche ooit. Voor wie niet toegeeft aan het defaitisme van de breuk, wordt de scheiding de aanloop naar een nieuwe lente.

Maar hindernissen zullen er zijn. De meeste getuigenissen kenden dwarsliggers, vaak juist degenen van wie je de meeste steun verwacht, zoals de ouders – uit overdreven bezorgdheid of vanwege de grote principes. Of omdat ze nooit los zijn gekomen uit de dwangbuis van hun generatie of bang zijn voor wat de mensen ervan zullen zeggen. Gelukkig heelt de tijd meestal de wonden, vooral als ze zien dat hun kleinkinderen, ondanks wat zij zich erbij voorstelden, er wel bij varen, is de boosheid of de zorg vlug over.

Conflicten vermijden

Natuurlijk kun je conflicten met ouders en anderen het best zo veel mogelijk vermijden. Luisteren naar wat iemand te zeggen heeft, heeft nog nooit iemand kwaad gedaan, maar zij moeten ook kunnen aanvaarden dat jij niet altijd zult doen wat zij zo graag willen. Uiteindelijk gaat het om jouw leven. Als jij met je (ex-)partner eerlijk hebt gezocht naar de beste oplossing voor iedere betrokkene, dan hoef je geen rekenschap te geven van jullie beslissing. Maar het kan wel helpen om een conflict op te lossen.

Het is ook een illusie te denken dat je nooit meer ruzie zult maken met je ex-partner. Statistisch loop je zelfs meer kans op een conflict dan ouders die elke verdere omgang met elkaar vermijden. Het is al heel wat als jullie je eraan houden om het niet meer over het verleden te hebben en het partnerschap als voltooid verleden tijd te beschouwen. Maar er blijven natuurlijk de kinderen.

Wees ervan overtuigd dat de kinderen jullie conflicten met meer bezorgdheid dan vroeger zullen volgen, omdat die conflicten hen doen vrezen voor erger. Leg hun uit dat dit deel uitmaakt van het leven. Zij maken ook weleens ruzie, zelfs met hun beste vriendje. Laat hun tegelijk zien dat jullie met conflicten om kunnen gaan door ze op te lossen.

Ook is het verstandig om gevoelige onderwerpen te vermijden als de kinderen in de buurt zijn. Je weet maar nooit of een van jullie toch uit zijn slof zal schieten. Beter voorkomen dan genezen.

Meer geluk voor wie?

'Als we alleen maar het geluk zouden zoeken, dan zou dat vlug gevonden zijn', leerde Charles de Montesquieu ons bijna driehonderd jaar geleden. 'Maar we willen gelukkiger zijn dan de anderen, en dat is juist zo moeilijk... Omdat we denken dat die anderen gelukkiger zijn dan ze zijn.'

Living together apart maakt misschien niet gelukkiger, maar dat het wel helpt om mensen gelukkig te maken, daar zijn we na de gesprekken van overtuigd. Net als van het feit dat het niet voor iedereen even geschikt is.

Omdat je het alleen maar 'samen' kunt doen, moet je noodgedwongen dezelfde zorgen delen, en dat is niet altijd het geval. Er zijn immers exen die wel goed voor hun kinderen willen zorgen, maar liever niet samen, of in elk geval zo weinig mogelijk. Als de leefstijl en de omgang van jouw (ex-) partner mijlenver van je eigen leefstijl en omgang verwijderd raken, als dat misschien juist de reden was waarom jullie het samen niet meer zagen zitten, dan kan het erg moeilijk zijn om een nauw contact in stand te houden.

Maar voor een goede moeder en een plichtsgetrouwe vader mag dat geen belemmering zijn om de omgangsregeling soepel toe te passen of om een school- of ander feest samen te vieren. Nog minder mag het een reden zijn om minder respectvol met elkaar om te gaan, laat staan om de kinderen tegen hun andere ouder op te zetten.

Bij de meeste ex-partners die er wel in slagen de derde weg te bewandelen, zien we hoe hun gezamenlijke zorg voor de kinderen een nieuw soort vriendschap creëert. Dat bereiken vraagt veel geduld en soms bergen goede wil. Maar zodra ze op de top van de berg staan, is het zicht op de afgelegde weg uniek. Hun ervaring is verrijkend, omdat ze een deel van het verleden niet als overbodige ballast achter zich hebben gelaten. Daardoor kijken ze niet met bitterheid achterom. De tijd van vroeger is voor hen geen verloren tijd geweest.

Of om het met de woorden van een van de moeders te zeggen: 'Als ik nu naar mijn dochter kijk en zie hoe gelukkig ze is, dan weet ik het zeker, het was meer dan de moeite waard.'

EPILOOG
HET KIND EN HET BADWATER

door Corrie Haverkort

Er was een tijd dat het huwelijk nog niet bestond. En er was een tijd dat moeders kinderen kregen van verschillende vaders. Er was een tijd dat er aanleunappartementen werden gebouwd voor minnaressen. En er was een tijd dat een vrouw van gegoede komaf niet van seks mocht genieten. Er was zelfs een tijd dat ongehuwd samenwonen een zonde was. En nog niet zo lang geleden was er een tijd dat scheiden alleen mogelijk was bij een bewezen 'delict' – overspel bijvoorbeeld. En in die tijd werd bij een scheiding een van de ouders uit de ouderlijke macht gezet.

Elke tijd laat veranderingen zien en vraagt om bezinning. Het is niet de vraag óf we willen veranderen, want dat gebeurt – leven ís veranderen. Het is meer de vraag hóé we willen veranderen. Het vinden van nieuwe vormen en wegen voor liefde en trouw blijft altijd doorgaan. Net als het vinden van nieuwe wegen om goed voor de kinderen te zorgen: in een kerngezin of in een samengesteld gezin, in een latrelatie of in een eenoudergezin. Eeuwige trouw en een vaste relatie is waar we vaak sterk naar verlangen, maar ze zijn lang niet altijd realiteit. Een mooi en stabiel samengesteld gezin is een wens, maar in meer dan de helft van de nieuwe gezinnen een te zware opgave. Om ons heen zien we veel tweede relaties met kinderen die binnen een aantal jaren een tweede scheiding meemaken, met alle nare gevolgen van dien voor kind én ouder. Dus blijven we zoeken. Maar waarnaar? Naar een vorm die meer vrijheid biedt en daardoor wellicht meer verbondenheid? Minder spanningen en daardoor spannender? Minder angst en zorg en daardoor meer liefde en geluk? Wat maakt het gaan van die derde weg zo aantrekkelijk en tegelijkertijd zo moeilijk? Wat zijn de struikelblokken en wat zijn de mogelijkheden?

Het badwater

Een van de struikelblokken voor het bewandelen van de derde weg is het gevoel van bedrogen zijn. Bijvoorbeeld omdat je partner verliefd werd op iemand anders. Of door leugens die zijn verteld. Of door het gevoel van falen en teleurstelling omdat de relatie met je partner niet heeft gebracht wat je ervan verwachtte. Kwaadheid en wrok, een vechtscheiding en een jarenlange strijd zijn vaak het gevolg. En in die strijd wordt alles wat in de eerste relatie wel goed was met het badwater weggegooid: je gedeelde verleden, de familie, de vrienden, het huis dat je samen hebt opgebouwd en ingericht, en zelfs het gedeelde ouderschap. Het opmerkelijke is echter dat dit laatste nooit kan worden weggegooid. Hoe schuin je de kom met badwater ook houdt, die ene vrouw blijft altijd de moeder van jouw dochter, die ene man altijd de vader van jouw zoon. Ouders blijf je altijd samen omdat dit tot het wezen van ouderschap behoort. Het is een zijnskwaliteit waar je niet omheen kunt. Probeer je dit wel, dan blijft het altijd wringen, op onverwachte momenten, op de meest ongewenste plaatsen. Maar hoe doe je dat, het badwater weggooien en het kind behouden? Hoe doe je dat als je gevoel over bedrog, angst of teleurstelling in de weg blijft staan? Als je die ander niet kunt vergeven wat er allemaal is gebeurd? En is het wel mogelijk om de ander te vergeven? Is dat in sommige gevallen niet te veel gevraagd?

Vergeven of verzoenen[31]

We leven in een cultuur waarin er een groot appel wordt gedaan op vergeving. En dus hebben we het gevoel dat we falen als we na vijf jaar nog steeds moeite hebben met onze ex-partner en met wat er allemaal is gebeurd. Het kan heel erg op ons drukken als we merken dat we de ander niet kunnen vergeven of als de ander zich niet kan of wil verontschuldigen. We voelen ons zelfs schuldig dat we niet beter met ons verleden om kunnen gaan. En als vergeven niet lukt, kan dit zelfs een negatief zelfbeeld tot gevolg hebben, zeker wanneer de omgeving of je ex-partner zegt: 'Zit je daar nu nog steeds mee? Als je zo vol wrok blijft, verandert er nooit iets.' Echter, alleen degene die het leed is aangedaan kan tot vergeving komen. Vergeving eisen is onmogelijk en zelfs riskant. Dat roept verzet op, te veel pijn. Bovendien is het een onmogelijke vraag. Vergeving kun je niet bewerkstelligen. Je kunt niet zeggen: 'Oké Jan, ik wil je vergeven, maar dan wil ik wel dat je berouw toont, dat is mijn voorwaarde.' Zo werkt het niet met vergeving. Of andersom: 'Anneke, ik toon berouw en nu wil ik dat jij me vergeeft.' Vergeving laat zich niet afdwingen. Daarom is het ook zo moeilijk. Een alternatief is verzoening. Verzoening is milder, bereikbaarder. Aan verzoening kun je concreet werken. Je kunt bijvoorbeeld iets offeren, of een ander perspectief innemen. Bovendien kun je de tijd zijn werk laten doen.

Een offer

Om je te verzoenen met iemand die jou iets heeft aangedaan, moet je iets inleveren, bijvoorbeeld je aanspraak op eer of een bepaald voorrecht. Of je eigen gelijk of een ideaal. Je moet een veer laten, je moet dat wat je wilde hebben en houden loslaten, bijvoorbeeld dat je de enige geliefde bent van je man of vrouw.

Je kunt je niet in je eentje verzoenen. Verzoening gebeurt tussen personen. Als je zegt: 'Ik verzoen me met mijn lot', dan is er eerder sprake van berusting. Je kunt natuurlijk leren je eigen lot te aanvaarden: het *amor fati* van Nietzsche, het liefdevol omarmen van je lot. Maar verzoening is iets anders dan berusting. Het vraagt om een veranderde houding ten opzichte van je ex-partner. Het vraagt de bereidheid om een ander perspectief in te nemen.

Een ander perspectief

Als je het moeilijk hebt met iemand met wie je je heel graag zou willen verzoenen, dan kun je beginnen om vanuit een ander perspectief naar je situatie en die persoon te kijken. Om niet meer helemaal ín de situatie vast te zitten, maar er van buitenaf naar te kijken op een zo neutraal mogelijke manier. Ook vraagt verzoening om het vertellen van een ander verhaal. We vertellen vaak jarenlang hetzelfde verhaal over onze ex-partner – hoe vervelend zij altijd deed, hoe hij zijn afspraken nooit nakwam, hoe zij altijd te veel geld uitgaf en hij altijd maar werkte. Verzoening is de bereidheid om de ander ook te willen zien veranderen, om na een tijd niet meer de bekende verhalen te vertellen, maar je te richten op de nieuwe ontwikkelingen die je ex-partner doormaakt. Verzoening is de bereidheid elkaar op een nieuwe manier te willen ontmoeten. Dat gaat niet zomaar van de ene op de andere dag. Verzoening vraagt tijd.

Tijd

'Tijd heelt alle wonden' zegt het spreekwoord. Misschien kunnen we beter zeggen: tijd legt een pleister op de wond. En daar is goed mee te leven. Door de tijd heen merk je dat je met je ex-partner, met wie je eerst nog nauwelijks sprak, langzaam weer beleefdheden uitwisselt. Dat je zelfs af en toe weer iets bespreekt of plezier hebt. Verzoenen is een proces, het heet niet voor niets 'verzoeningsproces'. Verzoening kan ook alleen in de tijd groeien. Afstand in de tijd is heel belangrijk en laat zien dat bij verzoening een vorm van vergeten hoort. Om ons te kunnen verzoenen, móéten we misschien wel bepaalde dingen vergeten. Terwijl vergeving vergeten uitsluit, want anders zou er niets te vergeven zijn. Om tot verzoening te komen moet je bereid zijn om te vergeten, om niet telkens alles opnieuw op te rakelen. Sommige brieven mogen verbrand worden.

Kwetsbaar

Is verzoening iets wat voor altijd is? Eens verzoend altijd verzoend? Jammer genoeg niet. Verzoening is kwetsbaar, het is voorlopig. Zomaar, zonder dat je erop bedacht bent, kunnen oude wonden weer worden opengereten. Daar kun je moedeloos van worden, of cynisch, of in elk geval teleurgesteld. Het doet zeer, je voelt de pijn, zeker wanneer oude zaken zich weer herhalen. Maar hier schuilen ook de kracht en de waarde van verzoening. Verzoening is een pragmatisch antwoord, een antwoord op een bijna onmogelijk ideaal van vergeving. Vergeving is moeilijk omdat het gekoppeld is aan 'niet vergeten'. Verzoening is makkelijker te bereiken. En als het een poosje niet lukt, kun je altijd weer opnieuw beginnen. Het is een training. Het proces van verzoening gaat altijd door.

Onszelf veranderen is heel moeilijk. En de ander verandert ook niet door met hem of haar in gesprek te gaan. Als je dat verwacht, stel je in feite een irreële eis. We kunnen er niet voor zorgen dat de ander verandert, zo ver gaat onze invloed, onze macht niet. Maar waar je wel voor kunt zorgen, is dat er tussen jou en de ander iets verandert. En dat is precies het doel van verzoening. Dan ook zal blijken dat we openstaan voor iets nieuws wat ons leven ons zomaar kan bieden, onverwacht. Zoals Plato schreef: 'Eros moet getraind worden om een zekere openheid te ontwikkelen om datgene te ervaren wat hem te beurt kan vallen.' En wat je te beurt kan vallen, is altijd een verrassing en komt altijd onverwacht. Maar het kan je overkomen als je bereid bent de vastomlijnde kaders te doorbreken, als je jezelf wilt trainen om open te staan. De derde weg biedt zo'n mogelijkheid, ook al zijn er mensen die dit een te hoog ideaal vinden.

Een ideaal

Als mens hebben we de bijzondere mogelijkheid om over een toekomst na te denken die we nog niet kennen. We kunnen een punt op de horizon zetten als ideaal waar we naar streven. Idealen functioneren juist als idealen omdat ze ons buiten de voor ons bekende weg voeren. Een ideaal zet ons aan tot nadenken. Maar een ideaal werkt alleen wanneer we oog hebben voor de realiteit. Zo beloofde een jong stel elkaar om hun hele leven samen goed voor hun kinderen te zorgen, ook als hun liefdesrelatie geen stand kon houden. Wat een gevoel voor realiteit. En wat een ideaal! Hun uitgangspunt zou weleens een bijzondere bijdrage kunnen leveren aan een gezonde en liefdevolle relatie tussen hen. Nietzsche zei ooit: 'Veel huwelijken gaan niet aan een gebrek aan liefde, maar aan een gebrek aan vriendschap ten onder.' Vandaar dat tegenwoordig ook de term 'verliefde vriendschap' gehanteerd wordt.[32] Als de verliefdheid minder wordt, kan vriendschap de relatie, in welke vorm dan ook, verder dragen. Met fysieke ruimte en afstand, maar met mentale verbondenheid en gezamenlijke verantwoordelijkheid voor de kinderen.

Corrie Haverkort
Filosoof, gespecialiseerd in de ethiek van het samengestelde gezin, beeldend kunstenaar en voorzitter van de stichting Nieuw Gezin Nederland

VERKLARENDE WOORDENLIJST

Birdnesting: een verblijfsregeling tijdens en/of na een scheiding, waarbij de ouders overeenkomen dat de kinderen in het ouderlijk huis blijven wonen en de ouders daar beurtelings verblijven.

Bilocatie: de verblijfsregeling na een scheiding waarbij ouders overeenkomen dat de kinderen om en om bij de ene en bij de andere ouder verblijven. Bij een bilocatieregeling is het principe dat de kinderen bij beide ouders evenveel verblijven.

Co-educatie: gemeenschappelijke opvoeding van en gemeenschappelijk onderwijs aan jongens en meisjes.

Co-ouderschap: in België betekent co-ouderschap het gezamenlijk uitoefenen van het ouderlijk gezag, met andere woorden: het recht van beide ouders om belangrijke beslissingen over de kinderen en het beheer van hun goederen samen te regelen, ongeacht waar de kinderen verblijven. Dit staat dus los van de verblijfsregeling van de kinderen.
In de volksmond wordt de term co-ouderschap vaak gebruikt in de betekenis van een gelijk verdeelde verblijfsregeling. Door te spreken van 'verblijfsco-ouderschap' en 'gezagsco-ouderschap' kan verwarring vermeden worden (zie verder).
In Nederland worden bovenstaande begrippen niet zo specifiek gebruikt en betekent co-ouderschap dat ouders die niet meer bij elkaar zijn, wel samen voor de kinderen zorgen en bijdragen in de kosten. De kinderen maken deel uit van twee huishoudens en wonen om en om bij de twee ouders.

Feitelijk samenwonen: wie samenwoont maar niet getrouwd is en ook geen verklaring van wettelijke samenwoning afgelegd heeft, vormt met zijn partner een feitelijk gezin. Het grootste verschil met wettelijk samenwonen is dat er geen specifieke regeling en beschermingsmechanismen opgenomen zijn in het Burgerlijk Wetboek.

Gezagsco-ouderschap: in België betekent dit dat de gescheiden ouders evenveel ouderlijk gezag hebben over hun kinderen, ongeacht waar de kinderen wonen.

Gezinssysteem: meestal bestaat het gezin uit twee generaties waartussen verwantschapsbanden bestaan. Het gezin is een dynamisch proces, het verandert onder invloed van leeftijd, omgevingsfactoren en tal van elementen die samengaan met de individuele evolutie van de gezinsleden. In het gezinssysteem heeft ieder een eigen plek en rangorde.

Intact gezin: het standaardgezin in zijn oorspronkelijke samenstelling of het gezin waarin de ouders niet gescheiden zijn.

Kerngezin: een traditioneel gezin bestaande uit kinderen met beide ouders of verzorgers.

Latrelatie: een liefdesrelatie tussen twee partners die bewust besluiten niet samen te wonen.

Nieuw samengesteld gezin: een gezin met minstens één kind uit een vorige partnerrelatie. Een nieuw gezin wordt vaak gevormd na echtscheiding, maar kan ook ontstaan na het overlijden van een van de ouders. Een nieuw samengestelde gezinssituatie kan variëren van overzichtelijk (één partner met kind uit vorige relatie) tot complex (beide partners hebben kinderen uit een vorige relatie en nieuwe kinderen uit de huidige relatie).

Opvoedbelofte: de ouders beloven bij de geboorte van het kind dat zij niet ophouden opvoeder te zijn en er altijd voor hun kind zullen zijn. Ze mogen elkaar hierin niet tegenwerken. De opvoedbelofte maakt het belang van het kind tot de eerste zorg van elke ouder.

Opvoedingsstijl: in het Vlaamse interuniversitaire onderzoek 'Scheiding' wordt een onderscheid gemaakt tussen vier opvoedingsstijlen, afhankelijk van de graad van controle en steun die de ouders toepassen: de autoritaire (veel controle, weinig steun), de verwennende (weinig controle, veel steun), de niet-betrokken (weinig controle, weinig steun) en de democratische ouder (veel steun en controle).

Ouderschapsbelofte: wordt vaak in één adem genoemd met opvoedbelofte. Wij beschouwen het begrip als ruimer, omdat opvoeden misschien wel de voornaamste maar niet de enige taak van een ouder is. De opvoedbelofte heeft wel het voordeel dat ze in een beperkte vorm ook bruikbaar is voor een plusouder.

Ouderschapsplan: in Nederland is sinds maart 2009 het ouderschapsplan verplicht. In België is dat nog niet het geval, maar er gaan steeds meer stemmen op om dat bij scheiding verplicht te maken. In dit plan moet in elk geval zijn opgenomen:

- hoe de ouders de zorg- en opvoedingstaken verdelen (zorgregeling) of het recht en de verplichting tot omgang met de kinderen regelen (omgangsregeling);
- hoe ouders elkaar informeren en raadplegen over belangrijke onderwerpen, bijvoorbeeld schoolkeuze;
- hoe de kosten van het kind of de kinderen zullen worden verdeeld en de eventuele alimentatie voor de kinderen;
- de wensen van de kinderen.

De ouders kunnen het ouderschapsplan samen bespreken, of met hulp van een advocaat of mediator.

De zorgregeling of omgangsregeling is onderdeel van het ouderschapsplan. Ouders met gezamenlijk ouderlijk gezag spreken een zorgregeling af. Deze bevat afspraken over hoe ouders de zorg- en opvoedingstaken verdelen. Als één ouder gezag heeft, spreken de ouders een omgangsregeling af. De ouder zonder gezag is niet verantwoordelijk voor de zorg en opvoeding van het kind, maar heeft wel het recht om met het kind om te gaan.

Parentificatie: veel ouders projecteren hun persoonlijke behoeften en/of persoonlijkheidskenmerken op hun kind. Het kind wordt hierdoor zodanig beïnvloed dat het steeds meer ouderlijke functies gaat vervullen ten opzichte van de ene ouder om daarmee het gemis van de andere ouder op te vangen.

Plusouder: de nieuwe partner van een van beide ouders, die de zorg voor de kinderen mede op zich neemt. Wordt ook wel stiefouder genoemd.

Samenlevingscontract: een contract waarin (wettelijke) samenwoners een regeling en voorwaarden kunnen treffen rond de organisatie van het gezin en zakenrechtelijke gevolgen. Zo kan geregeld worden welke goederen al dan niet gemeenschappelijk zijn, hoe het budget besteed wordt, hoe de kosten van de kinderen voldaan worden en hoe een eventuele scheiding geregeld wordt. Wettelijk samenwonenden moeten zo'n overeenkomst laten opstellen bij een notaris.

Stiefouder: de partner van een van beide ouders die niet de biologische of juridische ouder van het kind is. Letterlijk betekent de term 'stief' oorspronkelijk 'beroofd van (de bloedband)', 'iets missend'.

Verblijfsco-ouderschap: in België betekent dit dat de kinderen ongeveer evenveel bij beide ouders verblijven, die de zorg- en opvoedingstaken dan ook evenveel waarnemen.

Wettelijk samenwonen: enkel van toepassing in België. Wanneer twee personen die samenwonen bij hun gemeente een verklaring van wettelijk samenwonen afleggen, genieten ze daardoor juridische bescherming. Dit kunnen hetero- of homoseksuele partners zijn, maar ook familieleden of andere personen zonder seksuele relatie. Hieruit volgen rechten, zoals de bescherming van de gezinswoning (verkopen, schenken of hypothekeren kan enkel na een akkoord van beiden), bijdragen in de lasten van het samenleven naar evenredigheid van hun mogelijkheden en verantwoordelijkheid voor schulden aangegaan voor de behoeften van de samenwonenden of van de kinderen die zij samen opvoeden.

MEER WETEN

www.livingtogetherapart.eu
Hier vind je meer info over het afstemmen van wederzijdse verwachtingen (zie hoofdstuk 12 voor nieuwe partners en hoofdstuk 15 voor ex-partners) en over de opvoedbelofte (zie hoofdstuk 4).

www.eennieuwgezin.be (België)
www.nieuwgezin.info (Nederland)
Bijkomende informatie voor iedereen die in zijn omgeving te maken krijgt met nieuw samengestelde gezinnen.

Voor persoonlijke informatie, vragen of bedenkingen, kun je ook terecht bij de auteurs van dit boek via **contact@livingtogetherapart.eu.**

EINDNOTEN

1. Delfos, M.F. (2011). *Ik heb ook wat te vertellen! Communiceren met pubers en adolescenten.* Amsterdam: SWP.

2. Colpin, H., Vandemeulebroecke, L. & De Munter, A. (2000). Opvoeding in eenoudergezinnen: een overzicht van de onderzoeksliteratuur, in *Tijdschrift voor Orthopedagogiek, Kinderpsychiatrie en Klinische Kinderpsychologie.*

3. Cloïn, M. & Schols, M. (2011). *De gezinsagenda.* In: Bucx, F. (2011). *Het gezinsrapport.* Den Haag: Sociaal en Cultureel Planbureau.

4. Mortelmans, D., Pasteels, I., Bracke, P., Matthijs, K., Van Bavel, J. & Van Peer, C. (2011). *Scheiding in Vlaanderen.* Leuven: Uitgeverij Acco.

5. Bruckner, P. (2009). *Le paradox amoureux.* Paris: Editions Grasset.

6. Cochran, C. (2007). *Reconcilable Differences. Marriages End, Families Don't.* Toronto: Second Story Press.

7. Joke Hermsen in *Nieuw Gezin,* kwartaaltijdschrift van de stichting Nieuw Gezin Nederland, jaargang 4, nr. 3, 2012.

8. Spruijt, E. & Kormos, H. (2010). *Handboek scheiden en de kinderen.* Houten: Bohn Stafleu van Loghum.

9. Langendijk, W. (2007). *Beter scheiden. Redelijke afspraken, minder stress.* Amsterdam: Uitgeverij SWP.

10. De Wachter, D. (2012). Vechtscheidingen versnipperen onze maatschappij, interview in *De Morgen,* 21 november 2012.

11. Mortelmans, D., Pasteels, I., Bracke, P., Matthijs, K., Van Bavel, J. & Van Peer, C. (2011). *Scheiding in Vlaanderen.* Leuven: Uitgeverij Acco.

12. Forna, A. (1999). *De mythe van het moederschap.* Amsterdam: Luitingh Sijthoff.

13. Van Crombrugge, H., Willems, J. & Vandenhole, W. (red.) (2007). *Gedeelde pedagogische verantwoordelijkheid. De opvoedingsbelofte in het licht van de rechten van de mens en de rechten van het kind.* Brussel: HIG.

14. Joke Hermsen in *Nieuw Gezin*, kwartaaltijdschrift van de stichting Nieuw Gezin Nederland, jaargang 4, nr. 3, 2012. En: Liefde is... in evolueren, interview in *NRC Handelsblad*, 25 februari 2012.

15. Rosenberg, M.B. (1989). *Geweldloze communicatie, ontwapenend en doeltreffend*. Rotterdam: Uitgeverij Lemniscaat.

16. Vollinga, P. (2011). *Het grote co-ouder doe boek*. Utrecht/Antwerpen: Uitgeverij Kosmos.

17. Vansteenwegen, A. (2009). *Liefde is een werkwoord*. Tielt: Uitgeverij Lannoo.

18. Bakx, G. (2012). *Gelukkiger leven*. Antwerpen: Uitgeverij Witsand.

19. Vansteenkiste, M. (januari 2013). Weg met het schuldgevoel, in *Psychologies*.

20. Verhaeghe, M. (2012). *Identiteit*. Amsterdam: De Bezige Bij.

21. Adriaenssens, P. (2012). Interview in *Het Nieuwsblad*, 2 juni 2012.

22. Hermsen, J. (2012). Interview in *Nieuw Gezin*, jaargang 4, nummer 3, tijdschrift van de stichting Nieuw Gezin Nederland.

23. Adriaenssens, P. (2013) Interview in *De Standaard*, 22 mei 2013.

24. Cochran, C. (2007). *Reconcilable differences. Marriages end, Families don't*. Toronto: Second Story Press.

25. Haag, P. (2011). *Huwelijk 2.0*. Amsterdam: Mouria.

26. Helllinger, B. (2002). *De verborgen dynamiek van familiebanden*. Haarlem: Altamira Becht.

27. Garssen, J., De Beer, J., Cuyvers, P & De Jong, A. (2001). *Nieuwe feiten over relaties en gezinnen*. Voorburg/Heerlen: Centraal Bureau voor de Statistiek.

28. Cochran, C. (2007). *Reconcilable differences. Marriages end, Families don't*. Toronto: Second Story Press.

29. Driesen, L. (2012). *Ik wil mama én papa, allebei*. Antwerpen: Uitgeverij Garant.

30. Bastaits, K., Van Peer, C. & Mortelmans, D. (2012). *Wat kunnen ouders doen om de negatieve gevolgen van een echtscheiding voor kinderen te verlichten?* Antwerpen: Universiteit Antwerpen. Relaties en nieuwe gezinnen, vol. 2, nr. 2.

31. Van Tongeren, P., in *Filosofie Magazine*, april 2009.

32. Interview met filosoof Joke Hermsen in *Nieuw Gezin*, kwartaaltijdschrift van de stichting Nieuw Gezin Nederland, jaargang 4, nr. 3, 2012.

GERAADPLEEGDE WERKEN

- Dijkstra, P. (2005). *Omgaan met hechtingsproblemen*. Houten: Bohn Stafleu van Loghum.
- Groenhuijsen, L. (2009). *Een atlas voor het stiefgezin*. Amsterdam: SWP.
- Haverkort, C. & Spruijt, E. (2012). *Kinderen uit nieuwe gezinnen*. Houten: LannooCampus.
- Haverkort, C., Kooistra, M. & Hendrikse, A. (2012). *Hoe maak je een succes van je nieuwe gezin?* Huizen: Pica.
- Hendrikse-Voogt, A. (2009). *Stoppen als partners, doorgaan als ouders*. Amsterdam: SWP.
- Juul, J. (2013). *Bonusouders*. Baarn: Forte.
- Manneke, A. (2009). *De bewuste stiefmoeder*. Amsterdam: SWP.
- Mingelinckx, M. (red.) (2012). *Thuis in twee gezinnen*. Tielt: Lannoo.
- Nagel, Y. (2006). *Co-ouderschap, het beste van twee ouders*. Baarn: De Kern.
- Remmert, E. & Holitzka, M. (2003). *Familieopstellingen voor paren*. Katwijk: Panta Rei.
- Schonewille, P. (2012). *Mijn man heeft een kind*. Utrecht: Kok.
- Schouten, K. (2005). *Breekbare liefde*. Brussel: Globe.
- Spruijt, E. & Kormos, H. (2010). *Handboek scheiden en de kinderen*. Houten: Bohn Stafleu van Loghum.
- Thoomes-Vreugdenhil, A. (2012). *Hechtingsproblemen bij kinderen*. Houten: LannooCampus.
- Updike, J. (1998).*Trouw met mij*. Utrecht: Singel Pockets.
- Van Loo, J. (2012). *Contact met gescheiden ouders*. Deventer: Kluwer.
- Vermeulen, P. (2008). *Een ouderschapsplan maken*. Rotterdam: Ad Donker B.V.
- Willems, J. (2010). *Een nieuw gezin, een nieuwe kans*. Antwerpen: Witsand.

OVER DE AUTEURS

Jos Willems (Schelderode) is vader van drie, en plusouder van twee kinderen. Hij was advocaat en directeur van EGON (Hogeschool voor economisch en grafisch onderwijs, nu Arteveldehogeschool). Tegenwoordig is hij voorzitter van de vzw Een Nieuw Gezin.

Hij is auteur van *Een Nieuw gezin, een nieuwe kans*, coauteur van *Thuis in twee gezinnen* en werkte mee aan *Kinderen uit nieuwe gezinnen, handboek voor school en begeleiding* van Corrie Haverkort en Ed Spruijt.

Maaike Goyens (Heers) is moeder van twee kinderen die zij met hun vader volgens de principes van de derde weg opvoedt, en plusmoeder van twee dochters van haar huidige partner. Professioneel bouwde zij ervaring uit als advocaat in familierecht en als bemiddelaar in familiezaken.

In 2013 hing ze haar toga aan de haak, vanuit de overtuiging dat familiale conflicten en moeilijkheden hun oplossing zelden in de wet vinden. Als bemiddelaar heeft ze nu vooral oog voor de belangen van kinderen.

Brigit Appeldoorn (Den Bosch) vond samen met de vader van hun twee zonen na hun scheiding een derde weg waarin ze gezamenlijk het belang van de kinderen voorop hebben gezet. Ook de nieuwe partners en een halfzus hebben hun eigen plek gekregen. Gesterkt door dit positieve resultaat wil Brigit een voorbeeld voor anderen zijn.

In haar praktijk 'Het Relatie Advieshuys & Jouw Leven in de Steigers' begeleidt ze als relatiespecialist, scheidingscoach en bemiddelaar ouders tijdens en na hun scheiding en bij de vorming van een nieuw samengesteld gezin. Dit met bijzondere aandacht voor de kinderen.

www.lannoo.com

Registreer u op onze website en we sturen u regelmatig een nieuwsbrief met informatie over nieuwe boeken en met interessante, exclusieve aanbiedingen.

Omslagfoto: © Shutterstock
Vormgeving: Mediactief

© Uitgeverij Lannoo nv, Tielt, 2013, Jos Willems, Brigit Appeldoorn en Maaike Goyens
D/2013/45/371 – NUR 770 – ISBN 978 94 014 0948 3